23º Ano de Edição

O LIVRO DA
LUA
2022

Descubra a influência do astro no seu dia a dia
e a previsão anual para seu Signo

Marcia Mattos

Copyright © 2021, Marcia Mattos
Todos os direitos reservados à Astral Cultural e protegidos pela
Lei 9.610, de 19.2.1998.
É proibida a reprodução total ou parcial sem a expressa anuência da editora.
Este livro foi revisado segundo o Novo Acordo Ortográfico da Língua Portuguesa.

Produção editorial Aline Santos, Bárbara Gatti, Jaqueline Lopes, Natália Ortega, Renan Oliveira e Tâmizi Ribeiro
Preparação de texto Alline Salles
Revisão de texto Audrya de Oliveira
Capa Agência MOV
Ilustrações Shutterstock Images
Foto da autora Arquivo pessoal

Dados Internacionais de Catalogação na Publicação (CIP)
Angélica Ilacqua CRB-8/7057

M392L
    Mattos, Marcia
      O livro da lua 2022 / Marcia Mattos. -- Bauru, SP: Astral Cultural, 2021.
      416 p.

    ISBN 978-65-5566-186-6

    1. Astrologia 2. Lua – Influência sobre o homem 3. Lua – Fases I. Título

21-3471
                                                            CDD 133.5

Índice para catálogo sistemático:
1. Astrologia

ASTRAL CULTURAL EDITORA LTDA.

BAURU
Avenida Duque de Caxias,
11-70 - 8º andar
Vila Altinópolis
CEP 17012-151
Telefone: (14) 3879-3877

SÃO PAULO
Rua Major Quedinho, 111 - Cj. 1910,
19º andar
Centro Histórico
CEP 01050-904
Telefone: (11) 3048-2900

E-mail: contato@astralcultural.com.br

Contatos da autora

Site: www.marciamattos.com
YouTube: Marcia Mattos Astrologia
Instagram: @marciamattosastrologia
Facebook: Marcia Mattos Astrologia
E-mail: marciamattos@globo.com
WhatsApp cursos: +55 21 96973-0706
WhatsApp consultas: +55 21 96973-0700

Aos colaboradores que contribuem anualmente com seu conhecimento, entusiasmo e profunda lealdade ao projeto. Devo a eles a inigualável alegria das parcerias.

Os Astrólogos

Bárbara Basilio
barbaracarolinabasilio@gmail.com

Celina Branco
celinacbranco@gmail.com

Gleide Furtado
gleidefurtado@terra.com.br

Lucianna Magalhães
lucianna.m@globo.com

Maria Luísa de Oliveira Proença
marialuisa.astroaura@gmail.com

Moraima Rangel
moraima1968@gmail.com

Valéria de Freitas
valfreitas47@hotmail.com

Wilza Rosário
wilzinharosario@globo.com

SUMÁRIO

Este livro: para quem, para quê e como usar 10

Calendários para 2022 12
    Sobre os horários dos calendários 13
    Entrado do Sol nos Signos 2022 14
    Eclipses 2022 16
    Movimento retrógrado dos planetas em 2022 17

O céu em 2022 20
    A dança dos Signos em 2022 20
    Calendário dos ciclos planetários 33

O céu do Brasil 40

Seu Signo em 2022 52
    ÁRIES 53
    TOURO 58
    GÊMEOS 63
    CÂNCER 68
    LEÃO 74
    VIRGEM 79
    LIBRA 85
    ESCORPIÃO 90
    SAGITÁRIO 96
    CAPRICÓRNIO 101
    AQUÁRIO 106
    PEIXES 112

Calendário das fases da Lua em 2022 118

As fases da Lua 120

Lua Nova 120

Lua Crescente 122

Lua Cheia 125

Lua Disseminadora 126

Lua Minguante 128

Lua Balsâmica.. 129

Lua e cirurgia 131

Calendário da Lua Fora de Curso 2022 134

Lua Fora de Curso 137

O Céu nos meses do ano 139

Céu do mês de janeiro 142

Céu do mês de fevereiro 165

Céu do mês de março 186

Céu do mês de abril 210

Céu do mês de maio 230

Céu do mês de junho 253

Céu do mês de julho 272

Céu do mês de agosto 294

Céu do mês de setembro 317

Céu do mês de outubro...................................... 340

Céu do mês de novembro 364

Céu do mês de dezembro................................... 383

Índice lunar de atividades.. 404

Serviços profissionais da autora.................................. 414

Agradecemos aos leitores que vêm
acolhendo O Livro da Lua com assiduidade.
Estamos no vigésimo terceiro ano consecutivo
de publicação. Mantivemos nesta edição os
tópicos mais interessantes e
aclamados pelos leitores.

Para quem

O Livro da Lua 2022 é um livro de Astrologia sobre o mais popular dos corpos celestes: a Lua.

É um material de consulta para leigos.

Qualquer um que tenha curiosidade de saber como está o dia — segundo as indicações do céu — e queira orientar suas decisões com base nessas informações é um usuário deste livro.

Os estudiosos, profissionais ou amantes de Astrologia encontrarão alguns dados técnicos e algumas interpretações muito úteis para seus estudos e aplicação nas consultas.

Ao contrário dos livros de Astrologia, que geralmente se baseiam nos Signos (solar, lunar, ascendente etc.) e têm uso individual, *O Livro da Lua 2022* bem poderia chamar-se *O céu é para todos*.

Na edição deste ano, empenhamo-nos em destacar os efeitos das atividades planetárias responsáveis por um astral que afeta a todos, coletivamente.

Para quê

O Livro da Lua 2022 possui informações para serem usadas como um calendário-agenda.

A esfera de domínio da Lua se estende por várias áreas das atividades e do comportamento humano. Deve-se usar este livro como meio de consulta e orientação a respeito dos inúmeros assuntos que ela regula, tais como: fertilidade; partos; nutrição; dietas; estética; saúde; cirurgia; sono; cultivo; humores; emoções; vida sentimental; negócios; vida profissional; público.

Que melhor maneira de planejar nossa vida senão de acordo com os ritmos e ciclos espontâneos da natureza?

Como usar

O Livro da Lua 2022 é um livro de consulta frequente e diária.

Na primeira parte do livro, encontram-se:

· Calendário do ano;

· Previsões coletivas;

· O céu em 2022 — *O que nos aguarda para este ano*;

· O céu do Brasil em 2022 — *Previsão astrológica para o país*;

· Revisão para os Signos em 2022;

· Fases da Lua (tabela e texto de interpretação);

· Lua e cirurgia (indicações para procedimentos cirúrgicos);

· Lua fora de curso (tabela e texto de interpretação);

· Eclipses (datas e interpretação);

· Movimento retrógrado dos planetas (tabela e texto de interpretação);

· Índice lunar de atividades (indicações das atividades mais compatíveis com cada Signo e fase da Lua).

A segunda parte do livro trata das **Posições Diárias** da Lua em cada mês, informações *móveis* que variam dia a dia:

· Fase em que a Lua se encontra;

· Signo em que a Lua se encontra (com interpretação sucinta);

· Indicação do período em que a Lua fica fora de curso — hora do início e do término;

· Aspectos diários da Lua com outros planetas (com indicação da hora de entrada e saída e do momento em que se forma o aspecto exato) e interpretação completa de cada um deles.

Na entrada de cada mês, encontra-se, ainda, o Calendário Lunar Mensal, que oferece uma visualização completa do período.

Não deixe de consultar o Índice Lunar de Atividades para a escolha do melhor momento para: saúde, atividade física, compras e consumo, compras para o lar, serviços, casa, beleza, finanças e negócios, profissão, procedimentos, eventos, lazer, relacionamento, gestação, cultivo, plantio e natureza.

Um ótimo 2022!

CALENDÁRIO 2022

Janeiro

Seg	Ter	Qua	Qui	Sex	Sab	Dom
					1	2
3	4	5	6	7	8	9
10	11	12	13	14	15	16
17	18	19	20	21	22	23
24	25	26	27	28	29	30
31						

Fevereiro

Seg	Ter	Qua	Qui	Sex	Sab	Dom
	1	2	3	4	5	6
7	8	9	10	11	12	13
14	15	16	17	18	19	20
21	22	23	24	25	26	27
28						

Março

Seg	Ter	Qua	Qui	Sex	Sab	Dom
	1	2	3	4	5	6
7	8	9	10	11	12	13
14	15	16	17	18	19	20
21	22	23	24	25	26	27
28	29	30	31			

Abril

Seg	Ter	Qua	Qui	Sex	Sab	Dom
				1	2	3
4	5	6	7	8	9	10
11	12	13	14	15	16	17
18	19	20	21	22	23	24
25	26	27	28	29	30	

Maio

Seg	Ter	Qua	Qui	Sex	Sab	Dom
						1
2	3	4	5	6	7	8
9	10	11	12	13	14	15
16	17	18	19	20	21	22
23	24	25	26	27	28	29
30	31					

Junho

Seg	Ter	Qua	Qui	Sex	Sab	Dom
		1	2	3	4	5
6	7	8	9	10	11	12
13	14	15	16	17	18	19
20	21	22	23	24	25	26
27	28	29	30			

Julho

Seg	Ter	Qua	Qui	Sex	Sab	Dom
				1	2	3
4	5	6	7	8	9	10
11	12	13	14	15	16	17
18	19	20	21	22	23	24
25	26	27	28	29	30	31

Agosto

Seg	Ter	Qua	Qui	Sex	Sab	Dom
1	2	3	4	5	6	7
8	9	10	11	12	13	14
15	16	17	18	19	20	21
22	23	24	25	26	27	28
29	30	31				

Setembro

Seg	Ter	Qua	Qui	Sex	Sab	Dom
			1	2	3	4
5	6	7	8	9	10	11
12	13	14	15	16	17	18
19	20	21	22	23	24	25
26	27	28	29	30		

Outubro

Seg	Ter	Qua	Qui	Sex	Sab	Dom
					1	2
3	4	5	6	7	8	9
10	11	12	13	14	15	16
17	18	19	20	21	22	23
24	25	26	27	28	29	30

Novembro

Seg	Ter	Qua	Qui	Sex	Sab	Dom
	1	2	3	4	5	6
7	8	9	10	11	12	13
14	15	16	17	18	19	20
21	22	23	24	25	26	27
28	29	30				

Dezembro

Seg	Ter	Qua	Qui	Sex	Sab	Dom
			1	2	3	4
5	6	7	8	9	10	11
12	13	14	15	16	17	18
19	20	21	22	23	24	25
26	27	28	29	30	31	

Feriados 2022

Janeiro
01: Confraternização Universal

Março
01: Carnaval

Abril
15: Sexta-feira Santa
17: Páscoa
21: Tiradentes

Maio
01: Dia do Trabalhador

Junho
16: *Corpus Christi*

Setembro
07: Independência do Brasil

Outubro
12: Padroeira do Brasil

Novembro
02: Finados
15: Proclamação da República

Dezembro
25: Natal

SOBRE OS HORÁRIOS DOS CALENDÁRIOS

O Livro da Lua e o fuso horário

O Livro da Lua 2022 foi calculado levando em consideração o fuso horário de Brasília. Os territórios brasileiros localizados em fusos horários diferentes devem ajustar as tabelas do livro conforme o fuso horário local.

Acerto de horários para Portugal

Durante o horário de verão em Portugal, acrescentar quatro horas.

Acerto de horários para Uruguai e Argentina

O horário oficial no Brasil é o mesmo do Uruguai e da Argentina.
Na Argentina, não existe horário de verão, ou seja, o horário permanece o mesmo durante todo o ano.

Acerto de horários para México

Durante o horário de verão do México, subtrair duas horas.

ENTRADA DO SOL NOS SIGNOS

Sol em Aquário	19 janeiro 2022	*23h38min56seg*
Sol em Peixes	18 fevereiro 2022	*13h42min50seg*
Sol em Áries	20 março 2022	*12h33min14seg* * Equinócio da Primavera H. Norte – Equinócio de Outono H. Sul
Sol em Touro	19 abril 2022	*23hs24min06seg*
Sol em Gêmeos	20 maio 2022	*22h22min24seg*
Sol em Câncer	21 junho 2022	*06h13min40seg* Solstício de Verão H. Norte – Solstício de Inverno H. Sul
Sol em Leão	22 julho 2022	*17h06min48seg*
Sol em Virgem	23 agosto 2022	*00h15min59seg*
Sol em Libra	22 setembro 2022	*22h03min31seg* Equinócio de Outono H. Norte – Equinócio de Primavera H. Sul
Sol em Escorpião	23 outubro 2022	*07h35min31seg*
Sol em Sagitário	22 novembro 2022	*05h20min18seg*
Sol em Capricórnio	21 dezembro 2022	*18h48min02seg* Solstício de Inverno H. Norte – Solstício de Verão H. Sul

Equinócio

Quando o Sol entrar no grau zero do Signo de Áries, no dia 20 de março às 12h33min14seg, se iniciará a primavera no Hemisfério Norte e o outono no Hemisfério Sul.

Quando o Sol entrar no grau zero do Signo de Libra, no dia 22 de setembro às 22h23min31seg, marcará a entrada do outono no Hemisfério Norte e também da primavera no Hemisfério Sul. Essas duas estações são contempladas com temperaturas mais amenas e menores rigores da natureza.

A palavra Equinócio quer dizer noites iguais e distribui a mesma duração de horas entre os períodos da noite e do dia. Isso sugere uma volta de equilíbrio entre claro e escuro, sem predominância de nenhuma das partes do ciclo da luz.

A chegada dessas estações, tradicionalmente, sempre foi celebrada com inúmeros rituais que homenageavam e agradeciam o reequilíbrio das forças do dia e da noite.

Solstício

O início do verão será marcado pela entrada do Sol a zero grau do Signo de Câncer, em 21 de junho às 06h13min40seg para o Hemisfério Norte.

Esta mesma posição solar corresponderá, no Hemisfério Sul, à chegada do inverno. Quando o Sol passar pelo zero grau do Signo de Capricórnio em 21 de dezembro, às 18h48min02seg, abrirá a estação do inverno no Hemisfério Norte, e do verão do Hemisfério Sul. O Solstício é o nome que se dá à entrada dessas duas estações.

Durante o Solstício de verão, os dias são mais longos do que as noites e há uma predominância de luz na alternância claro-escuro dos ciclos da natureza. A chegada do Solstício de verão era comemorada com muita alegria e renovação de vida. Muitos festivais e rituais foram criados para celebrar o retorno da luz.

O Solstício do inverno corresponde a dias mais curtos e a noites mais longas, com visível predomínio do escuro, na alternância claro-escuro dos ciclos da natureza. Em lugares onde o inverno é rigoroso e em épocas em que se contava apenas com a luz do Sol, pode-se imaginar o impacto da chegada do Solstício, levando e trazendo a luz

ECLIPSES 2022

NATUREZA DO ECLIPSE	DATA	HORA	GRAU E SIGNO
Eclipse Solar Parcial	30/04/2022	17h28	10°28' de Touro
Eclipse Lunar Total	16/05/2022	01h14	25°18' de Escorpião
Eclipse Solar Parcial	25/10/2022	07h48	02°00 de Escorpião
Eclipse Lunar Total	08/11/2022	08h01	16°00' de Touro

Eclipses

Nunca devemos "estar por um fio", assoberbados ou sem espaço para manobra nas proximidades de um Eclipse. O que estiver sob muita pressão irá transbordar ou se romper.

Todo Eclipse decide algo.

O melhor modo de se preparar para esse fenômeno é eliminar aquilo que não queremos que se mantenha, criando espaço para acontecimentos surpreendentes em todos os setores da nossa vida.

Eclipse Lunar

Ocorre na Lua Cheia, quando o Sol, a Lua e a Terra estão alinhados entre si com exatidão. O Eclipse Lunar provoca um confronto entre passado e futuro, mas é o futuro que deverá vencer.

Nesse caso, serão sacrificadas pessoas, circunstâncias, conceitos e experiências que tenham fortes alianças com o passado. O que não parecia possível, revela-se com uma força surpreendente. A sensação de que alguém está prestes a "puxar seu tapete" também é comum neste período.

Eclipse Solar

Ocorre na Lua Nova, quando a Lua cobre o Sol e o Sol, a Lua e a Terra estão alinhados. O Eclipse Solar provoca um confronto entre passado, presente e futuro, mas é o passado que deve vencer. É uma época de revival. É comum ressurgirem antigos relacionamentos, emoções e ideias. Devemos tomar cuidado para não recair em comportamentos, vícios e sentimentos que foram custosos de abandonar.

MOVIMENTO RETRÓGRADO DOS PLANETAS EM 2022

	INÍCIO	FIM
Mercúrio	14/01/22 às 08h43 10/05/22 às 08h49 10/09/22 à 00h39 29/12/22 às 06h33	04/02/22 à 01h14 03/06/22 às 05h01 02/10/22 às 06h09 18/01/23 às 10h13
Vênus	19/12/21 às 07h37	29/01/22 às 05h47
Marte	30/10/22 às 10h37	12/01/23 às 17h57
Júpiter	28/07/22 às 17h39	23/11/22 às 20h03
Saturno	04/06/22 às 18h49	23/10/22 à 01h09
Urano	19/08/21 às 22h41 24/08/22 às 10h54	18/01/22 às 12h27 22/01/23 às 19h59
Netuno	28/06/22 às 04h57	03/12/22 às 21h16
Plutão	29/04/22 às 15h34	08/10/22 às 18h54

O que significa Mercúrio Retrógrado

A cada três meses, **Mercúrio** entra em movimento **retrógrado**, permanecendo assim por três semanas. Quando **Mercúrio** está no seu movimento **retrógrado**, há uma interferência no funcionamento das áreas de comunicação, telefonia, componentes eletrônicos, serviços de entrega, serviços de informação, correio, transportes, veículos, fretes, estradas e acessos.

Por isso, durante esses períodos, é indispensável ser mais rigoroso no uso ou na prestação de serviços que envolvam essas áreas:

• Faxes, telefones, veículos, equipamentos, máquinas e computadores apresentam mais defeitos;

• Veículos e máquinas comprados apresentam defeitos crônicos ou dificuldade de entrega;

• Fios, ligações, tubos e conexões podem falhar ou apresentar problemas de fabricação;

• Trânsito, acessos e redes estão prejudicados;

• Papéis, documentos, contratos e assinaturas apresentam problemas e devem ser copiados e revisados;

• Cláusulas de contratos e prazos estabelecidos, geralmente, são alterados e renegociados;

• Tarefas apresentam mais falhas e precisam ser refeitas;

• Cirurgias devem ser evitadas, já que a perícia está menos acentuada e erros podem ocorrer;

• Exames e diagnósticos devem ser reavaliados;

• Mudanças de ideia ocorrem para favorecer ou desfavorecer uma situação;

• Comunicação pessoal pode gerar mal-entendidos;

• Informações devem ser checadas, pois os dados podem estar alterados, errados ou incompletos;

• Obras em estradas, rodovias e viadutos apresentam atrasos.

Caso seja extremamente necessário lidar com alguma situação relacionada a um desses tópicos, evite o período em que Mercúrio estiver retrógrado.

Os demais planetas retrógrados

Quando Vênus estiver retrógrado, evite:
• Transações financeiras de vulto, negociar salários e preços ou abrir negócio;
• Definir assuntos amorosos, casamento e noivado.

Quando Marte estiver retrógrado, evite:
• Cirurgias eletivas, não emergenciais.

Quando Júpiter estiver retrógrado, evite:
• Eventos de grande porte, principalmente os esportivos e culturais, encaminhar processos na justiça, esperar progresso e crescimento de negócios e projetos.

Quando Saturno estiver retrógrado, evite:

· Mudanças no emprego, pois o mercado de trabalho e de produção estará mais recessivo.

Quando Urano estiver retrógrado, evite:

· Pensar que algo interrompido não irá retornar e que algo iniciado não sofrerá várias alterações.

Quando Netuno estiver retrógrado, evite:

· Abandonar um assunto já encaminhado, achando que está bem entregue.

Quando Plutão estiver retrógrado, evite:

· Considerar algo definitivamente encerrado.

O CÉU EM 2022

A dança dos Signos

Movimento dos planetas lentos e Nodos através dos graus dos Signos em 2022

Júpiter em Peixes	De 29/12/2021 a 10/05/2022	8° Áries Agosto → 29° Peixes Outubro → 0° Áries Dezembro; 0° Áries Maio
Júpiter em Áries	De 10/05/2022 a 28/10/2022 De 20/12/2022 a 16/05/2023	29° Peixes Maio; 0° Peixes Janeiro
Saturno em Aquário	De 17/12/2021 a 07/03/2023	25° Aquário Junho; 22° Aquário Dezembro; 11° Aquário Janeiro; 18° Aquário Novembro
Urano em Touro	De 07/03/2019 até 25/04/2026	18° Touro Setembro; 10° Touro Janeiro; 15° Touro Dezembro
Netuno em Peixes	De 05/04/2011 a 25/01/2026	25° Peixes Agosto; 20° Peixes Janeiro; 22° Peixes Dezembro
Plutão em Capricórnio	De 27/11/2008 a 23/01/2024	28° Capricórnio Junho; 27° Capricórnio Dezembro; 25° Capricórnio Janeiro; 26° Capricórnio Novembro
Nodo Norte em Touro	De 19/01/2022 a 18/07/2023	10° Gêmeos Janeiro; 29° Touro Janeiro; 11° Touro Dezembro

Alguns trechos dos textos sobre a dança dos Signos a seguir são reproduções daqueles publicados em edições anteriores de *O Livro da Lua*, uma vez que se tratam de interpretações de passagens idênticas ou semelhantes.

— JÚPITER EM PEIXES —

De 29 de dezembro de 2021 a 10 de maio de 2022
De 28 de outubro a 20 de dezembro de 2022

Além dos efeitos da passagem de Júpiter em Peixes já descritos na edição anterior e reproduzidos adiante, alguns outros eventos merecem ser acrescentados. Devemos assistir a um desenvolvimento da indústria náutica e um aumento expressivo do fluxo de comércio por via marítima. Também é provável um esforço maior por conquistas de rotas marítimas. As viagens de navio também devem retomar o ritmo de crescimento anterior.

As indústrias químicas e farmacêuticas devem experimentar um boom, com um aumento na solicitação de patentes e lançamento de novos medicamentos. Terá um grande número de usuários que aderirão e se beneficiarão dessas novas medicações. Novas vacinas contra Covid e suas variantes devem entrar e, possivelmente, a liberação e ampliação do uso da canabis para fins medicinais. As ações das empresas que produzem e comercializam essa substância para uso medicinal já tiveram uma notável valorização no mercado financeiro.

Vamos assistir também a uma procura substancial por destinos paradisíacos fora dos circuitos turísticos habituais. Estaremos com fome de êxtase e maravilhamento. Finalmente, outro efeito marcante desse ciclo será a percepção ampliada de que o que acontece a nossa volta, o que e quem está diante de nossos olhos nos afetam e nos englobam.

A indiferença não será uma prática adotada com facilidade e muito menos bem vista. O que afeta alguns, afeta todos, reverbera no todo.

Cada vez mais, vão ocorrer situações que atingem a todos nós, sem exceção — as mudanças climáticas, a poluição das águas, o vírus da vez, o desmatamento da Amazônia… como se o processo de dissolução das bordas estivesse ampliado, colocando todos nós dentro do mesmo palco.

A seguir, reproduzo o texto publicado no Livro da Lua 2021 sobre a passagem de Júpiter em Peixes.

Júpiter, completamente à vontade em Peixes, Signo do qual é corregente, anuncia uma passagem auspiciosa. Este é um planeta que representa todo e qualquer processo de crescimento, expansão, desenvolvimento, e é o portador dos grandes benefícios.

Sinaliza que o crescimento não estará restrito a um setor, categoria, região ou grupo, mas tende a se espraiar, se derramar, se infiltrar por vários cantos e frestas, conduzido pelas águas de Peixes.

Há um terreno fértil e pouca resistência para que ocorra e se dissemine essa expansão. Os Signos do elemento Água (Câncer, Escorpião e Peixes) e do elemento Terra (Touro, Virgem e Capricórnio) estarão particularmente favorecidos.

Quando Júpiter atravessa um Signo, favorece as atividades, comportamentos, negócios associados a ele e também aos nascidos naquele Signo.

A indústria farmacêutica e as pesquisas na área de medicamentos devem prosperar. A distribuição e o acesso a medicações devem aumentar. É uma sinalização de vacinação em massa contra o Covid-19.

As práticas que tenham um caráter solidário e de inclusão, baseadas na consciência, cada vez mais inevitável, de que estamos todos no mesmo barco e de que o que acontece com alguns atinge a todos são recompensadoras sob este ciclo. Tomar medidas que cuidam de todos será uma forma de cuidar de si também.

Surgirão diversos segmentos, que inclusive prosperarão, com ênfase em ações que favoreçam a todos, com visão mais de conjunto do que de partes. Menos divisão, mais inclusão e participação, resultando em mais prosperidade.

Essa é a matemática de Júpiter em Peixes. Estender, partilhar, poder multiplicar. Afinal, os peixes nos ensinam a nadar em cardumes. O pensamento sistêmico, que percebe a conexão entre coisas, fatos, seres e não analisa as partes isoladamente, deve ganhar um grande impulso.

Sensibilidade, romantismo, sutileza, flexibilidade, adaptação, permeabilidade, envolvimento X indiferença, juntar-se em vez de separar-se, encantamento com a magia e poesia da vida serão práticas em alta. Todas as atividades que as promovam ou se baseiem nelas frutificarão. Por onde Júpiter em Peixes estiver transitando no mapa de uma pessoa, país ou cidade, o espírito e benefícios descritos acima se expandirão.

No Brasil, teremos essa passagem beneficiando a casa 2, o que indica um fomento para a economia, para a produção e para os negócios.

No mapa do Rio de Janeiro, Júpiter transitará a casa 10, sinalizando que a cidade volta a ganhar espaço de destaque e ser um lugar de possibilidades promissoras. Haverá um potencial de crescimento principalmente dentro dos nichos de mercado para os quais a cidade tem vocação.

Este ciclo promete também êxito na gestão pública e projeção para empreendedores, líderes e governantes que ajudaram a promover as condições de melhoria para o Rio de Janeiro.

— JÚPITER EM ÁRIES —

De 10 de maio a 28 de outubro de 2022
De 20 de dezembro de 2022 a 16 de maio de 2023

A passagem de Júpiter pelo Signo de Áries traz um grande desenvolvimento e chances de êxito para as atividades, condutas, qualidades associadas a esse Signo e, naturalmente, para os arianos.

Todo crescimento acontecerá mais rapidamente e será facilitado quando a maneira de conduzi-lo for mais direta, sem rodeios e sem recuos. Esse ciclo promete grandes avanços para tudo o que representar negócios novos, pioneiros e de iniciativa própria. Favorece totalmente o espírito empreendedor e abre muitas chances para empreendimentos próprios.

Veremos aqui uma ampliação da atitude de ir à luta, cavar oportunidades, traçar o próprio caminho, criar o próprio negócio que gere mais autonomia e que carregue essa natureza independente e audaciosa de Áries. Isso pode ser fruto desse longo período que amargamos pelos efeitos da pandemia.

Será preferível explorar as oportunidades e abrir frentes que estejam sob a gestão do indivíduo do que ficar aguardando iniciativas que venham dos governos, das empresas, da melhoria do mercado de trabalho, das instituições, de incentivos, auxílios, de oferta de emprego etc.

Em vez de estruturas mais complexas que dependam de um número grande de participantes, será melhor pensar em atividades que dependam, em grande parte, da atuação da própria pessoa ou do que ela domine bem.

O perfil empreendedor, criativo, autônomo pioneiro que sair na frente, ganha destaque. Vamos contabilizar a abertura e o sucesso de inúmeras startups com seu fôlego criativo.

É aconselhável estarmos em posição competitiva para podermos aproveitar os benefícios desse tipo de expansão que está a caminho e não acomodados ou abaixo da concorrência.

O segmento de esporte que andou desacelerado nos últimos anos voltou a funcionar a todo vapor, inclusive com um aumento expressivo de público.

Volte para o ponto de partida, para o ponto zero, se precisar ganhar impulso de crescimento em alguma área que estava estagnada... ou busque ir além da posição em que se encontra. Não se esqueça de que se trata de um mundo novo, que está sendo produzido depois do desmonte que vivemos nos dois últimos anos. Muitas oportunidades novas estão sendo criadas, pensadas e realizadas nesta forma inaugural.

As pessoas estarão dispostas a correr algum risco para crescerem. Não é um ciclo em que se obtenha crescimento só pela continuidade.

Talvez estejamos no florescer da chamada "economia criativa", em que o indivíduo é seu próprio insumo e capital e o crescimento decorre dessa profunda identificação de quem ele é com o que ele faz.

Progressos rápidos, desenvolvimento associado às atividades de pouca manutenção e retorno em curto prazo mostram um número expressivo de lançamento de produtos e serviços ao dinamismo desse ciclo.

Os avanços virão de respostas rápidas às oportunidades pelo aumento do ambiente competitivo, como também para os profissionais autônomos e para os que trabalham em empresas, mas que sejam altamente proativos.

Todos esses efeitos serão vividos na área do mapa natal onde tivermos o Signo de Áries. Essa passagem favorece os nascidos nos Signos de Fogo.

— SATURNO EM AQUÁRIO —

De 17 de dezembro de 2020 a 07 de março de 2023

Saturno faz seu primeiro ingresso no Signo de Aquário no primeiro trimestre de 2020, retorna para o Signo de Capricórnio por todo o segundo semestre e lá permanece até o final de 2020, dando uma conferida se deixou tudo bem organizado e definitivamente estruturado. É bom informar que Saturno se encontra muito à vontade no Signo de Aquário. Um planeta de planejamento em um Signo de antecipação, ou seja, bons presságios para criarmos um planejamento eficiente para o que está por vir. Profissionais que atuam no segmento de antecipação de tendências, que de certa forma trabalham com o tema de projeção, revisão, e áreas de prevenção em Economia, Saúde, Ciências Políticas e Sociais e Ciência terão bastante destaque. Bem mais fácil acertar assim. Sob esta passagem, pensar em produção é pensar em automação, tecnologia, velocidade, agilidade e supressão de etapas. Muitas novidades tecnológicas e científicas, que pareciam ainda remotas, estarão prontas para fazer parte do mais básico processo de produção ao mais sofisticado, de forma regular e aplicada, vivenciada em nosso dia a dia. Energia solar, prédios inteligentes, fontes alternativas de energia, carros elétricos, robôs e transportes sem motorista vão invadir nossas estruturas de vida e tomar conta do mundo real. Produzir com novas ferramentas, assim como uma gestão diferenciada e descentralizada, serão apostas sem chance de erro durante essa passagem. Afinal, o planeta da produção e gestão está em um Signo distributivo e avesso à centralização e ao "personalismo". Atividades realizadas distantes da localização da empresa (supondo que ainda haja um local físico), dispensando a presença e o uso de matérias-primas e equipamentos inteligentes na produção e na construção, modificarão profundamente o trabalho. Estruturas compartilhadas, tanto de espaços profissionais, como de moradia com áreas comuns e áreas privadas, são efeitos prováveis deste ciclo. Aquário sempre remete ao conceito do coletivo, distribuído, compartilhado, em vez do privilégio, do separado, do individual e da exclusão. Notaremos, também, uma gestão inovadora e participativa, assim como estruturas de trabalho cujos participantes tenham qualificações, faixas etárias, formação e etnias diferentes. Mais heterogeneidade do que homogeneidade será a tendência das empresas e empregadores. A responsabilidade passa a ser compartilhada pelo trabalho em equipe, tirando o peso dos ombros de uma só pessoa. As pessoas passam a ter mais de uma alternativa de trabalho e deixam de pôr todos os ovos em um único cesto. A liberdade é trazida para as relações profissionais. Atuar em um projeto e, depois, em um novo projeto de outra área com um outro produto é a tendência desses tempos. Finalmente, podemos pensar em um modelo de governo ou órgãos governamentais menos centralizadores, com participação de figuras de outros quadros, não necessariamente políticos, inclusive, com parcerias mais constantes entre os setores público e privado para dar esta cara distributiva, heterogênea própria do Signo de Aquário, onde Saturno pretende alicerçar suas estruturas nos próximos anos.

— URANO EM TOURO —

De 15 de maio de 2018 a 25 de abril de 2026

Estaremos interessados nas mudanças com efeitos mais duradouros e que atuem no lado prático da vida. As alterações mais importantes e criativas devem se dar no campo da produção e também no uso da terra em relação ao cultivo, colheita, armazenamento, aproveitamento e durabilidade do que foi cultivado. Por se tratar de um Signo de Terra e fixo, portanto, é muito afeito aos movimentos de manutenção e conservação, e não a perdas e deteriorações.

Outro foco importante das práticas revolucionárias de Urano será em relação às formas de pagamento ou ao uso do dinheiro. Afinal, trata-se de um Signo que fala de matéria. Pode-se pensar em aceleração de novos sistemas de cobrança e pagamento, como as moedas virtuais, *bitcoins*, várias formas de permuta de serviços e mercadorias sem uso de dinheiro nas transações, ou até situações em que o cliente sugere o valor da mercadoria.

Muita coisa nova vem por aí nesta área: a economia ainda vai nos surpreender e nos mostrar como é possível reinventar suas práticas. Na linha da inversão típica de Urano passando pelo Signo de Touro — afeito às posses, ao senso de propriedade —, poderemos ver a economia se beneficiar de modelos de negócios de uso temporário, em que se estabelece pagamento pelo uso, e não pela propriedade. É o caso das bicicletas de uso comum e, já em algumas capitais, o uso comum do automóvel por um determinado período.

Esse formato de "posse provisória" pode se estender a outros artigos, evitando a predisposição ao acúmulo de peças, bens e objetos que não estejam sendo usados continuamente pelo proprietário, o que abre a possibilidade para que outros usufruam desse bem mediante um valor previamente definido.

Até a opção pela casa própria pode ser revista pelas gerações mais jovens, pois este ciclo tende a privilegiar liquidez em vez de imobilização do capital.

Temos outros exemplos bem-sucedidos deste conceito de "despossuir" como aluguel de malas, Airbnb, troca de casa e o expressivo crescimento do mercado de segunda mão no negócio da moda e objetos.

— NETUNO EM PEIXES —

De 05 de abril de 2011 a 25 de janeiro de 2026

A consciência de que estamos todos imersos no mesmo oceano e de que tudo cada vez mais afeta a todos, desde o início da era globalizante, fica ainda mais expressiva com Netuno, o planeta da dissolução de fronteiras, em seu próprio Signo. Sendo assim, o ambiente ideal para desmanchar uma determinada ordem e reagrupá-la em uma nova síntese, incluindo elementos que estavam fora. Tudo remixado e miscigenado, agregando em uma mistura, antes improvável, raças, culturas, classes, idades e gêneros. Esta é a ideia de "fusion", que a gastronomia adotou tão bem quanto a música. Se nosso paladar e nossos ouvidos recebem tão bem este conceito, por que não todo o resto? Marcar diferenças, separar, exilar, estabelecer limites muito delineados será quase impossível sob esta abrangente combinação. Inclusão é a palavra de ordem.

A atitude mais recomendada e contemporânea será flexibilizar. Tempos difíceis para rígidos e intolerantes. Fenômenos e comportamentos de massa estarão ainda mais presentes com ideias, modismos e expressões se espalhando mundo afora em prazos muito curtos. As últimas barreiras de resistências regionais, ou de grupos e culturas que pretendem se manter isolados, serão paulatinamente enfraquecidas. A tendência é que sejam absorvidos, como o movimento da água que a passagem de Netuno em Peixes tão plasticamente reproduz. A música e as artes visuais, principalmente o cinema — um mundo cada vez mais visual e sonoro — viverão momentos de grande expressão. A água, como já se tem anunciado por toda esta década, torna-se cada vez mais um precioso bem. E as regiões que possuem reservas hídricas serão muito valorizadas. Por outro lado, o planeta que rege os mares, que não aprecia limites e bordas, transitando em um Signo de Água, pode produzir efeitos indesejáveis, como enchentes, alagamentos e chuvas prolongadas. Quem mora nas proximidades de grandes concentrações de água pode sofrer os efeitos mais nocivos desta passagem. Este planeta também está associado à química, à indústria farmacêutica e ao acesso a medicamentos em escala cada vez maior. Quebra de patentes ou um crescimento acentuado dos genéricos são boas possibilidades. Esse astro ainda expande todo o arsenal de substâncias químicas que imitam, por algum tempo, a sensação de bem-estar ou nos fazem esquecer a falta dele, como um bom e eficiente anestésico.

Também é atribuída a Netuno a regência sobre o petróleo e o gás. As reservas de óleo devem ficar progressivamente menos hegemônicas ou menos restritas a algumas áreas. Descobertas de novas reservas em outros países, que passam a ser também produtores de petróleo, mudam um pouco a moeda de poder associada a esse valioso produto. Por sinal, Netuno em Peixes não é amigo de hegemonia nem de restrição. É Netuno o responsável por nossa capacidade de encantamento. É ele que nos lembra, ao nos trazer uma tristeza na alma, que viver não é só uma equação material ou corporal, mesmo que esta equação esteja muito bem solucionada. Isto não garante uma alma plena ou alegre. A falta de encantamento nos torna vazios, robotizados, automáticos. Em Peixes, esta capacidade e necessidade se tornam ainda mais acentuadas. Surgem daí algumas alternativas: o romantismo no amor, a espiritualidade que dá sentido à existência, a arte, o contato com a natureza.

A natureza, por sinal, nos lembra que tudo é perfeito. A busca de estados mais contemplativos, para repousar e equilibrar nosso vício pelo ritmo frenético, será mais frequente. Com a queda das utopias, vamos todos precisar mais de sonhos e de refúgios paradisíacos — agora mais do que nunca. Lugares que, de algum modo, sugerem a ideia de paraíso serão avidamente buscados. Floresce a percepção, agora muito mais difundida, quase corriqueira, de que tudo está conectado como um grande organismo, que só pulsa se todos os elementos pulsarem juntos, ou de um sistema que só funciona se suas partes interligadas funcionarem. Soluções isoladas não resolvem mais questões tão complexas. Um só gesto afeta mil outras coisas, situações de uma natureza atraem outras semelhantes ao mesmo tempo e, ainda, o homem contém dentro de si partículas do universo. Estes são os efeitos prováveis desta passagem, que destaca ainda um pensar sistêmico e um ser humano mais sensível. Estudos interdisciplinares vão crescer cada vez mais, como se um conhecimento fosse complementar a outro.

— PLUTÃO EM CAPRICÓRNIO —

De 27 de novembro de 2008 a 23 de janeiro de 2024

Um dos principais e mais visíveis efeitos desta passagem é a crise financeira e a consequente recessão econômica em que estamos envolvidos desde a entrada de Plutão em Capricórnio em novembro de 2008. Quebra-quebra de empresas e bancos, aumento do índice de desemprego, enxugamentos e gestão mais apertada das empresas são reflexos desta passagem. Consumo consciente e toda uma reeducação econômica estão em vigor. Viver com menos e gastar com prudência, administrando melhor os próprios recursos, são as ordens do dia. Os quinze anos em que Plutão permanece em Capricórnio alertam para os graves efeitos que o ataque ao meio ambiente vem causando. A exacerbação desses efeitos será visível, e eles poderão ser totalmente irreversíveis, caso as medidas preventivas e reparadoras não sejam tão radicais e tão urgentes quanto a proporção dos danos causados. Cura ou destruição da Terra são as duas únicas opções. Este imenso trabalho de recuperação, por sua vez, gerará novos empregos, novas indústrias e até novas profissões, aquecendo todos os setores da economia ligados a este processo. Na verdade, toda uma nova economia será gerada no rastro desta tendência.

Alguns exemplos: atividades de reciclagem, beneficiamento de lixo, reutilização de descartáveis, despoluição, reaproveitamento de fontes naturais etc. Já está em estudo o processo de reversão do lixo, em que este faz o seu caminho de volta e retorna à produção. Esse é um dos sentidos mais profundos da economia de recursos, quando quase nada é jogado fora. Até porque, já há claros sinais de escassez de recursos e da iminente falta de alguns deles. Uma das áreas críticas, que já começa a se evidenciar, é a produção de alimentos. Como alimentaremos toda a população mundial sem um controle radical da manutenção e qualidade das terras cultivadas? O que fazer diante do cenário que sinaliza algumas delas se tornando áreas de produção de insumo para combustível? Também sobressaem desta passagem de Plutão pelo Signo de Capricórnio profundos reajustes da Terra, este planeta vivo que de tempos em tempos sofre todos os tipos de abalos causados pelas forças da natureza, terremotos, inundações, vendavais etc. O formato de trabalho que se conhece hoje será revogado, inclusive com um forte decréscimo do assistencialismo. Cada vez mais, a ideia de um governo "mãe", ou seja, protetor, que "cuida" dos seus cidadãos, ficará distante. A crise na previdência social já ocorre em muitos países, causada pelo desequilíbrio entre o que o governo precisa desembolsar para assistir aos cidadãos e à contribuição dos indivíduos produtivos. Essa crise deve se agravar agora, justamente pelo fato de Plutão se encontrar em Capricórnio, que é o Signo oposto a Câncer, no qual se encontrava entre 1914 e 1939, período em que tal modelo foi criado. Trata-se, na realidade, de uma mudança radical de formato de trabalho, no qual o indivíduo vai encontrando outros meios mais garantidos e autossuficientes de se assegurar fora dos braços do Estado ou do empregador.

O prolongamento da vida e o consequente envelhecimento da população agravam ainda mais essa questão. O fato de as pessoas ganharem mais anos de vida faz com que se vejam obrigadas a permanecer mais tempo produzindo para que esse tempo excedente seja devidamente financiado. O conceito de aposentadoria precisa ser completamente repensado e alterado nessas condições. A outra grande revolução se dará no campo político. Há uma forte tendência de predominância do Estado laico, superando a dos últimos anos (durante a passagem de Plutão em Sagitário), quando houve muitos casos de convergência entre Estado e religião, sendo esta, inclusive, usada como apelo político e força de sustentação de poder. Essa era chegou ao fim. Até porque os desafios que encontraremos serão de natureza tão objetiva — como a sobrevivência do próprio planeta — que exigirão soluções e competências pragmáticas. Talvez, por isso, o braço da religião neste momento não seja um apoio tão tentador.

O cenário político sofrerá ainda outra importante transformação, com o poder sendo deslocado da esfera do simples usufruto de autoridade, do mando e do status para a esfera da competência, da realização e do trabalho. É como se ocorresse uma "profissionalização" do poder. A política volta a ter sua função reguladora, administradora e gerenciadora, diante da gravidade dos problemas enfrentados, deixando de ser apenas um lugar gerador de privilégios, divorciado dos problemas estruturais da sociedade. Ou seja, um lugar de responsabilidades e soluções, não de discursos. Isso muda completamente a face dos dirigentes. A autoridade estará diretamente ligada à competência. Assim, o Estado terá que se assemelhar mais com uma grande empresa ou um grande gestor. O poder pertencerá a quem faz e sabe fazer. Pode-se observar também o aumento do controle ou do poder do Estado sobre a economia e o funcionamento da sociedade em geral. Já vimos isso acontecer em 2009 nos Estados Unidos, a mais liberal das economias, quando o governo teve que assumir o controle de algumas empresas à beira da falência. Essa tendência segue. Há, de qualquer maneira, uma total renovação dos nomes do atual cenário político. Não só os nomes irão mudar, mas também os perfis, com toda uma nova geração ascendendo ao poder.

— NODO NORTE EM TOURO —

De 19 de janeiro de 2022 a 18 de julho de 2023

O Nodo Norte acaba de deixar o Signo de Gêmeos, em que nos estimulou e nos orientou com informações, dados, discussão, depoimentos, lives com especialistas em várias áreas e cumpriu o seu papel de comunicar, informar e divulgar.

O percurso do Nodo Norte em Touro tem outra proposta para o próximo ano e meio.

O foco central será voltado para a Economia, a produção, o fazer, o concretizar e, principalmente, para a estabilização.

Quando o Nodo Norte atravessa um Signo, ele põe em destaque as atividades, comportamento e personalidades alinhadas com a natureza daquele Signo. O fluxo das coisas está seguindo aquela direção. Se quisermos estar dentro da onda, devemos nos orientar por essa sinalização.

Complementando a passagem de Júpiter em Áries que segue uma linha mais acelerada, inaugural e audaciosa, a orientação do Nodo Norte em Touro pede um estilo de solidez, foco, perseverança, consolidação e pragmatismo. Não é para ficar mudando de rota e pulando de galho em galho ou usando lente multifocal. É para pôr em prática, concretizar em vez de ficar fazendo planos ou discursos. É o feito e quem faz que vão valer.

Criar algum nível de segurança, firmeza no seu negócio, trabalho e atos vai abrir caminho.

Olhar com atenção para a parte material de um negócio, país, empresa e priorizá-la é a orientação do Nodo Norte em Touro.

Pessoas com um perfil mais estável, de produção e que se mantêm na mesma posição apesar das ventanias e com propostas pragmáticas e exequíveis, gerando, com isso, um clima de segurança, vão assumir lideranças.

Queremos todos um pouco de conforto, sossego e menos crises, solavancos e, com certeza, muito menos perdas.

As questões ligadas à preservação ambiental vão direcionar decisões importantes nesse próximo ciclo.

Foco na economia sustentável, valorização expressiva do cultivo, terras férteis e produtos orgânicos estão na mira dessa passagem.

A indústria que gera conforto, bem-estar e combate o estresse será muito bem vista durante esse ciclo, assim como a busca crescente do contato com a natureza e a vida mais próxima do campo. Pela ótica da passagem dos Nodos em Touro, as pessoas se guiarão pelo conceito de segurança e desaceleração. O "Slow business" deve ganhar destaque nesse período.

Os relacionamentos também tendem a seguir essa onda por busca de solidez, estabilidade e lealdade no lugar de situações experimentais e passageiras.

CALENDÁRIO DOS CICLOS PLANETÁRIOS

Eventos geocósmicos de destaque em 2022

Janeiro de 2022	Júpiter quadratura Nodos Saturno quadratura Urano
Fevereiro de 2022	Júpiter sextil Urano Plutão trígono Nodo Norte
Março de 2022	Júpiter sextil Urano Júpiter conjunção Netuno Júpiter sextil Nodo Norte Saturno quadratura Nodos Netuno sextil Nodos Plutão trígono Nodo Norte
Abril de 2022	Júpiter conjunção Netuno Júpiter sextil Nodo Norte Júpiter sextil Plutão Saturno quadratura Nodos Netuno sextil Nodos
Maio de 2022	Júpiter sextil Plutão Saturno quadratura Nodos Netuno sextil Nodos
Junho de 2022	Netuno sextil Nodos
Julho de 2022	Urano conjunção Nodo Norte
Agosto de 2022	Saturno quadratura Urano Urano conjunção Nodo Norte
Setembro de 2022	Saturno quadratura Urano Urano conjunção Nodo Norte
Outubro de 2022	Saturno quadratura Urano
Novembro de 2022	Saturno quadratura Urano Júpiter sextil Plutão Urano conjunção Nodo Norte
Dezembro de 2022	Júpiter sextil Plutão Urano conjunção Nodo Norte

— O CICLO JÚPITER NODOS (QUADRATURA) —

Janeiro de 2022

Logo no início do ano, Júpiter nos primeiros graus de Peixes desarmoniza com os Nodos, nos primeiros graus de Gêmeos, se preparando em seu movimento no sentido contrário do zodíaco, para entrarmos nos últimos graus de Touro.

Aqui, corremos o risco de entrar o ano com propósitos, providências e ações muito diversificadas. Estamos propensos a traçar metas que nos distanciam uns dos outros, nos dividem e nos tiram o foco. Fica muito mais difícil acertar o alvo. Esta é, sem dúvida, uma clara tentativa de compensar os dois últimos anos perdidos, como se quiséssemos plantar e colher o que não foi possível durante esse período. Mantenha-se, portanto, na direção.

Cuidado com propostas ou oportunidades superestimadas, vindas de todas as direções. Atenção ao se diversificar para não se perder e gastar flechas e munição em alvos inadequados e fora da nossa mira. Cautela com promessas, discursos e vantagens propagadas por líderes ou candidatos que estejam fora do campo das possibilidades reais. Em ano de eleições, é comum se acenar com a tal miragem da "Terra Prometida" e esse ciclo favorece o surgimento dessas miragens.

— O CICLO SATURNO-URANO (QUADRATURA) —

Dezembro de 2021 a janeiro de 2022

Saturno e Urano, inimigos míticos que se confrontam em 2021.

Saturno, o deus do Tempo e da conservação de suas construções, do controle, do limite e das fronteiras, resiste às investidas de Urano, o deus da liberdade, individualidade e da aversão à supervisão e ao cerceamento.

A tentativa de controle das ações do indivíduo pelo acesso irrestrito aos seus dados pessoais encontrará forte resistência. Esta será, talvez, o centro das questões do ano de 2021.

Rebeliões, manifestações, "insurreições" irromperão sempre que se detectar excesso de controle, cerceamento cometidos pelo Estado, empresas ou instituições.

Uma reformulação do próprio conceito de Estado e do seu papel, tensão na direção de maior distribuição de poderes, inclusive em relação ao domínio do mercado por empresas gigantes (Urano e sua face avessa à concentração de poder).

A reorganização de grupos, órgãos, instituições, comunidades, como OMS, ONU, Comunidade Europeia e Mercosul, com algumas rupturas e dissidências é um cenário esperado do ciclo Saturno-Urano.

Outro foco que chegará a um ponto crítico e de impasse inadiável será a fricção causada entre o avanço irreversível da tecnologia sobre todos os níveis dos processos produtivos (do planejamento, decisões estratégicas, seleção de negócios, produção, operação, à logística e distribuição) *versus* emprego e oferta de trabalho.

Esta tensão já está se estabelecendo na última década, mas este ciclo vem trazer urgência a esta questão.

As empresas, negócios, lojas e atividades em geral precisarão acelerar seus processos tecnológicos e criar uma versão "virtual" urgentemente, sob pena de serem varridas do mercado por obsoletismo. A rapidez com que Urano exigirá a atualização das estruturas será impactante.

Como sempre acontece sob esta dupla, alguns empregos e atividades saem de cena, no entanto, o mercado estará muito dinâmico gerando novos empregos e novas profissões, principalmente na área de tecnologia e toda uma cadeia de atividades na sua esteira.

A chamada economia criativa terá espaço para crescer, ocupando o vácuo deixado por negócios que perderam vigor ou saíram de linha.

O ciclo Saturno-Urano está associado ao dólar e aos Estados Unidos, o que sugere um período de revezes e menos florescimento para o país e para a moeda americana.

É difícil se apostar em segurança, garantia do que está estabelecido ou previsibilidade, quando Urano sacode as estruturas defendidas por Saturno.

— O CICLO JÚPITER-URANO (SEXTIL) —

Fevereiro e março de 2022

Júpiter fará várias alianças facilitadoras com outros planetas ao longo de 2022, e algumas delas já no início do ano, começando com o auspicioso encontro com Urano.

Definitivamente, trata-se de um ciclo de abundância de oportunidades benéficas. A maior parte delas ocorre de forma surpreendente e não se encontrava no nosso radar e nem dentro de nossas expectativas. Abre-se uma clareira e surgem fagulhas de benefícios que devem ser aproveitadas de pronto. Muitos desses benefícios serão providenciados pelo acaso e por circunstâncias que são inesperadamente alteradas, possibilitando brechas para explorarmos novas chances.

Esse ciclo costuma beneficiar o mercado financeiro com sua vocação para perceber e apostar rapidamente nas oportunidades que surgem.

Todo o segmento de tecnologia e inovação também são favorecidos por essa dupla, especialmente as Funtechs, os apps e empresas que vêm substituindo o sistema bancário tradicional.

Atenção à movimentação do mercado em que você atua e à "dança das cadeiras". Pode vagar um assento para você. Há mais agilidade para se avançar em inovações e em mudanças que não encontravam eco. Se for para apresentar um projeto inovador ou voltar com ele, a hora é esta.

Fique ligado nas oportunidades se você está buscando mudanças. Elas estão batendo na porta.

— O CICLO PLUTÃO-NODOS (TRIGONO) —

Fevereiro e março de 2022

Essa é, definitivamente, uma sinalização de recuperação, de reconstrução e retomada dos rumos dos quais podemos ter nos extraviado.

Aquilo que, devido às circunstâncias adversas, tivemos que deixar para trás ou de lado, ou que tenha se perdido de nós pode ser reencontrado.

As estradas estão pavimentadas e estamos em tempos e com ânimo de reconstrução.

Podem se destacar líderes, gestores, empresários com potência para despertar forças que estavam adormecidas. Estamos de volta!

— O CICLO JÚPITER-NETUNO (CONJUNÇÃO) —

Março e abril de 2022

Esse é mais um ciclo que aponta para um cenário extremamente positivo.

Aqui, se trata de um crescimento, abundância, prosperidade que se esparrama e se infiltra em vários segmentos e que não encontra resistência para seu avanço. Várias áreas são irrigadas por essa expansão.

É, com certeza, uma sinalização do avanço da vacinação que deve ganhar escala. Devemos ter um aumento de imunizados em relação ao número de contaminados.

Medicações que façam diferença no tratamento de algumas doenças também devem ser uma das bençãos desse ciclo, que é conhecido como um ciclo de "milagres".

É mais fácil conseguir adesão para questões que promovam o bem comum e, com isso, se reduz a predominância da energia do eu e dos interesses de poucos. Um milagre mesmo.

É um ciclo que predispõe à sintonia e a se ouvir a melodia no mesmo acorde.

O encontro de Júpiter e Netuno em Peixes beneficia todas as questões ligadas a saneamento e tratamento da água.

Cinema, arte, espetáculo, música e dança devem ter suas atividades restauradas.

— O CICLO JÚPITER- NODO NORTE (SEXTIL) —
Março e abril de 2022

Nada mal esses primeiros meses de 2022. Juntando-se aos demais ciclos de Júpiter, firma-se também a aliança com os Nodos. O sinal verde está verde para caminhos de prosperidade, abundância, crescimento e avanço.

Há protagonismo e espaço para bom desempenho para líderes, governantes, empresários e gestores competentes para conduzir as questões por caminhos que levam a um destino próspero, de crescimento, sem barreiras para expansão.

Deve já estar acontecendo uma abertura entre fronteiras internacionais, com maior circulação das pessoas entre os países.

Acordos internacionais de porte são favorecidos e com muito mais facilidade de serem fechados, inclusive gerando crescimento e abundância para seus integrantes.

— O CICLO SATURNO-NODOS (QUADRATURA) —
Março a maio de 2022

No segundo trimestre, a interferência de Saturno sobre os Nodos vem colocar bloqueios, obstáculos e fechamento para os caminhos, permitindo pouca margem de manobra e negociação para sairmos dos impasses.

Não teremos muitas opções, como quando se está em um beco sem saída.

Líderes, governantes, gestores, empresários, estarão de mãos atadas ou com pouca abertura para conduzir questões e impasses importantes que devem surgir nesta ocasião.

O índice de acerto é baixo. Os governos devem errar na condução dos eventos. Líderes desgastados, já com prazo de validade vencida, podem perder posição e ser retirados de cena. Para tudo tem um fim, um limite. É Saturno, o deus do tempo, que o diz.

Também é um ciclo que pode indicar falta ou redução de algum bem indispensável.

— O CICLO NETUNO-NODOS (SEXTIL) —

Março a junho de 2022

O segundo semestre é brindado com essa leveza, essa joia de acordes celestes.

Sob esse ciclo, costumam surgir figuras inspiradoras, seja no campo político, econômico, cultural, científico ou espiritual. Personalidades que conseguem gerar convergência em torno de si, promover harmonia, costurar acordos e amenizar resistências.

Parece que o cenário começa a suavizar e conseguimos, assim, encontrar caminhos menos áridos.

Somos todos tocados por um espírito de solidariedade, como se aflorasse "o humano em nós" e nos conduzissem por rumos mais acertados.

— O CICLO JÚPITER-PLUTÃO (SEXTIL) —

Abril e maio, novembro e dezembro de 2022

Essa é outra boa carta introduzida por Júpiter no jogo de 2022. Sua aliança agora é com o poderoso Plutão.

Essa energia promove maior disponibilidade dos investidores: o capital estará ávido atrás de bons investimentos e generoso quando encontrá-los.

É um ciclo que gera oportunidades para se fazer um "dinheiro maior", através de aplicações, investimentos e participação em negócios.

É uma aliança muito favorável se estivermos realmente tratando de reforma fiscal-tributária, se até lá o país ainda não tiver feito nenhum progresso nesse sentido. É também indicação de melhora na arrecadação.

O mercado financeiro é, tradicionalmente, beneficiado por essa dupla.

É neste ciclo que costumam ocorrer transações bilionárias com aquisição e fusão de empresas. Atividades e negócios lucrativos estarão na mira de grandes empresas para serem comprados.

O dinheiro está circulando e promovendo boas oportunidades. Para quem anda buscando bons negócios, este é o Céu propício para encontrá-los.

— O CICLO URANO-NODOS (CONJUNÇÃO) —

Julho a setembro e novembro a dezembro de 2022

Este longo ciclo que consome quase todo o semestre de 2022 adverte: turbulência a caminho. Este elétrico e disruptivo encontro prenuncia rupturas, instabilidade, quebras de alianças e blocos, cisões, divergências na condução de temas relevantes para todos nós.

Acontecimentos inesperados — fora da ordem do dia — mudam o curso que estávamos seguindo. Tudo pode ocorrer sob este ciclo e sacudir, instabilizar o cenário, inclusive, incidentes geofísicos causados pela própria natureza.

Nada aqui deve estar sob pressão máxima porque se trata de uma energia explosiva.

Renovação de lideranças deve estar em curso.

O CÉU DO BRASIL

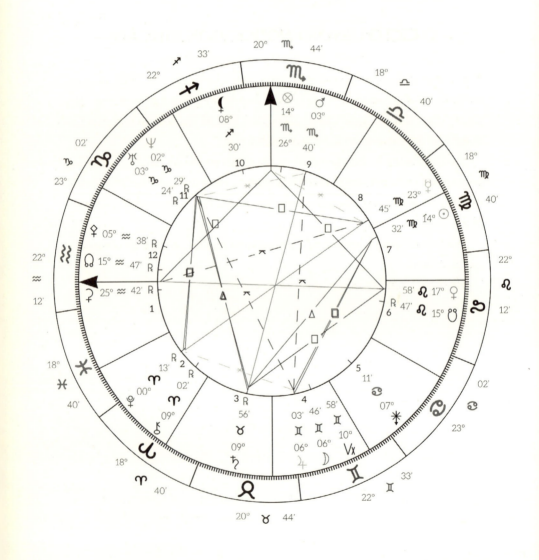

— SOL-MARTE PROGREDIDOS SOBRE URANO DO BRASIL —

De meados de 2020 até julho de 2022

Nos últimos dois anos, vivemos períodos de muita turbulência, com uma enxurrada de situações que não permitiam que o cenário se acalmasse. Uma grande onda se seguia a uma outra de modo que não tínhamos tranquilidade e nem intervalo para nos restabelecermos dos choques. E como pano de fundo estava a pandemia. Isso gerou um nível muito alto de tensão no país e nos deixou exaustos, querendo, simplesmente, paz. Como se a cada momento surgisse uma nova pauta-bomba para "desativar", antes que explodisse. Vivemos em uma corda bamba nesses últimos tempos.

Essa condição é efeito do indomável e explosivo ciclo de Sol e Marte sobre Urano do Brasil que ainda estará ativo até meados de 2022, mas que a partir daí encerra suas atividades.

— URANO CONJUNÇÃO A SATURNO DO BRASIL —

Dezembro de 2021 a março de 2022

O ano começa com os últimos toques do ciclo que sacudiu o mapa do Brasil e o país desde o segundo semestre de 2020 e por todo 2021. Não tivemos trégua ao longo deste período que se encerra em março deste ano.

Desestabilização e rupturas do que já parecia estruturado, definido e tido como certo e garantido são efeitos próprios dessa passagem. A ideia dessa dupla é sacudir as bases. Não é confortável e cria um nível alto de incerteza e imprevisibilidade, o que não gera um ambiente propício para investimentos e negócios.

O tempo todo se conviveu com o sentimento de que poderia haver uma ruptura política mais profunda. Os Poderes se chocaram em inúmeras ocasiões e precisaram demonstrar sua independência com ênfase.

A relação do governo com os meios de Comunicação foi tensa, a pressão sobre a mídia ou a discussão sobre seu papel foram intensas.

Esse ciclo também expõe a precariedade e necessidade de renovação da infraestrutura que, em alguns setores, se encontrava insuficiente ou ausente.

Há sempre um confronto entre forças renovadoras e forças conservadoras dentro da organização social. Discussões importantes sobre conceitos que estruturam nossa sociedade e suas regras fervilharão. É necessário ressaltar que esta aliança planetária sugere abalos na base.

— NETUNO OPOSTO MERCÚRIO —

Março a junho de 2022 e agosto a dezembro de 2022
Esta dupla planetária está ativa no mapa do Brasil desde 2021

Além de ser uma influência perniciosa para as contas públicas, no sentido de descontrole de gastos, mau uso de recursos, mau direcionamento e fiscalização, também é um ciclo por excelência associado a desvio de verbas.

Desinformação, informações ambíguas que criam um cenário de indefinição, especulação (ninguém sabe ao certo sobre nada), além de um aumento expressivo de golpes, cada vez mais bem idealizados, que lesam muitas pessoas, vítimas de sua própria credulidade, são efeitos dessa passagem.

Este não é um encontro planetário auspicioso para o Brasil. Descontroladas contas públicas, má gestão dos recursos, investimentos mal projetados com desperdício de dinheiro público, contas que não fecham, dinheiro que sai, mas não entra, ou entra e sai sem esquentar, risco maior de inadimplência, no sentido de não se receber o que é devido ou o que foi emprestado são o tipo de problemas que levam à chancela deste ciclo. Precisaremos de gente boa e técnica para fazer conta e controlá-la. Perder-se em labirintos burocráticos também é um efeito colateral desta passagem, assim como promessas não cumpridas por serem impossíveis, desculpas e explicações que não convencem.

Invasão de dados, gravações não autorizadas e hackeamento acontecem com mais frequência sob essa insidiosa dupla. Boatos, *fake news*, informações contraditórias e dados inconclusivos também fazem parte deste cenário.

— MEIO DO CÉU PROGREDIDO QUADRADO SOL DO BRASIL —

De meados de 2021 a dezembro de 2022

Este ciclo, cujo grau exato se dará em maio de 2022, é um dos indicadores de possível queda da popularidade do mandato do atual Presidente do Brasil, e mais a CPI do Covid. Esta passagem põe em cheque o desempenho do governante. Qualquer nome que ocupasse o cargo durante este ciclo passaria por uma importante crise de avaliação de sua performance.

Muito do desprestígio e da imagem desfavorável que o Brasil vem sofrendo diante do cenário internacional também está na conta deste ciclo.

— URANO QUADRADO NODOS —

Maio e junho de 2022
Novembro de 2022 a fevereiro de 2023

Novos fatos, inesperados e fora do contexto mudam a dinâmica do jogo, criam situações diferentes das imaginadas e modificam a rota. É uma energia que predispõe à ruptura e descontinuidade do que estava em curso.

Vou reproduzir o trecho de *O Livro da Lua 2021* em que descrevo os efeitos dessa passagem, que já estava ativa no ano passado.

Essa combinação Urano-Nodos vem acrescentar eletricidade e turbulência ao período.

Manobras bruscas são necessárias para fazer face às reviravoltas e às mudanças súbitas de direção.

Acontecimentos inesperados forçam a alteração de planos e a busca de outros rumos, como um piloto que precisa mudar a rota quando se depara com um céu turbulento, ou um capitão do barco, na travessia de um mar revolto. Apertem os cintos ou vistam o colete salva-vidas, teremos solavancos no caminho. Figuras proeminentes do cenário nacional que fazem parte da "equipe de bordo" podem ser substituídas ou desistir do percurso.

— JÚPITER QUADRADO JÚPITER-LUA —

Janeiro e fevereiro de 2022

Esse ciclo costuma gerar na população um quadro de otimismo e empolgação, como uma espécie de compensação de um longo período de restrições, isolamento e más notícias. As pessoas tenderão a agir de forma a superestimar as possibilidades e a querer fazer tudo que não conseguiram ou não se sentiram estimuladas a fazer no ano anterior.

O aconselhável aqui é manter o foco e não sair ampliando demasiadamente suas atividades ou negócios na tentativa de aproveitar todas as oportunidades que foram negadas em 2021. Aqui, se erra por excesso e por diversificar demais o campo de ação. Cuidado também com as promessas que nos sejam feitas aqui — estão superdimensionadas e não serão cumpridas, como uma propaganda enganosa.

Estamos em ano de eleições, de modo que sempre aparecem discursos que nos prometem o céu na terra.

— SATURNO CONJUNÇÃO AO NODO —

Janeiro e fevereiro de 2022

O início do ano também é marcado pelo encontro de Saturno com os Nodos do Brasil. Esse é um ciclo que representa, de certa maneira, um marco político. Há um ponto de partida de uma trajetória, de um direcionamento na área política. As forças se organizaram para dar um rumo ao país. Já podemos ter uma cara, um perfil, um mapeamento para onde os ventos estão indo. É uma sinalização de controle, de planejamento e não de desgoverno.

Poderia ser um período em que se definisse um nome que viesse a disputar as eleições ao lado dos candidatos de até então.

Trata-se também de um ciclo poderoso para se apresentar programas de governo e, naturalmente, para o Governo em exercício mostrar resultados, metas ou ações para os meses que ainda tem pela frente.

É ele que, a essa altura, permite que se assuma o leme e se faça as devidas correções de rota, principalmente em relação às medidas que terão impacto a longo prazo.Como havíamos enfatizado, essa é uma indicação forte de eventos políticos de destaque que tanto sinalizam o encerramento de uma determinada direção, quanto marcam o início de um novo traçado. A última vez em que ocorreu este ciclo, em 1992, tivemos uma mudança política de impacto com o impeachment do então Presidente Collor, sendo substituído por seu vice, Itamar Franco, para o cargo de Presidência da República. Este evento foi precedido pelo surgimento dos "caras pintadas", movimento de jovens que pediam o impeachment do Presidente.

Neste mesmo ano, o Brasil sediou a Eco 92, a Conferência das Nações Unidas sobre o meio ambiente.

Questões de peso, como essas, sempre ocupam a pauta do país quando esse ciclo entra em vigor.

— SATURNO OPOSTO A VÊNUS —

Fevereiro a março de 2022

O início de 2022 é marcado por um congestionamento de eventos planetários sobre o mapa do Brasil.

A presença de Saturno tensionando a Vênus é indício de pouca grana circulando no país, como se os recursos estivessem contados. Os dinheiros mal dão para o gasto e o crédito está restrito. É necessário fazer uma gestão muito austera e criteriosa das despesas, pois não dá para tudo. É mais difícil fechar negócios sob essa dupla, fazer dinheiro e conseguir trabalho. Geralmente, isso é fruto de um cenário onde não se fez uma previsão orçamentária e se gastou de forma mal calculada. O segmento associado a gastos não essenciais sofre mais nesse período.

A economia não costuma ter uma boa performance sob este ciclo.

A dica é segurar as despesas e fazer alguma reserva para cobrir esse primeiro trimestre, depois a situação melhora.

— LUA PROGREDIDA SOBRE PLUTÃO —

Fevereiro a maio de 2022

Essa é uma marcação astrológica desafiadora. Além de indicar ânimos alterados, com forte tendência a reações extremas, também traumatiza feridas não cicatrizadas, é um clima de catarse e pouco bom senso.

Também sinaliza revolta por parte da população que vem sendo sistematicamente prejudicada, excluída e desatendida.

É um ciclo que também aponta para confrontos de poder, de condução da economia e do orçamento público que deve estar a esta altura com pouquíssimo espaço de manobra.

O nível de endividamento da população e de inadimplência estará alto, antes de sentirmos as melhoras expressivas que virão com a entrada de Júpiter na Casa 2, já ali desde março.

— JÚPITER OPOSTO AO
SOL E TRÍGONO AO MEIO DO CÉU —

Março de 2022

Este é um mês de especial visibilidade, exposição e possibilidade de prestígio do Presidente, assim como do próprio país que melhora sua reputação no cenário internacional.

É também um período luminoso para o lançamento de um nome para candidatura das eleições em 2022, nome este que ganharia evidência sem nenhum esforço.

— SATURNO QUADRADO MEIO DO CÉU —

Março a agosto de 2022, setembro de 2022, novembro a dezembro de 2022

Esse ciclo põe sob rigorosa avaliação o desempenho do governo em exercício. Se fosse o mapa de uma pessoa comum, diríamos que ela estaria sendo testada em sua competência e qualificação profissionais. Por se tratar do mapa de um país, esta verificação será feita em relação ao Executivo e empresas estatais.

É hora de o governo mostrar suas melhores credenciais para não ter sua imagem prejudicada e para que, na contabilidade final, não pese mais na conta os erros do que eventuais acertos. A conta feita por Saturno, o fiscal do zodíaco, é sempre muito dura, não é subjetiva, mas rigorosamente baseada em resultados.

É ele também que atribui e cobra responsabilidade aos responsáveis, trazendo reconhecimento aos que a cumpriram e penalizando os que a descumpriram.

Problemas de gestão pública, de eficiência do funcionamento da máquina do governo e seus órgãos, de estrutura ou infraestrutura costumam gritar sob este ciclo.

São momentos mais críticos para quem ocupa posições de poder.

— JÚPITER NA CASA 2 DO BRASIL —

Março de 2022 a abril de 2023

Esta é a melhor notícia para o país em 2022.

Júpiter, o planeta da abundância, prosperidade, crescimento e gerador de grandes benefícios, atravessa a casa 2 do mapa do Brasil, o setor do mapa que rege a economia.

Devemos esperar um ano de melhoria na economia, com um cenário atrativo para investidores e benefícios amplos para o setor produtivo.

Para quem andou atravessando tempos difíceis, de vacas magras, ou precisando contar com auxílios e benefícios para dar conta do recado ou, ainda, para os que estavam esperando.

Este ciclo é simplesmente um presente em 2022.

A última passagem deste ciclo, que ocorreu em 2010, rendeu um crescimento de 7,5%. O maior em 24 anos, até aquele período.

Esperemos que Júpiter reproduza a mesma façanha em 2022.

— SATURNO CONJUNÇÃO ASCENDENTE DO BRASIL —

Abril de 2022 (permanece na Casa 1 por 2 anos)

Este é um dos ciclos mais marcantes para o Brasil.

Ele ocorre, aproximadamente, a cada 29 anos. A última vez em que se deu este ciclo foi em 1993. Neste ano, tivemos um plebiscito pelo qual se votaria sobre a forma e sistema de Governo em que funcionaria o Estado brasileiro. Saíram vitoriosos o presidencialismo e o regime republicano.

Não é improvável que possam ressurgir discussões sobre o sistema de governo, sobre redefinição do papel do Estado, suas prioridades e atribuições e questões sobre a eficiência do atual modelo.

O amadurecimento das Instituições, um aprimoramento do desenho da distribuição de poderes e a avaliação de como as coisas têm funcionado nos últimos 30 anos e de como poderia funcionar melhor serão pautas importantes para o ano de 2022.

Saturno passando pelo Ascendente confere uma espécie de maioridade, alertando-nos que não podemos continuar repetindo os mesmos erros juvenis.

É um ciclo que propõe revisão, reavaliação e não apenas continuidade automática, sem reflexão. No entanto, não é uma passagem que sugere inovação. Geralmente, preferimos caminhar em um território mais vezes trilhado e seguro e nomes e rostos mais conhecidos e experientes. Queremos consertar, sim, mas estamos cautelosos e evitamos riscos quando estamos sob a chancela de Saturno.

É também um ciclo de enxugamento, sobriedade e economia de tudo o que estiver em excesso e com desperdício, este último, um pecado mortal para o austero Saturno. Conduzida por mãos competentes, esta passagem possibilita uma reorganização do país para que ele caminhe de forma estruturada e estabilizada em direção a ótimos resultados de efeitos prolongados. É, no entanto, se mal-conduzida, uma energia que também tende à concentração, controle e forças conservadoras. Isso vai depender, como em qualquer trânsito de Saturno, de quanto se aprendeu com a experiência e com os próprios erros.

De qualquer maneira, um ciclo novo está se abrindo e um novo capítulo de nossa história também.

— ECLIPSE SOLAR (PARCIAL) CONJUNÇÃO A SATURNO DO BRASIL —

Eclipse Solar Parcial a 10º e 28' de Touro 30-04-2022 às 17h28

A presença do Eclipse sobre Saturno do mapa do Brasil, no mês de abril, prenuncia um período sombrio, de eventos relevantes que já se apresentavam problemáticos e que acabam por transbordar sob a força do Eclipse. Todo Eclipse decide e revela algo.

O posicionamento sobre Saturno provoca efeitos sobre a estrutura do país, gerando pouca estabilidade. Os embates com a mídia, sua atuação e tensões com países vizinhos são manifestações prováveis deste Eclipse.

— LUA PROGREDIDA QUADRADO NETUNO-URANO —

Abril a agosto de 2022

Essa é mais uma sinalização de um período tenso e de bastante demanda para o Congresso. Pautas delicadíssimas serão encaminhadas para o Legislativo. O nível de consenso será baixo e difícil de se chegar a definições. Essa Instituição pode decepcionar em sua atuação atuando, mais uma vez, como um palco de barganhas políticas em vez de cumprir sua função ou vocação.

— URANO TRÍGONO SOL —

Abril, maio e dezembro de 2022 a fevereiro de 2023

Essa é uma indicação favorável à renovação política e ao surgimento de nomes como alternativa ao quadro polarizado, aparentemente sem novas opções, para as eleições de 2022. Também não exclui a possibilidade de mudanças favoráveis para o Presidente em exercício.

Há, de qualquer maneira, um alívio da pressão financeira para as contas públicas, uma espécie de novas fontes de receita ou redução de despesas que desafogam um pouco o gargalo.

— ECLIPSE LUNAR TOTAL SOBRE O MEIO DO CÉU DO BRASIL —

Eclipse Lunar Total 16-05-2022 à 1h15 a 25º e 18' de Escorpião

Este Eclipse de Maio se posiciona na Casa 10 do mapa do Brasil a poucos graus do Meio do Céu.

Seus efeitos atingem a imagem do país, sua reputação, assim como o Poder Executivo.

Qualquer situação envolvendo o governante que já vinha acumulando tensão, encontra um potencial de clímax enquanto estivermos sob esse Eclipse.

Também é uma energia de tornar público o que até então não era conhecido ou divulgado. O Eclipse tem essas coisas de "pôr na cara", e o Meio do Céu também.

— NODO NORTE EM CONJUNÇÃO AO FUNDO DO CÉU —

Maio a Junho de 2022

Essa é uma sinalização que marca bastante potência, fluxo, força de expressão para a população.

Por outro lado, há um nível maior de desgaste das elites governantes com a posição do Nodo Sul na casa.

Pode ocorrer um aumento de impulso para a oposição, já que a passagem do Nodo Norte sobre a casa 4 beneficia as posições contrárias a quem está no exercício do Poder.

— JÚPITER SEXTIL-JÚPITER-LUA —

Maio, junho, agosto e setembro de 2022

Este benéfico ciclo aponta para prosperidade do agronegócio com ótimo desempenho das safras e valorização dos produtos.

O setor imobiliário também apresenta crescimento e recuperação de seu valor.

Há uma indicação de melhoria de bem-estar da população em geral, que mostrará índices maiores de satisfação.

Em termos políticos, há uma participação mais ativa e adesão da população no processo eleitoral, e não uma atitude de descrença ou isenção.

— JÚPITER QUADRADO URANO E NETUNO —

Maio, junho, setembro e outubro de 2022

Esses serão meses com pauta carregada para o Congresso. Temas desafiadores, variados e controversos caem sobre o Legislativo que, neste momento, se mostrará dividido e com dificuldade de orientar essas pautas com objetividade ligeira e transparência. Um fator de desgaste para a Casa.

— JÚPITER CONJUNÇÃO PLUTÃO —

Maio e outubro de 2022 a janeiro de 2023

Esta passagem de Júpiter sobre Plutão do Brasil anuncia um período de entrada de investimentos e de aumento do fluxo do capital. É, sem dúvida, uma sinalização de força da economia, inclusive com subida da arrecadação. Já devemos estar sob os efeitos de algum nível de reforma fiscal.

É uma energia que fala de dinheiro, mas também é um ciclo que está bastante propenso a gastos públicos de vulto, ainda mais em ano de eleições.

— URANO QUADRADO VÊNUS —

Junho a dezembro de 2022

Todo o segundo semestre será palco da atuação desta dupla. Não é uma passagem fácil. Seu principal efeito se manifesta na economia, com instabilidade e mudança de programas. Podemos também ser afetados pelo cenário internacional, pois Vênus rege assuntos que são ligados ao exterior. É de conhecimento que o Brasil pode sofrer prejuízos financeiros se não adequar sua política de meio ambiente e a condução de sua política externa.

Pode haver também pressão cambial sob essa dupla planetária.

O Judiciário também estará na mira deste ciclo, sendo convocado a atuar sobre pautas tensas e sem trégua que surgirão no segundo semestre. É liminar para cá, liminar para lá, liminar cassada e assim por diante.

— LUA PROGREDIDA TRÍGONO LUA-JÚPITER —

Agosto a novembro de 2022

Essa é mais uma indicação de envolvimento e participação ativa da população no processo eleitoral que ocorrerá sob este ciclo.

Podemos dizer, aqui, que a força estará mesmo com os eleitores, em sua plena capacidade de votar e escolher o candidato que tenha mais afinidade com seus interesses. As eleições devem transcorrer em clima de normalidade, já que estaremos sob um clima astrológico harmônico nesse período.

— NODO TRÍGONO SOL —
Setembro a dezembro de 2022

Este ciclo sinaliza que o processo eleitoral deve transcorrer dentro da regularidade mesmo com todas as suspeitas contrárias de muitos analistas políticos. A passagem do Nodo Norte sobre o Sol do Brasil (que simboliza o governante) indica que há fluxo, liberação de energia, caminho aberto para que se eleja e se anuncie sem maiores traumas o Presidente do novo mandato.

— ECLIPSE SOLAR PARCIAL
SOBRE MARTE DO BRASIL —
Eclipse Solar Parcial a 25-10-2022 às 7h50 a 2º de Escorpião

Este Eclipse de Outubro, em Escorpião, posiciona-se bem em cima do Marte do Brasil. Esta é uma energia belicosa, provocadora e reativa. É a única indicação planetária, no período das eleições, que cria um potencial de risco para que a disputa eleitoral se dê com confrontos e não ocorra com a devida normalidade ou tranquilidade. Alguma faísca deve sair deste confronto. O Poder Judiciário pode ser chamado a se posicionar.

— ECLIPSE LUNAR TOTAL
SOBRE SATURNO DO BRASIL —
Eclipse Lunar Total a 8-11-2022 às 8h01 a 16º 01' de Touro

Este Eclipse se posiciona a alguns graus de distância do Saturno do mapa do Brasil, de modo que seus efeitos, felizmente, podem não ser tão impactantes. De qualquer maneira, podem ocorrer algum nível de abalo das estruturas, de desestabilização e mesmo de maior necessidade de demonstração de força e firmeza das Instituições que regulam o país.

SEU SIGNO EM 2022

As previsões a seguir são baseadas, principalmente, nos trânsitos de Júpiter, Saturno, Urano, Netuno e Plutão. Para analisar as influências para o ano de 2022, foi necessário olhar a relação de cada planeta citado acima com os 12 Signos do zodíaco. É assim que o leitor pode consultar, através do seu Signo solar, ou ascendente, o que o ano lhe reserva.

Mas vale lembrar que estas previsões não substituem uma análise astrológica individual. A análise a seguir levou em conta somente em que Signo o Sol estava no momento do seu nascimento, o que pode ser comparado a 5% de toda a informação que você teria em uma consulta individual. Uma análise completa das previsões do Mapa Natal não só falará do seu Signo solar, como também da posição deste planeta na sua vida, além de analisar Signos, posições e aspectos de todos os planetas natais. A análise do Mapa Natal é única, pois, além de falar da sua vida e de como você lida com suas potencialidades e obstáculos, ela poderá orientar suas ações, de acordo com o momento de vida pessoal.

De qualquer maneira, você verá que as previsões a seguir são uma ferramenta de fácil consulta e podem lhe dar uma boa orientação em questões relacionadas a carreira, finanças, relacionamentos, saúde e influências gerais relacionadas ao seu Signo.

Enquanto estiver lendo, você verá que algumas datas de nascimento serão mencionadas ou destacadas no texto, de acordo com os decanatos. Por isso, pessoas nascidas nestes decanatos estarão vivendo um momento especialmente significativo este ano. Estas datas são resultado da entrada ou do início de algum trânsito ou aspecto dos planetas citados no início deste texto.

Contudo, nem todas as datas terão relação exata com algum trânsito importante. Por isso, não fique chateado se não encontrar o período do seu aniversário destacado. Se o seu grande dia não estiver lá, só significa que você viverá este trânsito em outro momento, talvez no próximo ano.

OBS 1: para uma análise mais completa e precisa de sua previsão anual, é aconselhável procurar a orientação de um astrólogo sério e profissional.

OBS 2: as datas mencionadas nos textos podem ter uma variação de um ou dois dias de diferença. Isso vai depender sempre da hora e ano de nascimento de uma pessoa.

ÁRIES (21/03 A 20/04) – REGENTE MARTE

Primeiro decanato: de 21/03 a 30/03
Segundo decanato: de 31/03 a 09/04
Terceiro decanato: de 10/04 a 20/04

Panorama geral:

O ano de 2022 será promissor para os arianos do primeiro decanato, nascidos entre os dias, 21/03 e 30/03, e do segundo decanato, nascidos entre os dias 31/03 e 09/04. O caminho será mais fácil, seus objetivos podem lograr-se e conquistar reconhecimento se realizarem com afinco aquilo que se propuserem a fazer.

A energia de planejamento e crescimento sentida no ano anterior mudará nos primeiros 5 meses do ano, com a entrada de Júpiter no amoroso Signo Peixes, o ideal é se recolher, acalmar um pouco a mente agitada e buscar dentro de si confiança e fé. Aproveite esse tempo de introspecção para aflorar a criatividade, materializar e transformar sua criação em algo rentável, porém fique atento para não se deixar seduzir pelo "Canto da Sereia", procure analisar o cenário com frieza, para não se deixar enganar e iludir.

Para os Arianos nativos do terceiro decanato, nascidos entre os dias 10/04 e 20/04, o céu pede calma, serenidade para entender que não controlamos tudo, e que há momentos em que temos aceitar derrotas como parte da vida, e começar de novo, com novos objetivos e força na alma. Esteja certo de que a vitória virá num tempo vindouro e com resultado positivo. Tomar atitudes do "desapegar" será o desafio, mas vai ser libertador. Seja forte, busque aqueles em quem confia e tenha fé, porque, na realidade, nada é contra nós, tudo faz parte de nosso processo espiritual nessa existência. Aceite as mudanças, siga a sua intuição e evite vibrar no negativo, pois os pensamentos têm poder.

Novas energias virão para os Arianos no mês de maio com a entrada do benéfico e expansivo Júpiter no Signo de Áries, principalmente para os nativos do primeiro decanato (21/03 a 30/03), trazendo confiança, otimismo, muita energia e coragem para buscar novos propósitos em sua vida pessoal e profissional, por isso, não desperdice as oportunidades.

Os nativos do segundo (31/03 a 09/04) e terceiro (10/04 a 20/04) decanatos devem continuar planejando e buscando recursos para viabilizar seus objetivos, para que em 2023 aproveitem a ajuda do grande benéfico Júpiter para a realização de seus propósitos.

Carreira e finanças:

É importante, para os Arianos do primeiro (21/03 a 30/03) e segundo decanatos (31/03 a 09/04), perseverarem nos planos traçados, principalmente os ligados à área profissional e material, que poderão se concretizar, uma vez que a presença do Nodo Norte em Touro, e Saturno em Aquário, mostra que o caminho a seguir será ligado à materialização do que quisermos. A Lua Nova de Áries, dia 01/04, está propícia para as conquistas materiais, aproveite os 15 dias da lunação para investir em algo que possa ser lucrativo.

Já para os do terceiro decanato (10/04 a 20/04), ainda há um caminho de transformações a acontecer, terão que aceitar que, muitas vezes, para construir algo, é preciso ter coragem de colocar o velho abaixo para que o novo possa surgir. Acolha, acredite e evite resistir às transformações, que fazem parte da natureza. Como Lavoisier, "Nada se cria, tudo se transforma".

O que não traz mais resultado, esqueça ou transforme. Porém, Ariano, é bom avaliar com muita prudência as mudanças profissionais, pois elas implicam diretamente nas finanças. Importante nesse período não se deixar levar por ambição demais, nem por caminhos mais fáceis. Evite confrontos com poderosos, você pode perder a batalha. Se está com vontade de ter seu negócio próprio, avalie bem se o momento é esse, se o mercado está favorável, se você tem capital de giro suficiente para sobreviver à instabilidade de ganhos que uma vida como profissional liberal representa. Atenção à Lua Cheia do dia 16/04, procure manter as emoções em equilíbrio e, se houver gastos inesperados, realize os ganhos dos investimentos feitos, sem lamentar, faça o que estiver dentro do possível.

Com a entrada de Júpiter em Áries, os nativos do primeiro decanato (20/03 a 30/03) poderão se deparar com a sorte, novas perspectivas e oportunidades podem bater a sua porta. Não desperdice, deixando passar as situações oportunas, aproveite que a sorte está ao seu lado e ouse, você pode.

Arianos do segundo (31/03 a 09/04) e terceiro (10/04 a 20/04) decanatos devem planejar e buscar segurança para o futuro, mudanças na forma de ganhar seus recursos podem ocorrer, não desanimem, continuem perseverando, boas oportunidades chegarão para vocês também no ano de 2023.

Em geral, os melhores períodos para trabalho, dinheiro, negócios e aquisições são: 07/03 a 05/04 Vênus e Marte em Aquário, período bom para trabalhos em Grupo e Planejamento; 03/05 a 09/05 Vênus em Áries, período oportuno para colocar as ideias em ação; 24/06 a 18/07 Vênus em Gêmeos e Marte em Áries, bom período para trabalhar as Comunicações; 12/08 a 05/09 Vênus em Leão e em 21/08 Marte entra em Gêmeos, ótimo momento para valorização profissional, dos negócios e marcas; 17/11 a 10/12 Vênus em Sagitário pede foco nos seus objetivos, mas a presença de Marte Retrógrado sugere uma revisão nas suas ações, principalmente, na área de Vendas, Comunicação e Marketing, que podem ser no âmbito pessoal ou da empresa, e em como está investindo e gastando o seu dinheiro.

Os menos favoráveis são: 01/01 a 03/02 Vênus e Mercúrio Retrógrados pedem muita cautela e revisão na estrutura de carreira, dos negócios e investimentos; 04/02 a 06/03 Vênus e Marte em Capricórnio; 10/05 a 02/06 Mercúrio Retrógrado; 19/07 a 11/08 Vênus em Câncer; 10/09 a 01/10 Mercúrio Retrógrado em Libra, um período para rever as relações de parcerias; 30/09 a 23/10 Vênus em Libra; 30/10 a 31/12 Marte Retrógrado, período para revisão de estratégias e ações.

Relacionamentos:

Para os Arianos nascidos no primeiro decanato (21/03 a 30/03) e segundo decanato (31/03 a 09/04), os relacionamentos pedem um certo compromisso. Aquele que estiver se relacionando já há algum tempo é hora de deixar de enrolar e pensar em algo mais sério. Que tal trocar alianças?

Já para aqueles que estão solteiros e buscam alguém, a dica é buscar atividades mais românticas, lúdicas, artísticas, musicais, de dança ou, quem sabe, um evento místico, onde você pode esbarrar com alguém especial. Já a partir de maio, é interessante você frequentar lugares mais vibrantes, como um evento esportivo, que, normalmente, é bem ao gosto do Ariano, e quem sabe encontrar sua cara-metade.

Para os nascidos no terceiro decanato (10/04 a 20/04), os relacionamentos podem ser postos à prova. O ideal é, no início do ano, buscar se isolar, se conectar com seus sentimentos, para poder fazer as escolhas certas e ser assertivo nas transformações que precisa fazer na sua vida, lembrando sempre que nada dura eternamente e que não controlamos tudo e todos. Na realidade, não mudamos ninguém, só a nós mesmos, e, às vezes, com muita dificuldade. Se você mudar, quem sabe, o outro muda?

Em geral, os melhores períodos para as relações, encontros amorosos e colaboração são: 07/03 a 05/04 Vênus e Marte em Aquário, período favorável às amizades; 03/05 a 28/05 Vênus em Áries, aproveite o seu poder de sedução no período; 24/06 a 18/07 Vênus em Gêmeos e Marte em Áries, aproveite para fortalecer o diálogo e partir para a ação; 12/08 a 05/09 Vênus em Leão, em 21/08 Marte entra em Gêmeos, procure verbalizar o que é especial para você e o que o parceiro também tem de especial; 17/11 a 10/12 Vênus em Sagitário, período favorável para encontros amorosos mais livres, sem muitas amarras.

Os menos favoráveis são: 01/01 a 06/03 Vênus em Capricórnio Retrógrada até 28/01 e Marte entrando em Capricórnio em 27/01 até 06/03 o período pode trazer desarmonia, seriedade e muita responsabilidade para o leve e ativo Ariano; 19/07 a 11/08 Vênus em Câncer traz uma energia mais sensível e de intimidade; 30/09 a 23/10 Vênus em Libra, o parceiro pode estar exigindo do Ariano mais amorosidade e parceria; 11/12 a 31/12 Vênus em Capricórnio, período de mais seriedade e responsabilidade.

Saúde:

Os primeiros meses do ano pedem que o Ariano busque energia mais sutil, manter-se o mais tranquilo e equilibrado possível, mais ligado aos assuntos espirituais, pode tentar fazer meditação, coisa difícil para os Arianos muito agitados, mas, atenção, é possível. Insista, não desista no primeiro dia.

A presença de Júpiter em Áries a partir de maio trará muita vitalidade e força física para os nascidos no primeiro decanato (21/03 a 30/03). É interessante buscar hábitos alimentares saudáveis, pois Júpiter expande o corpo também, engordando; aproveite para se matricular numa academia ou iniciar aquele esporte de que sempre gostou e quer praticar, mas vem adiando, a hora é essa.

Os Arianos do segundo decanato (31/03 a 09/04) devem aproveitar e começar a fazer mudanças na alimentação, procurando terapias alternativas para melhorar a hiperatividade, para se prepararem para a presença de Júpiter em Áries junto a seu Sol no ano de 2023.

Os nativos do terceiro decanato (10/04 a 20/04), como estão sob maior tensão, precisam manter os exames em dia, envolvendo coração e órgãos sexuais, e se tiverem dores de cabeça frequentes, devem checar sua origem.

Os Arianos de todos os decanatos devem procurar fazer exames preventivos de rotina, pode haver algo na sua saúde que desconhece, como uma pressão alta devido a tanta tensão vivida nos últimos anos.

Os períodos de maior energia, saúde, vigor e vitalidade são: 07/03 a 15/04 Marte em Aquário; 25/05 a 05/07 Marte em Áries, aumentando muito a energia dos Arianos; 01/08 a 31/12 Marte em Gêmeos.

Os períodos menos favoráveis para cirurgia e vitalidade são: 01/01 a 28/01 Vênus Retrógrada e Mercúrio Retrógrado de 14/01 a 03/02; 25/01 a 06/03 Marte em Capricórnio; 10/05 a 02/06 Mercúrio Retrógrado; 10/09 a 01/10 Mercúrio Retrógrado; 30/10 a 31/10 Marte Retrógrado desaconselhável às cirurgias, mas, caso haja necessidade de um procedimento cirúrgico, olhar a fase e Signo da Lua.

Melhores dias para tratamentos e procedimentos estéticos: 07/03 a 05/04 Vênus e Marte em Aquário; 24/06 a 18/07 Vênus em Gêmeos e Marte em Áries; 12/08 a 05/09 Vênus em Leão; 17/11 a 10/12 Vênus em Sagitário, mas devido ao Marte Retrógrado no período, é desaconselhável fazer procedimentos estéticos invasivos.

Períodos menos favorecidos para tratamentos e procedimentos estéticos: 01/01 a 28/01 Vênus Retrógrada em Capricórnio e de 14/01 a 04/02 Mercúrio Retrógrado, período desfavorável para procedimentos estéticos; 10/05 a 02/06 Mercúrio Retrógrado; 19/07 a 11/08 Vênus em Câncer; 10/09 a 01/10 Mercúrio Retrógrado; 30/10 a 31/12 Marte Retrógrado, período desaconselhável para procedimentos estéticos invasivos.

TOURO (21/04 A 20/05) – REGENTE VÊNUS

Primeiro decanato: de 21/04 a 30/04
Segundo decanato: de 01/05 a 10/05
Terceiro decanato: de 11/05 a 20/05

Panorama geral:

O ano de 2022 continuará provocando os nascidos no primeiro decanato (21/04 a 30/04) e os do segundo decanato (01/05 a 10/05) a saírem de sua zona de conforto, portanto, espere o inusitado, aguarde o inesperado e esteja aberto a mudanças.

Um despertar da consciência será bem interessante para novas possibilidades, seja na área profissional, na afetiva, no seu dia a dia ou na saúde. Pense nisso!

Está se sentindo incomodado? É hora de mudar o layout. Para que a vida flua, será necessário aceitar e eliminar para que o novo possa entrar em sua vida.

O Eclipse Solar de 30/04 influenciará os Taurinos nascidos entre os dias 21/04 e 30/04 e os nascidos entre os dias 01/05 e 10/05, podendo trazer assuntos já vivenciados, causando uma certa nostalgia e emoções conflituosas. Como o efeito de um eclipse solar dura até o próximo eclipse, que ocorrerá em outubro, é importante que tenha em mente que o passado passou, é imprescindível viver o momento, viver o "hoje", por mais difícil que possa parecer, mas o "agora", esse, sim, é o verdadeiro "presente".

Um Eclipse da Lua ocorrerá dia 16/05, influenciando mais os nativos do terceiro decanato (11/05 a 20/05). Portanto, nesse período, espere encontros e oportunidades que possam ter mais relevância num futuro próximo.

Procure transformar o medo do novo em prudência, deixando a rigidez fixa típica do Taurino de lado. Busque firmeza de opinião para o que não quer mais, mas seja flexível para aceitar as mudanças que fazem parte da vida.

Os nascidos no terceiro decanato (11/05 a 20/05) podem estar começando a sentir no ar uma certa ansiedade e uma vontade de realizar mudanças em sua vida, mas tenha em mente que ainda não será uma mudança definitiva, embora o céu mostre grandes transformações aguardando você. Vá sedimentando o terreno, buscando fazer uma poupança, para quando os "ventos" da mudança chegarem você estar preparado para eles.

Carreira e finanças:

Está preparado para o inesperado? Se não está, prepare-se! Urano sempre rompe com aquilo que dávamos como estável. Para alguns, pode ser um sentimento de liberdade, para outros, a sensação de que o mundo caiu.

Se for você o agente da mudança por insatisfação com seu trabalho, sua rotina, seu chefe ou sua equipe, procure se certificar de que terá uma retaguarda, uma poupança que garantirá você por um tempo determinado. Afinal, vocês gostam de viver bem, com conforto e sem sobressaltos.

Agora, se a mudança vier à sua revelia, procure aceitar e aproveitar que o Nodo Norte está no Signo e trilhe um novo caminho para sua realização profissional e material. A tecnologia veio para ficar, se atualize, busque novos conhecimentos e invista na capacitação técnica para explorar de forma mais eficiente as novas tecnologias.

Quem sabe começar aquele negócio próprio com o qual você sempre sonhou, é em época de crises que surgem as oportunidades.

Os nativos do terceiro decanato (11/05 a 20/05) devem aproveitar a presença de Netuno em Peixes e Plutão em Capricórnio para agarrar as chances que aparecerem e usar criatividade, talento e capacidade autocentrada, de materialização para conquistar o que sempre sonhou. A hora é essa.

Quanto às finanças, é indicado que os nativos do primeiro (21/04 a 30/04) e do segundo (01/05 a 10/05) decanatos sejam prudentes e conservadores, pois podem estar sujeitos a flutuações do mercado, e quem adora dinheiro encarará as perdas financeiras como pesadelos.

Já os do terceiro decanato (11/05 a 21/05), é bom ir fazendo uma poupança para prevenir possíveis intempéries no próximo ano.

Em geral, os melhores períodos para trabalho, dinheiro, negócios e aquisições são: 04/02 a 06/03 Marte e Vênus no Signo de Capricórnio, ótimo período profissional; 06/04 a 02/05, Vênus em Peixes e 16/04 a 02/05, Marte em Peixes, bom momento para planejar; 03/06 a 23/06 Vênus em Touro, bom período para investimentos e aquisições; 19/07 a 11/08 Vênus em Câncer e Marte em Touro, bom momento para trabalho e aquisições imobiliárias; 06/09 a 29/09 Vênus em Virgem, bom momento para o trabalho; 11/12 a 31/12 Vênus em Capricórnio.

Os menos favoráveis são: 01/01 a 03/02 Vênus e Mercúrio Retrógrado, desaconselhável para fechar contratos e negócios, período de rever assuntos de trabalho e também questões financeiras; 07/03 a 05/04 Vênus e Marte em Aquário, período de dar atenção às finanças; 10/05 a 02/06 Mercúrio Retrógrado, período desfavorável para fechamento de negócios e contratos, aproveitar para fazer uma revisão no que estiver fazendo, principalmente, na área de Vendas, Comunicações e Marketing; 24/10 a 16/11 Vênus em Escorpião, momento de buscar estratégias para administrar seus recursos e restaurar o que estiver ruim; 30/10 a 31/12 Marte em Gêmeos Retrógrado, aproveitar para fazer uma revisão no Marketing Pessoal e dos Negócios.

Relacionamentos:

Os relacionamentos são importantes para o amoroso e leal Taurino. A presença de Urano em Touro vem mexendo com muitas áreas da sua vida, inclusive a de relacionamento devido ao Eclipse Solar que acontecerá no dia 30/04. Muitas alterações vão ser sentidas na sua trajetória. O eclipse terá um grande impacto forçando você a redirecionar seus caminhos, pois a rotina tende a ficar bem desorganizada.

Já os relacionamentos desgastados e que não foram revistos ou ressuscitados a tempo, podem sofrer com a saturação e o desgaste. Nesse período, tudo o que está por um fio transborda.

Tendência de aceleração, intensificação e problematização das questões que não estão equacionadas, inclusive para os casais, ganham caráter de urgência.

Para os casados, a inventividade, a surpresa, a criatividade e tudo o que possa despertar e reaquecer serão bem-vindos.

Já o Eclipse Lunar de 16/05 vai influenciar mais os nascidos no terceiro (11/05 a 20/05) decanato, com muitas possibilidades de conhecerem pessoas que podem vir a ter bastante influência na vida. A presença no céu de Netuno em Peixes e Plutão em Capricórnio, em harmonia com o Sol em Touro, trará um potencial para emergir uma grande paixão que pode até mudar completamente o rumo de seu caminhar.

Já os Taurinos do primeiro (21/04 a 30/04) e segundo (01/05 a 10/05) decanatos, aguardem o próximo ano, quando o Nodo Norte encontrará com o seu Sol. No ano de 2022, vocês estarão sob a pressão de Saturno e Urano, podendo trazer muita turbulência nos relacionamentos existentes, com possibilidade de separações. Procure ter calma, os tempos estão difíceis para todos, tente mudar sua maneira de reagir às situações, para tentar que o outro mude, com uma fala amorosa, evitando rompantes e nervosismos que levem a um rompimento irreversível.

Em geral, os melhores períodos para as relações, encontros amorosos e colaboração são: 29/01 a 06/03, Marte e Vênus em Capricórnio, ótimo período para oficializar uma relação; 06/04 a 02/05 Vênus em Peixes e, a partir de 16/04, Marte entra em Peixes, ótimo período para manifestar os sentimentos; 29/05 a 23/06 Vênus em Touro, bom período para amar e ser amado; 19/07 a 11/08 Vênus em Câncer, período muito afetivo, bom para estar em família ou com aqueles que ama; 06/08 a 29/09 Vênus em Virgem, bom momento para o feminino e a fertilidade; 11/12 a 31/12 Vênus em Capricórnio, é interessante aproveitar para oficializar uma relação.

Os menos favoráveis são: 01/01 a 28/01 Vênus Capricórnio Retrógrado, período desfavorável para oficializar relacionamentos. 12/08 a 05/08 Vênus em Leão, período desfavorável se o desejo de sucesso superar a segurança; 24/10 a 16/11 Vênus em Escorpião, período para restaurar o que estiver destruído.

Saúde:

O Taurino de primeiro (21/04 a 30/04) e segundo (01/05 a 10/05) decanatos devem dar atenção especial à sua saúde no ano de 2022.

A influência do Eclipse Solar do dia 30/04 requer muita atenção para não recair em hábitos, vícios e sentimentos há muito tempo esquecidos.

O momento pede que os excessos alimentares, o sedentarismo e a postergação sejam hábitos abandonados, antes que o inesperado venha e o force a mudar na marra. Fique atento à balança, cheque o colesterol e a glicose. É importante também observar qualquer problema de pele, indo ao dermatologista, não negligenciar a visita periódica ao dentista, e os mais velhos devem fazer exames preventivos de Osteoporose.

Coloque sua saúde em primeiro plano, mantenha uma alimentação saudável, se for possível faça exercícios, mantenha a qualidade do sono, faça atividades relaxantes e massagens, que darão mais energia e calma para enfrentar as batalhas do dia a dia. Se for adepto das terapias alternativas, utilize. Tudo o que fizer por você, pelo seu bem-estar físico, emocional e mental será bem-vindo.

Seja cauteloso e atento, evitando acidentes e quedas.

Para você do terceiro decanato (11/05 a 20/05), aproveite a presença do Nodo Lunar Norte em Touro, Netuno e Plutão em aspectos facilitadores com seu Sol, e o Eclipse Solar do dia 16/05 para abandonar hábitos nocivos à sua saúde, consolidar sua vida material, fazer um plano de saúde, possibilitando que, no próximo ano, você esteja com a saúde física e mental em bom estado, para estar apto a enfrentar os trânsitos vindouros de Saturno e Urano, que exigirão muito de você.

Os períodos de maior energia, saúde, vigor e vitalidade são: 25/01 a 06/03 Marte em Capricórnio, muita energia e vigor profissional; 06/07 a 20/08 Marte em Touro, o período traz muita energia física, saúde, vigor e vitalidade.

Os períodos menos favoráveis para cirurgia e vitalidade são: 13/01 a 03/02 Mercúrio Retrógrado; 07/03 a 15/04 Marte em Aquário; 10/05 a 02/06 Mercúrio Retrógrado; 10/09 a 01/10 Mercúrio Retrógrado; 30/10 a 31/12 Marte Retrógrado, desaconselhável para cirurgias, mas, se for necessário um procedimento cirúrgico, olhar a fase e o Signo da Lua.

Melhores dias para tratamentos estéticos: 04/02 a 14/02 Vênus e Marte em Capricórnio; 16/04 a 02/05 Vênus e Marte em Peixes; 03/05 a 23/06 Vênus em Touro; 19/07 a 11/08 Vênus em Câncer e Marte em Touro; 11/12 a 31/12 Vênus em Capricórnio, mas como Marte está Retrógrado no período, é desaconselhável fazer procedimentos estéticos invasivos.

Períodos menos favorecidos para tratamentos e procedimentos estéticos: 01/01 Vênus em Capricórnio Retrógrado e entre 14/01 a 04/02 Mercúrio Retrógrado; 07/03 a 05/04 Vênus e Marte em Aquário; 10/05 a 02/06 Mercúrio Retrógrado; 12/08 a 05/09 Vênus em Leão; 10/09 a 01/10 Mercúrio Retrógrado; 24/10 Vênus Escorpião e em 30/10 a 31/12 Marte Retrógrado, evitar procedimentos estéticos invasivos.

GÊMEOS (21/05 A 20/06) – REGENTE MERCÚRIO

Primeiro decanato: de 21/05 a 30/05
Segundo decanato: de 31/05 a 09/06
Terceiro decanato: de 10/06 a 20/06

Panorama geral:

Os Geminianos de segundo decanato, nascidos entre os dias 31/05 e 09/06, e do terceiro decanato, nascidos entre 10/06 e 20/06, continuam com Saturno em bom aspecto para seu Sol, indicando um período auspicioso de grandes realizações.

Os primeiros meses do ano terão a presença do expansivo Júpiter em Peixes, portanto é importante não dar um passo maior que as pernas. O momento pede moderação e respeito à ética, para que as coisas fluam e deem certo.

Os nativos do terceiro decanato nascidos entre os dias 10/06 a 20/06 estão se deparando com Netuno em aspecto tenso para seu Sol, proporcionando um período de confusões e incertezas, que podem gerar uma falta de confiança em si mesmo, com consequências em sua capacidade física e mental, podendo ocasionar dúvidas sobre qual rumo dar em sua vida. As desilusões podem acontecer, gerando inseguranças e desânimo. O caminho é desenvolver a criatividade, meditar, ouvir música, dançar e acalmar a mente agitada do geminiano, para que possa ouvir a voz do seu "coração", seguindo sua intuição.

Muito cuidado com o escapismo, as viagens devem ser geográficas, quem sabe um passeio naquele lugar paradisíaco pode recarregar suas baterias. Tem fases na vida em que as coisas parecem que não estão dando certo, mas é um tempo de "parada para balanço", para reavaliar seus propósitos, aceitando que muitas vezes temos que trabalhar com o que temos, e com o que é possível, não com o que sonhamos que poderia ser.

Os nativos do primeiro decanato, nascidos entre os dias 21/05 e 30/05, e segundo decanato (31/05 e 09/06), já se depararam com as angústias e desilusões netunianas. O momento agora é sacudir a poeira, dar a volta por cima e começar a materializar tudo o que puder, mas com a consciência de que nem sempre estamos no comando de tudo. Há situações, como uma pandemia, que fogem totalmente do nosso controle, mas podemos conviver com ela, utilizando os atributos de Netuno; as artes, a música e a dança tornam nossa vida mais alegre e simples.

Para o Geminiano do primeiro decanato nascido entre os dias 21/05 a 30/05, é provável que já tenha tido muitas oportunidades no ano anterior. A partir de maio, com a entrada de Júpiter em Áries, pode aproveitar para consolidar seus projetos em andamento.

A Lua Nova do dia 30/05 está propícia para planejar ou até mesmo realizar aquela viagem idealizada há tempos ou, quem sabe, se matricular na faculdade, até mesmo começar um Mestrado, que você vem sonhando há muito tempo. Chegou a hora, não hesite, aja em prol de seu objetivo.

Carreira e finanças:

Os Geminianos de todos os decanatos devem procurar aprimorar seu dom da Comunicação, seu enorme talento para o diálogo. Geminiano, aproveite seu tempo livre e faça cursos, informe-se em fontes confiáveis, alargue seus horizontes, busque novos grupos para interagir. Profissionalize-se, faça seu Marketing pessoal, alimente suas redes sociais com informações sobre situações interessantes para seu desenvolvimento profissional. Mantenha os contatos com os amigos, eles podem ser importantes para a conquista de um novo emprego, ou clientes para seu negócio. Busque parcerias que sejam ativas financeiramente e somem esforços de trabalho. A partir de maio, o geminiano do que nasceu durante o primeiro decanato (21/05 a 30/05) pode contar com a sorte e confiar mais no seu potencial em relação à sua carreira e aos investimentos.

Já o nativo do segundo (31/05 a 09/06) e terceiro (10/06 a 20/06) decanatos, deve aguardar que sua hora vai chegar, o momento ainda é meio confuso, e deve ter cuidado para não se iludir com promessas de ganhos fáceis e até estar sendo ludibriado. Não é aconselhável se aventurar em negócios que desconhece. Evite acreditar em tudo o que lê e escuta, tenha cuidado com o seu comportamento, que pode parecer um pouco ausente ou desinteressado ou até cometer erros que normalmente não comete; é fundamental manter a mente focada no que está fazendo, evitando entrar no "mundo da Lua", mas você pode também se deparar com um chefe nessa situação, dando ordens confusas, atrapalhando seu desempenho na sua função. Mantenha-se no prumo. Mas não desafie seu chefe, afinal, é ele que tem a caneta e, no momento, é ele quem manda.

O Nodo Norte em Touro pede que o Geminiano faça uma poupança para os gastos imprevistos.

Em geral, os melhores períodos para trabalho, dinheiro, negócios e aquisições são: 07/03 a 05/04 Vênus e Marte em Aquário, bom momento para trabalho em grupo e planejamento; 03/05 a 09/05 Vênus em Áries, bom momento para colocar as ideias em ação; 24/06 a 18/07 Vênus em Gêmeos e Marte em Áries, bom momento para trabalhar as Vendas, o Marketing; 12/08 a 05/09 Vênus em Leão e em 21/08 Marte entra em Gêmeos, ótimo momento para a valorização da marca, do produto e dos negócios, através da divulgação; 30/09 a 23/10 Vênus em Libra, ótimo momento para trabalhar ou buscar novas parcerias.

Os menos favoráveis são: 01/01 a 03/02 Vênus e Mercúrio Retrógrado, pede muita cautela e revisão em toda a estrutura de carreira, dos negócios e investimentos; 10/05 a 02/06 Mercúrio Retrógrado; 06/09 a 29/09 Vênus em Virgem e, em 10/09, Mercúrio entra retrógrado até 01/10 em Libra; 30/10 a 31/10 Marte Retrógrado pede cautela em lançamentos de produtos e serviços novos, o momento é para uma revisão de estratégias, principalmente, nas áreas da Comunicação e do Marketing, que pode ser no âmbito pessoal ou da empresa. Tirar férias nesse período é sugerido para redirecionar as energias geminianas.

Relacionamentos:

O Geminiano de segundo decanato (31/05 a 09/06) vai estar um pouco assoberbado de trabalho ou procurando trabalho, o que pode deixar os relacionamentos meio de lado. A curiosidade e a volatilidade do geminiano podem deixar o parceiro ou pretendente inseguro quanto ao seu interesse real, então, Geminiano, que tal pensar em assumir um relacionamento mais sério e ter alguém pra chamar de seu? Tanto os solteiros como os casados devem investir no romantismo e tentar usar o seu poder de retórica para convencer o ser amado de que ele é especial e único.

Para os que estão à procura de um relacionamento e estão trabalhando home office, sempre tem alguém por quem o coração bate mais forte, tente uma forma de se comunicar no privado e, quem sabe, rola algo interessante. A partir de maio, o convívio social está favorecido, principalmente, para os nativos do primeiro decanato (21/05 a 30/05), então é começar a se animar para o retorno das atividades sociais, quem sabe você encontra alguém bacana naquela festinha entre os amigos.

Já o nativo do terceiro decanato (10/06 a 20/06) pode estar num período mais difícil no relacionamento, o excesso de tarefas pode provocar uma ausência do convívio com o parceiro, a família e os filhos, além de poucos momentos de lazer. Procure tentar um equilíbrio entre o trabalho, o parceiro, a família e as atividades que você gosta. Já os que estão à procura de um relacionamento, é bom não se deixar levar pelo "conto da carochinha" e se iludir, pensando que achou o príncipe ou princesa, pois o sonho pode virar um pesadelo e o pretendente virar um "sapo".

Em geral, os melhores períodos para as relações, encontros amorosos e colaboração são: 07/03 a 05/04 Vênus e Marte em Aquário, as amizades e grupos estão favorecidos; 03/05 a 28/05 Vênus em Áries, aproveite o seu poder de sedução no período; 24/06 a 18/07 Vênus em Gêmeos e Marte em Áries, bom para fortalecer o diálogo e partir para a ação; 12/08 a 05/09 Vênus em Leão, em 21/08 Marte entra em Gêmeos, procure verbalizar o que é especial para você, e para fazer o parceiro se sentir especial; 30/09 a 23/10 Vênus em Libra e Marte em Gêmeos, momento para investir no bom diálogo e na colaboração com o parceiro. Lembre-se: "gentileza gera gentileza".

Os menos favoráveis são: 01/01 a 28/01 Vênus em Capricórnio Retrógrada, o período pode trazer desarmonia, com necessidade de mais seriedade e responsabilidade, pedindo muitos ajustes nas relações já existentes, o que é difícil para o versátil e leve Geminiano; 05/04 a 02/05 Vênus em Peixes, período em que o amor pede muito romantismo; 06/09 a 29/09 Vênus em Virgem, pode haver muitas cobranças e análises da relação; 18/11 a 10/12 Vênus em Sagitário, período para o Geminiano ser mais focado e objetivo na relação existente, nas conquistas e encontros amorosos.

Saúde:

O Geminiano do primeiro decanato (21/05 a 30/05) e do segundo decanato (31/05 a 09/06), nos primeiros meses do ano, deve procurar cuidar bem da sua saúde, fazer exames, manter os cuidados com o aparelho respiratório. Buscar respirar ar puro e manter seus pulmões oxigenados; é importante também para a saúde física e mental do Geminiano manter uma troca de ideias saudável com as pessoas, isso o motiva e alegra.

A partir de maio, com a entrada de Júpiter em Áries, quem sabe seria oportuno começar um novo hobby? Grupos de corrida, caminhadas em trilhas e ciclismo são atividades bem ao gosto do Geminiano.

Para os nativos do terceiro decanato (10/06 a 20/06), a influência de Netuno tenso para seu Sol pode apresentar baixa imunidade e vitalidade, cansaço e mais propensão a infecções virais, então todo cuidado que você puder tomar, é pouco. Reserve um tempo para cuidar de você, alimentação balanceada e saudável, exercícios leves, banho de sol e mar, contato com a natureza, meditação, buscar na medicina ortomolecular alternativas de vitaminas para melhorar a imunidade.

Mantenha seu foco na saúde física, mental e espiritual, é importante não vibrar muito nas energias de passado, evitar os estados depressivos. Aproveitar o dia de hoje, que é a única realidade e nosso maior "presente".

Os períodos de maior energia, saúde, vigor e vitalidade são: 07/03 a 15/04 Marte em Aquário, ótima energia para buscar atividades em grupo; 25/05 a 05/07 Marte em Áries, ótima energia para se exercitar; 01/08 a 31/12 Marte em Gêmeos, aumentando a energia dos Geminianos, mas como entra retrógrado em 30/10 até 31/12, o período pede revisão em suas diretrizes de vida, pode ser interessante tirar férias, para descansar e avaliar como está gastando sua energia.

Os períodos menos favoráveis para cirurgia e vitalidade são: 14/01 a 03/02 Mercúrio Retrógrado; 10/05 a 02/06 Mercúrio Retrógrado; 10/09 a 01/10 Mercúrio Retrógrado; 28/10 a 31/12 Marte Retrógrado é desaconselhado para cirurgias, mas, se for necessário um procedimento cirúrgico, olhar a fase da Lua e o Signo.

Melhores dias para tratamentos estéticos: 07/03 a 05/04 Vênus e Marte em Aquário; 24/06 a 18/07 Vênus em Gêmeos e Marte em Áries; 12/08 a 05/09 Vênus em Leão; 30/09 a 23/10 Vênus em Libra.

Períodos menos favorecidos para tratamentos e procedimentos estéticos: 01/01 a 28/01 Vênus Retrógrada em Capricórnio e de 14/01 a 04/02 Mercúrio Retrógrado, período em que não é aconselhável procedimentos estéticos, aguarde dias melhores; 06/04 a 02/05 Vênus em Peixes; 10/05 a 02/06 Mercúrio Retrógrado; 06/09 a 29/09 Vênus em Virgem; 10/09 a 01/10 Mercúrio Retrógrado; 30/10 a 31/12 Marte Retrógrado não é aconselhado fazer procedimentos estéticos mais invasivos; 17/11 a 10/12 Vênus em Sagitário.

CÂNCER (21/06 A 22/07) - REGENTE LUA

Primeiro decanato: de 21/06 a 30/06
Segundo decanato: de 01/07 a 10/07
Terceiro decanato: de 11/07 a 22/07

Panorama geral:

O ano de 2022 será de muitas inovações para o Canceriano do primeiro decanato, nascido entre os dias 21/06 e 30/06 e do segundo decanato, nascido entre os dias 01/07 e 10/07. Você pode estar se renovando, trazendo a tecnologia para fazer parte da sua vida, interagindo em vários segmentos de interesse, participando de Lives e, quem sabe, abrindo seu próprio canal nas plataformas de internet.

Aproveite os Nodos no Signo de Touro e Júpiter em Peixes nos primeiros 5 meses do Ano para materializar seus projetos, sejam eles quais forem.

Dia 28/06, ocorre a Lua Nova de Câncer, afetando o Canceriano do primeiro decanato 21/06 e 30/06. O céu pede que tenha cuidado com o otimismo exagerado, que pode te inebriar, e recusar aceitar qualquer situação que sinta estar te reprimindo e desprestigiando. Cuidado, o orgulho pode te prejudicar, às vezes o melhor é engolir um "sapo", para, num momento mais propício, dar a volta por cima.

Já o nativo do terceiro decanato (11/07 a 22/07) ainda está sob a pressão da oposição de Plutão, exigindo que você se supere e coloque em prática toda a sua capacidade de resiliência, usando de "estratégias de guerra", que ensinam a não subestimar o inimigo, nem superavaliar as suas capacidades. Nenhum enfrentamento com "armas" muito óbvias e claras demais darão certo. O momento é de agir mais nos bastidores, sem querer muito holofote e deixar o poder chegar a você naturalmente, sem agir para isso. Evite inimigos declarados, e mantenha sua energia direcionada às transformações, para que consiga terminar o processo de metamorfose com os menores danos possíveis e poder deixar nascer o que há de melhor em você.

Carreira e finanças:

Os Cancerianos do primeiro decanato (21/06 a 30/06) e do segundo decanato (01/07 a 10/07), estão favorecidos pelo aspecto harmonioso de Urano em Touro ao seu Sol, podendo realizar esperanças acalentadas há muito tempo na área profissional. A tecnologia será muito importante nesse processo, portanto, Canceriano, não resista à modernidade. Sua necessidade emocional de estar sempre em contato com o que é afetivo para você pode necessitar de ajustes, até mesmo uma mudança de atitude na sua postura profissional, junto ao chefe ou cliente.

Mude o que tiver que mudar, aceite o novo, a sorte vai te favorecer nos 5 primeiros meses do ano, então, aproveite as oportunidades que surgirem no seu caminho, quem sabe a empresa não paga aquele curso tão desejado? Pode também surgir uma oportunidade profissional em outra cidade ou país. Considere os investimentos mais conservadores, pois você pode ficar sob muita pressão emocional caso o mercado oscile demais, a partir de maio. Se o seu objetivo for uma viagem ao exterior aproveite para realizá-la nos primeiros meses do ano. Vá comprando moeda estrangeira aos poucos, para não haver oscilação de preço bem na hora de sua viagem.

Canceriano, caso já tenha seguro e plano de previdência, procure se informar melhor, pois pode ter que fazer ajustes em algum produto. Se tiver uma carteira de ações, informe-se com pessoas que entendem do mercado, considere a possibilidade de fazer algum ajuste, em prol de uma melhor segurança e liquidez.

Já para o nativo do terceiro decanato (11/07 a 22/07) que exerce cargos de chefia, é importante manter o controle, para comandar com firmeza e sem exageros arbitrários e autoritários. Agora, se estiver em situação de subordinação, pode se deparar com problemas de autoridade; cuidado, avalie bem e pense naquele ditado popular "manda quem pode, obedece quem tem juízo". Evite confrontos, você pode perder. Evite investimentos muito voláteis, seja precavido para não se deparar com perdas muito acentuadas.

Em geral, os melhores períodos para trabalho, dinheiro, negócios e aquisições são: 06/04 a 02/05 Vênus em Peixes; 16/04 a 02/05 Marte em Peixes, momento propício para estudos e viagens; 29/05 a 23/06 Vênus em Touro, bom momento para investimentos e aquisições; 19/07 a 11/08 Vênus em Câncer e Marte em Touro, bom momento para trabalho e aquisições; 06/09 a 29/09 Vênus em Virgem, bom período para o trabalho; 24/10 a 16/11 Vênus em Escorpião, ótimo momento para criar e reformular estratégias para seu trabalho, negócio e investimentos.

Os menos favoráveis são: 01/01 a 03/02 Vênus e Mercúrio Retrógrados, período para rever assuntos de contratos; 10/05 a 02/06 Mercúrio Retrógrado; 30/09 a 23/10 Vênus em Libra; 30/10 a 31/12 Marte em Gêmeos Retrógrado, não é favorável para ações intempestivas e precipitadas, não colocar muita energia em algo. Aproveitar para tirar férias e descansar para avaliar sobre novos rumos, motivos e projetos.

Relacionamentos:

O Canceriano do primeiro decanato (21/06 a 30/06) que já tem um relacionamento deve ter muita atenção com a Lua Nova de 28/06, o céu pode espelhar uma certa frustração com relação aos seus sentimentos e a falta de sensibilidade que você possa estar sentindo no parceiro, devido à sua dependência emocional do companheiro. Pode haver desentendimento por motivos familiares ou domésticos e divergências quanto a questões materiais e profissionais. Procure o diálogo, não seja orgulhoso nem prepotente demais caso exista amor no relacionamento. Já os que estão em busca de um parceiro, podem estar muito frustrados com a falta de um amor, mas, calma, olhe em volta, no seu entorno, saia um pouco de casa, passeie com o cachorro, vá à padaria, caminhe, pedale, quem sabe você não conhece alguém bacana e dê início a um relacionamento? Mas não comece com ciúme demais, ninguém gosta de controle excessivo.

Já o Canceriano do segundo decanato (01/07 a 10/07) está sendo favorecido pela possibilidade de começar um relacionamento novo ou renovar o que esteja desgastado no atual. Você precisa de segurança na área da sexualidade, mas tente se adaptar ao novo, talvez uma relação em que cada um more em uma casa separada, mas com o compromisso da fidelidade, possa ser uma boa solução para o Canceriano que gosta de ter a sua casa só para si.

O Canceriano de terceiro decanato (11/07 a 22/07) está sob influência da oposição de Plutão ao seu Sol, deixando o relacionamento existente muito sujeito a transformações profundas e possível término. A Lua Cheia de 13/07 pode colocar à tona muitos sentimentos. Evite o ciúme excessivo de ambas as partes, isso pode desgastar mais a situação.

Ser tratado com mau humor e ter seus sentimentos e suas relações familiares menosprezadas é difícil para o sensível Canceriano, procure o diálogo amoroso com o parceiro e tente mudar também sua maneira de ser, procure, na intimidade, despertar no parceiro sentimentos mais protetores, tão caros a você, para que as mágoas não o sufoquem e acabem com seu relacionamento.

Agora, se você está em busca de um parceiro, tenha calma, observe bem e não embarque na primeira canoa que aparecer, pois pode ser uma "furada". Com o Nodo Norte em Touro, nos grupos e em reuniões com os amigos, talvez você possa alimentar seu lado afetuoso, voltando a receber seus amigos em casa, com aquele carinho especial que você proporciona como ninguém, quem sabe pode até conhecer alguém que valha a pena em uma dessas reuniões. Aproveite as oportunidades que surgirem com esperança mas sem muitas expectativas, curta o momento. Essa fase vai passar, e invista mais em buscar se conhecer melhor, explorar seu "Eu Sou", quem você realmente é, para depois se relacionar mais plenamente com alguém.

Em geral, os melhores períodos para as relações, encontros amorosos e colaboração são: 06/04 a 02/05 Vênus em Peixes e a partir de 16/04 Marte entra em Peixes, ótimo período para encontros amorosos; 29/05 a 23/06 Vênus em Touro, bom período para amar e ser amado nas relações; 19/07 a 11/08 Vênus em Câncer, período bom para encontros íntimos e afetuosos; 06/08 a 29/09 Vênus em Virgem, bom momento para o feminino e a fertilidade; 24/10 a 16/11 Vênus em Escorpião, período propício para incentivar a sexualidade.

Os menos favoráveis são: 01/01 a 28/01 Vênus em Capricórnio Retrógrada, período desfavorável para oficializar uma relação, o período pede uma revisão nos relacionamentos; 03/05 a 28/05 Vênus em Áries; 30/09 a 23/10 Vênus em Libra.

Saúde:

Canceriano do primeiro decanato (21/06 a 30/06) e segundo decanato (01/07 a 11/07), a saúde está favorecida, mas obviamente não deve descuidar dos hábitos saudáveis já conquistados, ajustando a sua alimentação, principalmente se estiver muito ocupado na sua rotina, procure não descuidar dos exercícios, do lazer e do lado lúdico da vida, e a partir de maio muito cuidado com os excessos, principalmente com relação ao lado profissional, para não prejudicar sua saúde, causando um certo estresse.

A Lua Nova de 28/06 pode ser um bom momento para iniciar uma terapia que pode ajudar a trabalhar com as transformações e desapegos que você já teve que fazer nos últimos anos. Invista na sua saúde física, emocional e mental. Comece a se exercitar, procure acalmar a mente com meditação, busque uma boa terapia e, no lado espiritual, busque uma filosofia, pode ser religiosa ou não, mas que deve fazer sentido para você fortalecer sua fé. Acredite, esse processo vai valer a pena. Você vai se tornar um Ser Integral, reunindo todas as partes que formam o Todo, construindo sua nova identidade, consciente de que somos uma engrenagem mente-corpo-espírito-coração.

Já os nativos do terceiro decanato (11/07 a 21/07) precisam estar atentos a qualquer manifestação diferente em seu corpo. É importante manter os exames preventivos todos em dia. Procure trabalhar o controle das emoções em quaisquer circunstâncias, tudo o que você puder fazer para manter a sua saúde física e emocional sob controle, faça. A presença de Netuno em Peixes, numa conversa fluente com seu Sol Canceriano, pede que você busque a Espiritualidade, a Religiosidade, a Meditação, a Terapia, a Psicanálise, o Reiki, os Florais, H'oponopono, Constelação Familiar, conhecer seu Mapa Astral para o momento, enfim, o que você achar mais de acordo com suas crenças e energia.

Você precisará de um suporte a mais para conseguir ser forte e enfrentar todas as batalhas e perdas que se apresentarem em sua vida nesse período. Não tenha medo e utilize todas as ferramentas que estiverem ao seu alcance para chegar renovado na nova vida. Mantenha exames em dia.

Os períodos de maior energia, saúde, vigor e vitalidade são: 16/04 a 24/05 Marte em Peixes; 06/07 a 20/08 Marte em Touro, muita energia física, saúde, vigor e vitalidade.

Os períodos menos favoráveis para cirurgia e vitalidade são: 14/01 a 03/02 Mercúrio Retrógrado; 10/05 a 02/06 Mercúrio Retrógrado; 25/05 a 05/07 Marte em Áries; 10/09 a 01/10 Mercúrio Retrógrado; 30/10 a 31/12 Marte Retrógrado, é interessante evitar cirurgias, mas se for de necessidade, olhe as fases e Signos da Lua mais propícios para a cirurgia em questão.

Melhores dias para tratamentos estéticos: 16/04 a 02/05 Vênus e Marte em Peixes; 03/05 a 23/06 Vênus em Touro; 19/07 a 11/08 Vênus em Câncer e Marte em Touro; 06/09 a 09/09 Vênus em Virgem; 24/10 a 16/11 Vênus em Escorpião.

Períodos menos favorecidos para tratamentos e procedimentos estéticos: 14/01 a 03/02 Mercúrio Retrógrado, 03/05 a 28/05 Vênus entra em Áries; 10/05 a 02/06 Mercúrio Retrógrado; 10/09 a 01/10 Mercúrio Retrógrado; 30/09 a 23/10 Vênus em Libra; 30/10 a 31/12 Marte Retrógrado, é um período desaconselhável para procedimentos estéticos invasivos.

LEÃO (23/07 A 22/08) – REGENTE SOL

Primeiro decanato: de 23/07 a 31/07
Segundo decanato: de 01/08 a 11/08
Terceiro decanato: de 12/08 a 22/08

Panorama geral:

Os Leoninos de primeiro decanato, nascidos entre os dias 23/07 e 31/07, entram transformados no ano de 2022 e poderão manifestar seu "Eu sou" da forma que quiserem, sem limitações. A entrada de Júpiter em Áries, a partir de maio, proporciona um período de expansão e crescimento, a Lua Nova de 28/07 pode ser um ótimo período para agir e colocar seus projetos em ação.

Já os Leoninos do segundo decanato, nascidos entre os dias 01/08 e 11/08, terão que lidar com a tensa conversa entre Urano e seu Sol, devendo estar abertos a aceitar as mudanças, e não resistir a elas com teimosia.

A oposição de Saturno em Aquário ao Sol Leonino afetará o primeiro e o terceiro trimestre do ano, os nativos do segundo decanato (01/08 e 11/08), e no segundo e quarto trimestre do ano, os nativos do terceiro decanato, nascidos entre os dias 12/08 e 22/08. Será um período de limitação em sua expressão, exigindo de vocês capacidade de transformar as restrições que possam ocorrer em força de resistência, sendo bom evitar ser muito rígido e intolerante. O ideal é ser firme e produtivo, sendo resiliente nas situações que acontecerem, pois nada é contra nós, sempre há algo a aprender. O período pode ser interessante para o Leonino olhar mais para o coletivo e assumir responsabilidades sociais. A Lua Cheia de 11/08 vai ser muito desafiadora e pedirá muita calma para entender que, em prol de se libertar de um enorme fardo que pode estar carregando, não é necessário resolver de uma só vez. Siga o ritmo e experimente a paz e serenidade, um modo inteiramente novo de viver, que pode ser muito mais prazeroso. Alcance o reconhecimento que tanto almeja com calma, dando um passo de cada vez, pois, sem calma interior, é difícil encontrar paz duradora.

Carreira e finanças:

Os nativos do primeiro decanato (23/07 a 01/08) devem aproveitar o Nodo Norte no Signo de Touro para buscar segurança profissional e material em suas aplicações financeiras, mesmo que tenham que conciliar ideias, metas e ambições, que estarão muito ativas com a presença de Júpiter no Signo de Áries a partir de maio, aumentando a confiança em um futuro profissional melhor. Aproveitem a Lua Nova do dia 28/07 para iniciar algo que vinham querendo há algum tempo. Quem sabe aquele curso que vai melhorar muito seu currículo, que até pode ser no exterior, mas pode exigir um afastamento do seu trabalho? Pense bem! Possui respaldo financeiro? Se tiver, ótimo! Se não tem nada e ninguém que o prenda, por que não ir em busca de seus sonhos?

A presença de Marte em Gêmeos, permanecendo nesse Signo de agosto até o fim do ano, irá proporcionar muita energia positiva aos Leoninos dos três decanatos, para pôr em prática seus planos e ambições, mesmo que haja revisão, devido ao período em que Marte estará retrógrado. Aproveite esse tempo para melhorar seu mailing pessoal e comercial, deixando claro seu brilho pessoal. O período favorece o comércio, as trocas e os cursos de aperfeiçoamento.

Já os nativos do segundo decanato (01/08 a 11/08) e os do terceiro decanato (12/08 a 22/08) devem tomar muito cuidado com as finanças. É importante estar atento para evitar riscos nas suas aplicações e nos investimentos de grande porte.

A Lua Cheia de 11/08 pode ser um momento limite para o Leonino, que pode perder a paciência, com seu chefe ou seu trabalho, e romper intempestivamente com tudo. O aconselhável é manter a calma e a serenidade e evitar embates com pessoas em cargos superiores ao seu, e até com colegas de trabalho, para evitar prejuízos em caso de situações irreversíveis. Se tiver muita ânsia de mudança profissional, é bom buscar mudar com segurança, mantendo uma retaguarda consistente, como, por exemplo, sair de um trabalho com outro já certo, e não apenas em vista. As parcerias devem ser com pessoas comprometidas com o negócio, que tenham tempo disponível para trabalhar, e que acrescentem modernidade ao negócio. Se estiver pensando em mudanças, não é um bom momento para dar início a algo novo no âmbito profissional. É melhor aguardar tempos melhores.

Em geral, os melhores períodos para trabalho, dinheiro, negócios e aquisições são: 03/05 a 09/05 Vênus em Áries, bom momento para colocar as ideias em ação; 24/06 a 18/07 Vênus em Gêmeos e Marte em Áries, bom momento para trabalhar as Vendas e o Marketing; 12/08 a 05/09 Vênus em Leão e em 21/08 Marte entra em Gêmeos, ótimo momento para valorização pessoal e da marca, do produto e dos negócios através da divulgação; 30/09 a 23/10 Vênus em Libra, ótimo momento para incentivar e até buscar novas parcerias; 17/11 a 10/12 Vênus em Sagitário, momento de foco nos seus objetivos. 21/08 a 31/12 Marte em Gêmeos, momento favorável, mas, atenção, a partir de 30/10 Marte entra retrógrado, um momento para revisar suas ações do período, para avaliar novos rumos, motivos e projetos.

Os menos favoráveis são: 01/01 a 03/02 Vênus e Mercúrio Retrógrado em Capricórnio, período de muita cautela e revisão em toda a estrutura de carreira, negócios e finanças; 07/03 a 05/04 Vênus e Marte em Aquário; 10/05 a 02/06 Mercúrio Retrógrado em Gêmeos, momento de revisão nas ações de Comunicação, Vendas e Marketing de seu negócio ou trabalho; 29/05 a 23/06 Vênus em Touro, menos favorável para as finanças; 10/09 a 01/10 Mercúrio Retrógrado em Libra, período para rever as relações de parceria; 30/10 a 31/12 Marte Retrógrado em Gêmeos pede cautela em lançamentos de produtos e serviços novos, o momento é para uma revisão nas estratégias, principalmente, na área de Comunicação, Marketing e Vendas, que pode ser no âmbito pessoal ou da empresa.

Relacionamentos:

Os nativos do primeiro decanato (23/07 a 31/07) passaram por muitas restrições e mudanças, inclusive nos relacionamentos, por isso, o período agora pede um foco nos seus planos e objetivos.

Os que estão solteiros devem procurar novos grupos, que podem ser de estudos, trabalho e viagens e, quem sabe, encontrar um novo relacionamento bacana, com alguém que estimule sua autoestima, tenha um ótimo diálogo e não queira podar, limitar e apagar seu brilho. Alguém que possa corresponder a suas fantasias sexuais.

Já os que estão comprometidos devem procurar fazer planos juntos, buscar estar com os amigos em comum e aproveitar que as restrições sociais vividas nos últimos tempos estão abrandando a fazer aquela viagem há tempo sonhada. Procurar melhorar a sexualidade do casal.

Já os nativos do segundo decanato (01/08 a 11/08) e do terceiro decanato (12/08 a 22/08) estão enfrentando desafios, com muitas oscilações e incertezas, e rompimentos inesperados podem ocorrer nas relações.

Quem é solteiro convicto pode se apaixonar de repente e alguém casado pode romper ou ver o parceiro romper a relação de uma hora para outra, causando muita surpresa e insegurança. Pode haver também muita cobrança ou limitações por parte do parceiro. Caso o relacionamento não esteja fluindo muito bem, é interessante surpreender o parceiro. Quem sabe você possa buscar algo relacionado ao passado de vocês? Ao primeiro encontro? Os tempos têm sido muito difíceis, evite se cobrar demais, o momento pede uma liberdade consciente dentro do possível. O Leonino gosta de se sentir especial, mas não deve esperar do outro reverências nesse período, evite cobranças de ambas as partes.

A Lua Cheia do dia 11/08 será muito tensa, e situações intempestivas podem dar um fim ao relacionamento, por isso, todo cuidado é pouco. Se você ama o parceiro, tenha calma e, quando tudo se aquietar, coloque criteriosamente suas reivindicações. Reflita sobre o que Dalai Lama disse: "A felicidade não é algo pronto. Ela é feita das suas próprias ações. Tente estar em paz consigo mesmo e ajude os outros a compartilhar dessa paz".

Em geral, os melhores períodos para trabalho, dinheiro, negócios e aquisições são: 03/05 a 28/05 Vênus em Áries, aproveite o seu poder de sedução no período; 24/06 a 18/07 Vênus em Gêmeos e Marte em Áries, bom para fortalecer o diálogo e partir para a ação; 12/08 a 05/09 Vênus em Leão, em 21/08 Marte entra em Gêmeos, bom momento para verbalizar o que é importante para você e fazer o parceiro se sentir especial; 30/09 a 23/10 Vênus em Libra e Marte em Gêmeos, esse é um bom momento para cuidar da beleza e melhorar a cooperação e o diálogo com o parceiro.

Os menos favoráveis são: 01/01 a 28/01 Vênus em Capricórnio Retrógrada, período pode trazer desarmonia, com necessidade de mais seriedade e responsabilidade nos relacionamentos, pedindo muitos ajustes nas relações já existentes. Não é um bom período para oficializar uma relação; 07/03 a 05/04 Vênus em Aquário; 29/05 a 23/06 Vênus em Touro; 05/12 a 29/12 Vênus em Escorpião.

Saúde:

Os Leoninos nativos do primeiro decanato (23/07 a 31/07) já devem ter sofrido com as transformações que tiveram que fazer em suas vidas, agora o novo período pede a manutenção das mudanças de hábitos, de rotina, introdução de alimentação saudável e exercícios físicos, em função de uma saúde melhor, principalmente de seu coração e coluna vertebral.

Já aqueles leoninos que nasceram no segundo decanato (01/08 a 11/08) e os do terceiro decanato (12/08 a 22/08) precisam dar muita atenção a saúde, manter os exames em dia e fazer um check-up geral, pois podem estar sujeitos a muitos problemas de saúde, é importante tentar controlar o estresse, manter a serenidade, ter calma e um tempo para você.

Qualquer sintoma suspeito que surja, como: problemas circulatórios, dormências, câimbra, formigamento, pé inchado, retenção de líquido e de circulação, procure logo um médico para não se agravar. Não descuide dos dentes, a visita periódica ao dentista deve ser agendada. E, se tiver algum problema de pele consulte um dermatologista, não descuide desse aspecto. Se apresentar algum problema de articulação, a fisioterapia pode ser indicada. Não negligencie sua saúde, ela é a coisa mais importante que você tem.

Leoninos, procurem mais qualidade de vida. A Lua Cheia de 11/08 pede muita calma, aceitação ou superação de cada dificuldade que surja. O tempo é de calma e não de calmaria, favorece a reflexão, a conscientização de nós mesmos, do que queremos ou não, e do que podemos ou não. Entendendo isso, você pode fazer as mudanças de forma mais assertiva, sem prejudicar seu corpo.

Tente criar o hábito de meditar, é um remédio maravilhoso para os momentos de tensão.

Os períodos de maior energia, saúde, vigor e vitalidade são: 25/05 a 05/07 Marte em Áries, momento com energia propícia para dar início a novos hábitos e à prática de exercícios. 21/08 a 31/12 Marte em Gêmeos, em 30/10 Marte entra retrógrado, bom momento para rever em que está gastando a sua energia, buscar um novo planejamento de vida saudável.

Os períodos menos favoráveis para cirurgia e vitalidade são: 14/01 a 03/02 Mercúrio Retrógrado; 10/05 a 02/06 Mercúrio Retrógrado; 06/07 a 20/08 Marte em Touro; 10/09 a 01/10 Mercúrio Retrógrado; 28/10 a 31/10 Marte Retrógrado é desaconselhável para cirurgias, mas, se for necessária uma cirurgia, olhar a fase da Lua e o Signo.

Melhores dias para tratamentos estéticos: 03/05 a 28/05 Vênus em Áries; 24/06 a 18/07 Vênus em Gêmeos, mas Marte fica em Áries até 05/07, sendo um melhor período para procedimentos e tratamentos estéticos; 12/08 a 05/09 Vênus em Leão; 17/11 a 10/12 Vênus em Sagitário, mas a presença de Marte Retrógrado, pede cautela para procedimentos estéticos mais invasivos.

Períodos menos favorecidos para tratamentos e procedimentos estéticos: 01/01 a 28/01 Vênus Retrógrado em Capricórnio e de 14/01 a 04/02 Mercúrio Retrógrado, período desaconselhável para procedimentos estéticos; 16/03 a 11/04 Vênus em Touro; 10/05 a 02/06 Mercúrio Retrógrado; 10/09 a 01/10 Mercúrio Retrógrado; 05/12 a 29/12 Vênus em Escorpião.

VIRGEM (23/08 A 22/09) – REGENTE MERCÚRIO

Primeiro decanato: de 23/08 a 01/09
Segundo decanato: de 02/09 a 11/09
Terceiro decanato: de 12/09 a 22/09

Panorama geral:

Os Virginianos de primeiro decanato, nascidos entre os dias 23/08 e 01/09, estão nos primeiros meses do ano com Júpiter em Peixes fazendo uma oposição ao seu Sol e, por isso, é importante que coloquem colocar limites nas ambições no período, pois podem estar superestimadas, com uma confiança exagerada no sucesso. Os objetivos deveriam ser mais espirituais que materiais.

Já os Virginianos de segundo decanato, nascidos entre os dias 02/09 e 12/09, e os que nasceram nos primeiros dias do terceiro decanato, entre os dias 13/09 e 22/09, estão sendo favorecidos pelo trígono de Urano ao seu Sol, proporcionando um período de grandes renovações, podendo ressignificar o que não cabe mais em sua vida, que está ultrapassado.

O "ZEITGEIST", espírito de nosso tempo, pede muita inovação e utilização das novas tecnologias. Virginiano, aproveite para se conectar com essa energia, dos tempos modernos.

Os nativos do terceiro decanato, nascidos entre os dias 12/09 e 22/09, estão sob a influência da oposição de Netuno e o trígono de Plutão ao seu Sol, o que pode trazer muita força propulsora de transformações, surgindo muitas chances de evolução, e ganhos de poder, em várias áreas da sua vida. Como Netuno está se opondo a seu Sol, é importante que o Virginiano não desfoque e saia da rota, é necessário que utilize seu dom analítico e não se deixe iludir com o "canto de sereia". O ideal é se manter conectado com o Poder Superior como cada um concebe, para, assim, evitar escapismos e depressão. É importante estar atento ao lema "quero ser feliz ou ter razão?".

Carreira e finanças:

Os Virginianos do primeiro decanato (23/08 a 01/09) estão num momento de aproveitar as mudanças e inovações que já vêm fazendo em sua vida profissional, a presença de Júpiter em Peixes aponta que não gerem expectativas demais. É importante que o Virginiano, que é dotado de um Dom analítico forte, aperfeiçoe seu talento e coloque em prática. Analise e critique muito bem tudo o que estiver fazendo, checando com precisão as informações. A Lua Nova de 27/08 tem a presença de Marte em Gêmeos numa conversa tensa com seu Sol e a Lua em Virgem, trazendo um enorme potencial de ocasionar discussões. Todo cuidado com o que diz é pouco, evite ficar muito "cri-cri" procurando minúcias demais no seu trabalho, pegue leve com as pessoas que não têm a sua capacidade de trabalho tão perfeccionista. Faça investimentos em ativos que não prometam lucros excessivos, pois pode ser furada.

Os nativos no segundo decanato (02/09 a 11/09) e os que nasceram no terceiro decanato (12/09 a 22/09) estão favorecidos pelos ventos das mudanças, principalmente as que indiquem inovações tecnológicas, mais liberdade de ação e criação. O momento é de realização de esperanças acalentadas há muito tempo, de oportunidades únicas, portanto, não deixe o "barco" zarpar, pule dentro, pois pode demorar muito a surgirem novas oportunidades tão incríveis como essas desse período. Ajuste as velas e corrija o rumo, se necessário. Seu destino está em suas mãos. Quanto aos investimentos, é bom ousar e fazer diferente, há novas alternativas de investimentos no mercado. As moedas digitais podem ser uma opção.

Os nascidos no terceiro decanato (12/09 a 22/09) devem aproveitar o trígono de Plutão ao seu Sol para ganhar mais poder e influência na sua vida profissional, seja você funcionário ou profissional liberal, o período é muito importante para levar a cabo reformas e grandes transformações estruturais em sua vida, proporcionando uma grande evolução e crescimento, que poderão dar muito significado à sua vida futura.

Nas finanças, é importante investir em algo que possa te trazer poder, seja numa empresa própria, numa pós-graduação, um mestrado no exterior ou num imóvel próprio num bairro melhor. O importante é dar significado a um momento tão importante de sua vida.

Mas atenção com ilusões, tudo o que resolver fazer tem que ser muito checado, analisado e selecionado, para que você não se engane a respeito de algo ou alguém. Agora é a hora de você estar com todos os seus sentidos aguçados, principalmente, a intuição, para não enveredar por caminhos nebulosos, sem consistência.

Em geral, os melhores períodos para trabalho, dinheiro, negócios e aquisições são: 04/02 a 06/03 Marte e Vênus em Capricórnio, ótimo momento profissional; 03/06 a 23/06 Vênus em Touro, ótimo período para investimentos e aquisições; 19/07 a 11/08 Vênus em Câncer e Marte em Touro bom momento para investimentos, e planejamento; 06/09 a 29/09 Vênus em Virgem, bom para o trabalho; 24/10 a 16/11 Vênus em Escorpião, aproveitar o lado Positivo do Marte Retrógrado para reestruturar os assuntos profissionais e restaurar o que está ruim, redirecionando suas energias para novos objetivos.

Os menos favoráveis são: 01/01 a 03/02 Vênus e Mercúrio Retrógrado, evitar fechar contratos e negócios, período de rever assuntos de trabalho e de negócios; 10/05 a 02/06 Mercúrio Retrógrado; 16/04 a 02/05 Vênus e Marte Peixes, período que pede muita atenção aos assuntos de trabalho, dinheiro, negócios e aquisições, para não se iludir e cometer erros; 17/11 a 10/12 Vênus em Sagitário acompanhando Marte Retrógrado, período que necessita de muito foco, objetivos claros e revisão em tudo o que fizer. 30/10 a 31/12 Marte Retrógrado, momento de redirecionar as energias profissionais.

Relacionamentos:

Os Virginianos do primeiro decanato (23/08 a 01/09) que forem casados devem ter um pouco de paciência nos primeiros meses do ano com o parceiro, que pode estar um pouco "over", sonhando demais, muito sensível ou mesmo prepotente e se achando acima do bem e do mal. Evite discussões com o parceiro na Lua Nova de 27/08, há muita tensão no ar, algo pode sair do controle.

Já os que estão solteiros podem conhecer alguém mais sensível e romântico, o que vai ser um pouco estranho para o Virginiano, mas aproveite a oportunidade que surgiu para expandir em você um lado que vai menos pela razão e integrar mais sensibilidade e fluidez à sua personalidade, o que vai fazer muito bem a você, até mesmo diminuindo a ansiedade.

Os Virginianos que nasceram no segundo decanato (02/09 a 11/09) que nasceram no terceiro decanato (12/09 a 22/09) estão favorecidos pelo trígono de Urano ao seu Sol, trazendo possibilidade para os solteiros de conhecer gente nova, no âmbito da amizade e, quem sabe, depois virar um relacionamento que traga uma energia renovadora para sua vida.

Já os que estão em um casamento podem começar a "despertar" a necessidade de frequentar novos grupos que podem trazer muitos assuntos e atividades novas, para que o casal possa interagir, e energizar a relação. Viagens para lugares diferentes e inusitados podem energizar o casamento. A Lua Cheia do dia 10/09 pode ser um momento de limite para algo que não dá mais para levar, então procure determinar as situações que você quer terminar ou mudar, para que algo novo possa surgir. Os nascidos no terceiro decanato (12/09 a 22/09) que forem comprometidos devem aproveitar o período para fortalecer as relações existentes, unindo forças, estimulando a sexualidade. Não se deixe abater por situações que podem tentar afastar o casal, até mesmo por estados depressivos ou suspeitas de traição.

Os solteiros devem aproveitar para namorar bastante, viajar. Qualquer compromisso deve ser bem estruturado, para evitar possíveis desilusões num futuro próximo, podendo chegar à conclusão de que o noivado ou casamento foi um erro.

Em geral, os melhores períodos para as relações, encontros amorosos e colaboração são: 29/01 a 06/03, Marte e Vênus em Capricórnio, ótimo período para oficializar uma relação; 29/05 a 23/06 Vênus em Touro, bom período para amar e ser amado; 19/07 a 11/08 Vênus em Câncer, período propício para demonstrar afetividade; 06/08 a 29/09 Vênus em Virgem, bom momento para o feminino e a fertilidade; 24/10 a 16/11 Vênus em Escorpião, bom momento para a sexualidade; 11/12 a 31/12 Vênus em Capricórnio, bom momento para oficializar uma relação.

Os menos favoráveis são: 01/01 a 28/01 Vênus em Capricórnio Retrógrada, período está desfavorável para oficializar relacionamentos; 06/04 a 02/05 Vênus em Peixes; 17/11 a 10/11 Vênus em Sagitário.

Saúde:

Os nativos do primeiro decanato (23/08 a 01/09) já tiveram a oportunidade no ano anterior de fazer ajustes em sua rotina e hábitos alimentares, além dos exames e visita ao dentista, exigidos pela passagem de Saturno em Aquário em aspecto com seu Sol. Mas é necessário ter cuidado com excessos esse ano, pois eles podem jogar por terra todos os ajustes feitos a duras penas. A Lua Nova de 27/08 pode ser um bom momento para começar aqueles exercícios ou dieta que você tem postergado.

Já os virginianos nativos do segundo decanato (02/09 a 11/09) e dos primeiros dias do terceiro decanato (13/09 a 22/09) precisam fazer ajustes em sua rotina durante esse ano, buscando tempo para a prática de exercícios, procurando consumir uma alimentação mais saudável, além de agendar exames de rotina e visita ao dentista para evitar problemas futuros. O trígono de Urano ao seu Sol vai dar energia para você, Virginiano, mudar o que tiver que mudar, a hora é agora. O trabalho é importante demais para você, mas a saúde é sua prioridade em 2022.

Os nativos do terceiro decanato (12/09 a 22/09) estão enfrentando a oposição de Netuno a seu Sol Natal, por isso, todo cuidado é pouco Netuno é traiçoeiro, engana, dessa forma, qualquer coisa diferente que você sentir em seu corpo procure imediatamente um médico, pois tudo o que tratamos rapidamente tem chances de uma cura mais acelerada. Atenção para seu estado emocional e espiritual, procure não se cobrar tanto e ficar muito focado em coisas do passado, para evitar possível depressão.

Buscar a fé percorrendo um caminho espiritual pode ser um bálsamo para o seu momento. Caminhar é um ótimo exercício para evitar estados depressivos; caminhe, admire a natureza, a vida é bela, aprecie e extraia o melhor dela.

Os períodos de maior energia, saúde, vigor e vitalidade são: 25/01 a 06/03 Marte em Capricórnio, muita energia e vigor profissional; 06/07 a 20/08 Marte em Touro, período de muita energia física, saúde, vigor e vitalidade.

Os períodos menos favoráveis para cirurgia e vitalidade são: 14/01 a 03/02 Mercúrio Retrógrado; 06/04 a 24/05 Marte em Peixes; 10/05 a 02/06 Mercúrio Retrógrado; 10/09 a 01/10 Mercúrio Retrógrado; 30/10 a 31/12 Marte Retrógrado, período desaconselhável para cirurgias, mas, em caso de necessidade cirúrgica, é importante consultar a Fase e o Signo da Lua.

Melhores dias para tratamentos e procedimentos estéticos: 04/02 a 06/03 Vênus e Marte em Capricórnio; 03/05 a 23/06 Vênus em Touro; 19/07 a 11/08 Vênus em Câncer e Marte em Touro; 06/09 a 09/09 Vênus em Virgem; 24/10 a 16/11 Vênus em Escorpião, mas atenção de 30/10 a 31/12 Marte Retrógrado, evitar a realização de procedimentos estéticos invasivos.

Períodos menos favorecidos para tratamentos e procedimentos estéticos: 14/01 a 03/02 Mercúrio Retrógrado; 16/04 a 02/05 Vênus e Marte em Peixes; 10/05 a 02/06 Mercúrio Retrógrado; 10/09 a 01/10 Mercúrio Retrógrado; 17/11 a 10/12 Vênus em Sagitário; 30/10 a 31/12 Marte Retrógrado, é interessante evitar procedimentos que sejam invasivos.

LIBRA (23/09 A 22/10) - REGENTE VÊNUS

Primeiro decanato: de 23/09 a 02/10
Segundo decanato: de 03/10 a 12/10
Terceiro decanato: de 13/10 a 22/10

Panorama geral:

Os Librianos de primeiro decanato (23/09 a 02/10), estão num momento mais tranquilo, desfrutando de uma bonança merecida depois de tantos desafios enfrentados. A Lua Nova de 25/09 pede que o Libriano evite gerar expectativas muito elevadas sobre algo ou alguém, e deve evitar que seu equilíbrio seja prejudicado, utilize seu Dom da diplomacia, para negociar o que quiser da forma que melhor lhe agradar.

Já os Librianos de segundo decanato, (03/10 a 12/10), passaram por muitas transformações e desapego nos últimos anos, devem aproveitar esse ano em que estão com Saturno em trígono a seu Sol, para construir sua carreira ou seu negócio em bases sólidas, visando segurança para o futuro.

Os nativos do terceiro decanato (13/10 a 22/10), estão enfrentando o aspecto desafiador de Plutão ao seu Sol, exigindo transformações profundas em seu "Eu sou" Libriano, que prefere manter as coisas estáveis em harmonia e equilíbrio, nesse ano, é importante procurar todo tipo de ajuda para ultrapassar as dificuldades. Quem sabe buscar conhecer seu Mapa Astral? Fazer terapia?

Através do conhecimento de si mesmo, busque uma "verdade" que o transforme profundamente, você pode dar um novo sentido e direcionamento na sua vida e se conectar com sua verdadeira essência.

Busque na sua sombra que é o Signo de Áries, forças para eliminar aquilo que não serve mais na sua vida, seja algo ou alguém, enfim, tenha coragem e desapegue. A Lua Cheia de Áries dia 09/10 pode ser esse momento de basta, de ponto final. Para que algo novo nasça, o velho precisa se renovar ou até mesmo morrer.

Carreira e finanças:

Os nativos do primeiro decanato (23/09 a 02/10) tiveram no ano anterior muitas oportunidades de crescer profissionalmente e solidificar sua expertise na área de atuação. Nesse ano, devem continuar na mesma pegada, trabalhando com seriedade, usando toda a sua criatividade e conhecimento adquirido por acúmulo de experiencia. Você já deve ter diversificado e modernizado seus investimentos e aplicações, esse ano é melhor ficar prestando atenção no comportamento do mercado e aguardar o melhor momento para obter lucros. Não se afobe, tenha paciência, o mercado é volátil e pode oscilar muito. A partir de maio, a presença de Júpiter no Signo de Áries indica para você não gerar muitas expectativas, principalmente, com ideias que venham de parcerias; você precisa agir com precisão e confiança e não deve se acomodar e dizer "sim" para manter a harmonia na situação com quem quer que seja, afinal, "não" também é resposta. A Lua Nova de 25/09 está muito favorável para negociações entre chefia e subordinados, com possibilidade de negociar melhores condições de trabalho.

Os Librianos do segundo decanato (03/10 a 12/10), após uma fase bem desafiadora pela qual passaram, terão, no ano de 2022, um período que promete muita energia para crescer profissionalmente e se estabilizar financeiramente, basta trabalhar duro e com persistência. A Lua Cheia de Áries, dia 09/10, pede muita atenção com quem e o que fala, tudo pode voltar contra você. Quanto aos investimentos, é bom diversificar mais, sempre buscando segurança e resultado. Quem sabe investir num bom plano de capitalização visando uma aposentadoria melhor no futuro e num bom seguro para segurança da família?

Os nativos do terceiro decanato (13/10 a 22/10) estão num momento desafiador, em que profundas transformações podem ocorrer, com forte estimulação de suas ambições profissionais. O desejo de ganhar poder pode estar dominando sua personalidade, portanto, o ideal é acalmar esses impulsos e evitar conflitos com poderosos, afinal, você pode sair perdendo.

O momento é de se manter no equilíbrio o máximo que puder, pois pode ter que lidar com situações bem desagradáveis de conflito por poder. Evite compras vultosas, como de imóveis, pode haver algo oculto que você não imaginava e, quando se revelar, necessitar de muitos gastos para conserto. Mantenha as finanças em ativos mais seguros possíveis e com liquidez para poder dispor a qualquer momento que se faça necessário.

Em geral, os melhores períodos para trabalho, dinheiro, negócios e aquisições são: 07/03 a 05/04 Vênus e Marte em Aquário, bom momento para trabalho em grupo e planejamento de negócios; 24/06 a 18/07 Vênus em Gêmeos, bom para trabalhar as Vendas, Comunicação e Marketing; 12/08 a 05/09 Vênus em Leão, em 21/08 Marte entra em Gêmeos, ótimo momento de valorização pessoal e da marca, do produto, dos serviços e do negócio, através de uma boa divulgação; 30/09 a 23/10 Vênus em Libra ótimo para diplomacia, acordos e parcerias; 17/11 a 10/12 Vênus em Sagitário, momento de foco no trabalho e expansão dos negócios, mas atenção com Marte Retrógrado, pode haver uma revisão nas ações de trabalho, negócios e investimento.

Os menos favoráveis são: 01/01 a 03/02 Vênus e Mercúrio Retrógrado, período de cautela e revisão no trabalho, investimentos, negócios e aquisições; 03/05 a 28/05 Vênus em Áries; 10/05 a 02/06 Mercúrio Retrógrado; 19/07 a 11/08 Vênus em Câncer; 10/09 a 29/09 Mercúrio Retrógrado; 30/10 a 31/12 pede cautela em lançamentos de produtos e serviços, o momento é de revisão de estratégias, principalmente nas áreas de Vendas, Comunicação e Marketing, podendo ser no âmbito pessoal ou empresarial; 11/12 a 31/12 Vênus em Capricórnio.

Relacionamentos:

Os nativos do primeiro decanato (23/09 a 02/10) que forem solteiros e que estão a fim de encontrar um relacionamento, devem prestar atenção na entrada de Júpiter em Áries em maio, para a oportunidade de encontrar alguém expansivo, confiante, impulsivo, que pode fazer um contraponto à energia equilibrada e "cool" do Libriano. É interessante aproveitar a Lua Nova de 25/09 e a longa passagem de Marte pelo Signo de Gêmeos, entre agosto e dezembro, para viajar, começar um curso novo, quem sabe você conhece alguém bacana que valha a pena um relacionamento.

Já para aqueles que estão comprometidos, devem aproveitar para integrar um pouco de otimismo e confiança no relacionamento, mas sem excessos. E quem sabe aproveitar para fazer aquela viagem dos sonhos, a dois. Porém, cuidado para não exceder nos gastos. Pensar sempre "menos é mais" é o que vai dar certo.

Já os nativos do segundo decanato (03/10 a 02/10) que forem solteiros podem estar começando um relacionamento que pode se tornar sério, invista na consistência da relação, usando todo o seu charme, amorosidade e capacidade de compartilhar. Aproveite a passagem de Marte em Gêmeos para incentivar o diálogo com seu parceiro.

Para aqueles que já tiverem um parceiro fixo, é importante trazer segurança para a relação, os amigos são significativos, mas o parceiro quer sua atenção, guarde um tempo para a intimidade do casal, principalmente, se tiver filhos, não deixe esfriar o que vocês sempre tiveram de bom. A passagem de Marte em Gêmeos pode ser bem interessante para estar com amigos ou mesmo promover uma segunda lua de mel num local bem transado, a gosto do casal.

Os nativos do terceiro decanato (13/10 a 22/10) estão enfrentando muitas transformações, o que pode afetar aqueles que já tenham um relacionamento fixo. O Libriano que é meigo, cordato e gentil pode se deparar com situações que o tirem do sério, desequilibrando seu emocional. Se você estiver num relacionamento infeliz, é hora de rever sua vida. A presença de Marte em Gêmeos a partir de agosto pode te dar forças para verbalizar o que está passando, procure algum grupo de autoajuda, há muitos hoje em dia que podem ajudar a ultrapassar esses momentos desafiadores.

Caso você seja solteiro, é bom ter cuidado, pois pode atrair alguém muito possessivo e ciumento, se perceber que encontrou alguém nesse perfil, é bom nem continuar, siga aquele lema "Antes só do que mal acompanhado".

Em geral, os melhores períodos para as relações, encontros amorosos e colaboração são: 07/03 a 05/04 Vênus e Marte em Aquário, as amizades e grupos estão favorecidos; 24/06 a 18/07 Vênus em Gêmeos; 12/08 a 05/09 Vênus em Leão e em 21/08 Marte entra em Gêmeos, procure o que faz você e o parceiro se sentirem especial e verbalize; 30/09 a 23/10 Vênus em Libra e Marte em Gêmeos, bom momento amoroso com o parceiro ou encontrar um novo amor.

Os menos favoráveis são: 01/01 a 28/01 Vênus em Capricórnio Retrógrada, período não favorece oficialização de uma relação; 03/05 a 28/05

Vênus em Áries; 19/07 a 11/08 Vênus em Câncer; 11/12 a 31/12 Vênus em Capricórnio.

Saúde:

Os Librianos do primeiro decanato (23/09 a 02/10) devem dar atenção à sua rotina e saúde, fazendo exames de rotina e cuidando do seu lado espiritual e emocional, evitando excessos de uma maneira geral.

Já os Librianos de segundo decanato (03/10 a 12/10) devem fazer ajustes em sua saúde, beber bastante água, para garantir o bom funcionamento dos rins, melhorar a qualidade de sua alimentação. Evite alimentos que possam aumentar as taxas lipídicas e hepáticas, entre outras. Bom fazer check-up geral, inclusive, exames cardíacos.

Aqueles que forem do terceiro decanato (nascidos entre os dias 13/10 e 22/10), em virtude do momento de grandes transformações que estão passando, devem estar alertas a qualquer sinal diferente que aparecer em seu corpo. Procure um médico, faça exames de rotina e um check-up geral. Procure dar atenção ao seu emocional também, praticando a aceitação, para que seu corpo não absorva energias negativas que você mesmo pode produzir por não conseguir aceitar as transformações que o Universo está provocando em sua vida. O mais importante é você desapegar daquilo que não serve nem cabe mais em sua existência atual. Quando tudo isso terminar, você vai se dar conta de que não quer mais aquela vida que tinha, e que agora é uma pessoa renovada e pronta para um novo tempo, apesar dos pesares.

Os períodos de maior energia, saúde, vigor e vitalidade são: 07/03 a 05/04 Marte em Aquário; 01/08 a 31/12 Marte em Gêmeos, mas, como entra Retrógrado dia 30/12, aconselhável utilizar o período para rever as diretrizes de vida. Férias podem ajudar a identificar como está gastando as suas energias e redirecioná-las melhor.

Os períodos menos favoráveis para cirurgia e vitalidade são: 14/01 a 03/02 Mercúrio Retrógrado; 10/05 a 02/06 Mercúrio Retrógrado; 25/05 a 05/07 Marte em Áries; 10/09 a 01/10 Mercúrio Retrógrado; 28/10 a 31/12 Marte Retrógrado desaconselhável cirurgias, mas, se for necessária uma cirurgia, olhar a fase e Signo da Lua.

Melhores dias para tratamentos estéticos: 07/03 a 05/04 Vênus e Marte em Aquário; 24/06 a 18/07 Vênus em Gêmeos; 12/08 a 05/09 Vênus em Leão; 17/11 a 10/12 Vênus em Sagitário, mas a presença de Marte Retrógrado não aconselha fazer procedimentos estéticos que sejam invasivos.

Períodos menos favorecidos para tratamentos e procedimentos estéticos: 01/01 a 28/01 Vênus Retrógrado em Capricórnio; 14/01 a 04/02 Mercúrio Retrógrado, período que não é aconselhado procedimentos estéticos; 03/05 a 29/05 Vênus em Áries; 19/07 a 11/08 Vênus em Câncer; 10/09 a 01/10 Mercúrio Retrógrado em Libra; 30/10 a 31/12 Marte Retrógrado, desaconselhável procedimentos estéticos invasivos.

ESCORPIÃO (23/10 A 21/11) - REGENTE PLUTÃO

Primeiro decanato: de 23/10 a 01/11
Segundo decanato: de 02/11 a 11/11
Terceiro decanato: de 12/11 a 21/11

Panorama geral:

Os Escorpianos nascidos no primeiro decanato (23/10 e 01/11), tiveram que enfrentar alguns desafios nos últimos anos com Saturno e Urano desafiando o seu Sol, o que exigiu mudanças. A partir de agora, vocês podem respirar mais tranquilos, com Júpiter enviando energias benéficas. A vida começa a caminhar melhor, com um espírito de esperança.

O Eclipse Solar do dia 25/10 pode ser um momento de reflexão sobre o que já foi extirpado de sua vida, a presença de Marte em Gêmeos pode ajudá-lo a ajustar a vida, como lhe agradar, mas é bom ter muito cuidado para não deixar vir à baila situações que já tinha resolvido. Cuidado com as recaídas, sejam elas quais forem.

Já os Escorpianos do segundo decanato (02/11 a 11/11), e os do início do terceiro decanato (12/11 e 21/11), estão enfrentando os desafios que Urano e Saturno estão provocando no seu Sol.

Os ventos das mudanças estão no ar provocando tempestades inesperadas, disparando situações inusitadas que podem surgir repentinamente. Ao mesmo tempo, exigindo muita responsabilidade, seriedade, esforço para focarem no que realmente pode dar resultado e para administrar o efeito desses ventos.

São necessárias forças para identificar o que cabe a vocês na mudança, para não serem levados pelo vendaval. Importante também não temerem as mudanças, mas serem prudentes e buscarem saber onde pisam.

O Eclipse Lunar do dia 08/11 será muito desafiador, portanto, Escorpiano, procure aceitar que alguma coisa nova virá para a sua vida, mesmo que necessite desapegar de algo. Mas, no final, será libertador.

É importante permitir que o futuro chegue trazendo como descrito na linda letra do poeta Ivan Lins: "No novo tempo/apesar dos castigos/estamos crescidos/estamos atentos/estamos mais vivos/para nos socorrer/para sobreviver/estamos na briga/pra que nossa esperança/seja mais que vingança/seja sempre um caminho/que se deixa de herança".

Use a intuição e imaginação para trabalhar a criatividade. A arte, a música, a meditação e o yoga podem ajudar a passar por todas as dificuldades que tiverem que enfrentar, acreditando nos seus sonhos, "sim, são possíveis", se você aceitar as mudanças e agir com prudência e cautela.

Os nativos da segunda metade do terceiro decanato (12/11 a 21/11), estão favorecidos pelo regente do Signo, Plutão em bom aspecto ao seu Sol, trazendo energia para eliminar o que não serve mais, algo que estava desgastado, sem sentido e serventia, gerando muita força para reconstruir estruturas internas de sua personalidade, bem como situações externas.

Aproveitem o momento da passagem de Júpiter e Netuno pelo Signo de Peixes para reforçar a sua capacidade intuitiva e trazer criatividade, arte e música para a sua vida. Acredite nos seus sonhos, eles são possíveis, coloque-os em prática.

Carreira e finanças:

Os Escorpianos do primeiro decanato (23/10 a 01/11) entram em 2022 com sua energia revigorada, já fizeram as mudanças que tinham que fazer, agora é usar criatividade, intuição e força de regeneração para progredir na carreira, acreditando na sua expertise e potencial criativo.

Nas finanças, é o momento de investir no seu potencial. Seja ele qual for, acredite em você. O tempo agora está firme, as tempestades já se foram.

O Eclipse Solar do dia 25/10 afeta os nativos do primeiro decanato, que deverão estar muito atentos para não recaírem em hábitos, relacionamentos, sentimentos que já haviam abandonado. Pare. Calma. Pense. Até que ponto isso é importante? É bom para mim?

Aja com calma, tome suas decisões com convicção, o futuro está em suas mãos, dessa forma, esqueça o passado, faça o presente valer a pena.

Já os nativos do segundo decanato (02/11 a 11/11) podem estar fazendo mudanças profissionais e sendo muito cobrados no seu trabalho e até na sua capacidade de liderança.

O momento pede que você pise em terreno estável, pois o panorama é de instabilidade, então passe longe de negócios com quem não tem experiência, busque resultados e lucros dentro de uma realidade possível. O momento é de instabilidade nas parcerias, cancelamento de contratos e muita cobrança no seu lado profissional, então toda calma e serenidade são importantes.

Nas finanças, o momento também é instável, dessa forma, não invista naquilo que pode ser inseguro, pois perdas podem acontecer.

Para os nativos do terceiro decanato (12/11 a 21/11), o panorama é mais favorável. Estão com muita energia de renovação e transformação, aproveitem para colocar em prática seus projetos, procurando se aprimorar e construir uma retaguarda financeira adequada, para poderem enfrentar, no próximo ano, os ventos das mudanças que possam surgir.

Em geral, os melhores períodos para trabalho, dinheiro, negócios e aquisições são: 04/02 a 06/03 Vênus e Marte em Capricórnio, ótimo período profissional; 06/04 a 02/05 Vênus em Peixes e 16/04 a 02/05 Marte em Peixes, ótimo período para energia de trabalho e criatividade; 19/07 a 11/08 Vênus em Câncer, bom momento para trabalho e aquisições; 06/09 a 29/09 Vênus em Virgem, bom para o trabalho; 24/10 a 16/11 Vênus em Escorpião, bom período para transformações e regeneração; 11/12 a 31/12 Vênus em Capricórnio, bom período para desenvolvimento da carreira e dos negócios.

Os menos favoráveis são: 01/01 a 03/02 Vênus e Mercúrio Retrógrado, período de revisão nos assuntos de contratos, de trabalho e investimentos;

07/03 a 05/04 Vênus e Marte em Aquário, período profissional mais difícil; 10/05 a 02/06 Mercúrio em Gêmeos Retrógrado; 03/06 a 23/06 Vênus em Touro, período de dar mais atenção às finanças e aos investimentos; 12/08 a 05/09 Vênus em Leão; 30/10 a 31/12 Marte em Gêmeos Retrógrado, período para revisão nas ações de Vendas, Comunicação e Marketing, e em como investe sua energia.

Relacionamentos:

Os Escorpianos de primeiro decanato (23/10 a 01/11) entram em 2022 já refeitos de muitas mudanças e vão ter um ano mais leve com menos cobranças do parceiro ou com você mesmo.

Aproveitem a energia de Júpiter em Peixes para reavivar o vigor do namoro, isso vale para os solteiros e os casados, afinal, namorar é muito bom e saudável.

O Eclipse Solar do dia 25/10 está propício para colocar o diálogo com o parceiro em dia, verbalizando suas posições e colocando limites no que não deseja que aconteça mais, lembrando do ditado; "ame seu vizinho, mas faça sua cerca".

A sugestão durante a vigência deste Eclipse, para os solteiros e comprometidos, é que reforcem os laços de amizades com os amigos verdadeiros e eliminem os que não cabem mais, que apenas sugam suas energias.

Tenha atenção para não surgirem situações do passado que possam comprometer todas as mudanças que foram feitas com algumas dificuldades.

Já os nativos do segundo decanato (02/11 a 11/11) estão sob a influência do Eclipse Lunar do dia 08/11 e vêm enfrentando muitos desafios em suas relações.

É bom aceitar que tudo tem um fim, não insistir no que não serve mais, colocar um ponto final e recomeçar a vida, com mais liberdade, pode ser uma boa pedida.

É bom evitar sentimentos de ciúmes e controle excessivos, de ambas as partes, vão te fazer muito mal e causar muitos bate-bocas. Evite achar que o mundo conspira contra você, desapegar de bagagens vai te permitir ficar mais leve e poder, assim, correr, saltar, girar e brincar. A liberdade é uma sensação incrível, mas exige desapego. Liberdade é ser capaz de amar sem pertencer e viver sem dominar.

Lembre-se sempre de que não controlamos e mudamos ninguém, só a nós mesmos e com dificuldade.

Aproveite a energia de Júpiter em Peixes para intensificar o lado mais sutil, romântico e lúdico em você, trazendo para sua vida uma aura de sonhos e amor, que podem amenizar a dureza dos desafios. Aproveite para namorar mais, estar mais presente na vida dos filhos, e atenção para a possibilidade de uma gravidez inesperada.

Os nativos do terceiro decanato (12/11 a 21/11) estão passando por um momento promissor para seus relacionamentos, com o céu conspirando para encontros e reencontros, favorecendo a possibilidade de renovar laços, melhorar a comunicação no relacionamento, o entrosamento com os filhos, e quem sabe, para aqueles que ainda não têm filhos, até programar a vinda de um bebê.

Em geral, os melhores períodos para trabalho, dinheiro, negócios e aquisições são: 29/01 a 06/03 Vênus e Marte em Capricórnio, ótimo período para oficializar uma relação; 06/04 a 02/05 Vênus em Peixes e a partir de 16/04 a 02/05 Marte em Peixes, ótimo período romântico para dar e receber amor; 19/07 a 11/08 Vênus em Câncer, período para amar e ser amado; 19/07 a 11/08 Vênus em Câncer, período muito afetivo, principalmente para estar junto com sua família; 06/08 a 29/09 Vênus em Virgem, bom momento para o feminino e a fertilidade; 24/10 a 16/11 Vênus em Escorpião, ótimo período para a sexualidade; 11/12 a 31/12 Vênus em Capricórnio, você pode aproveitar o momento para oficializar uma relação.

Os menos favoráveis são: 01/01 a 28/01 Vênus em Capricórnio Retrógrada, desfavorável para oficializar relacionamentos; 07/03 a 05/04 Vênus em Aquário; 29/05 a 23/06 Vênus em Touro; 12/08 a 05/09 Vênus em Leão.

Saúde:

Os Escorpianos de primeiro decanato (23/10 a 01/11) estão num momento de colocar a mente, o corpo e a alma em plena forma, aproveitando para cultivar um hobby, que pode trazer muita alegria e animação.

Mas é bom ter cuidado com o Eclipse Solar do dia 25/10, que pode ativar hábitos muito custosos de abandonar. esteja vigilante, não se deixe cair em tentações.

Já os nativos do segundo decanato (02/11 a 11/11) estão com muitos desafios a resolver, o que pode trazer um comprometimento à saúde. Cansaço, problemas circulatórios, dormência nos membros, câimbra, formigamento, pé inchado e retenção de líquidos podem surgir ou agravar caso já tenham algum sintomas desse tipo.

É importante tentarem arrumar tempo para uma visita a médicos, dentistas, fazer exames e até fisioterapia caso tenham algum problema de coluna ou articulação. Evitem postergar, a sua saúde é prioridade. Ter tempo para lazer e hobbies é fundamental nesse ano de 2022.

O Eclipse Lunar do dia 08/11 pode favorecer, trazendo consciência das mudanças necessárias na alimentação e nos hábitos a serem feitas para que a saúde fortifique.

Os nativos do terceiro decanato (12/11 a 21/11) devem aproveitar que estão num momento de resgate da vitalidade, para todo tipo de regeneração.

As cirurgias estão favorecidas nesse momento, mas é bom sempre consultar um astrólogo para saber qual é o melhor período para realizar a cirurgia.

Se você ainda não tem um hobby, aproveite para cultivar um, isso vai te fazer muito bem e ativar a sua intuição e criatividade.

Os períodos de maior energia, saúde, vigor e vitalidade são: 25/01 a 06/03 Marte em Capricórnio, muita energia e vigor profissional; 16/04 a 02/05 Vênus e Marte em Peixes.

Os períodos menos favoráveis para cirurgia e vitalidade são: 14/01 a 03/02 Mercúrio Retrógrado; 07/03 a 15/04 Marte em Aquário; 10/05 a 02/06 Mercúrio Retrógrado; 06/07 a 20/08 Marte em Touro; 10/09 a 01/10 Mercúrio Retrógrado; 30/10 a 31/12 Marte Retrógrado, período desfavorável para cirurgias, caso seja necessário um procedimento cirúrgico, olhar Signo e fase da Lua.

Melhores dias para tratamentos estéticos: 04/02 a 14/02 Vênus e Marte em Capricórnio; 16/04 a 02/05 Vênus e Marte em Peixes; 19/07 a 11/08 Vênus em Câncer; 06/09 a 09/09 Vênus em Virgem; 24/10 a 16/11 Vênus em Escorpião; 11/12 a 31/12 Vênus em Capricórnio, mas, devido ao Marte Retrógrado no período, é interessante evitar procedimentos invasivos.

Períodos menos favorecidos para tratamentos e procedimentos estéticos: 14/01 a 03/02 Mercúrio Retrógrado; 07/03 a 05/04 Vênus em Aquário; 10/05 a 02/06 Mercúrio Retrógrado; 24/06 a 19/07 Vênus em Gêmeos; 12/08 a 05/09 Vênus em Leão; 10/09 a 01/10 Mercúrio Retrógrado; 30/10 a 31/12 Marte Retrógrado, é interessante evitar procedimentos invasivos.

SAGITÁRIO (22/11 A 21/12) - REGENTE JÚPITER

Primeiro decanato: de 22/11 a 01/12
Segundo decanato: de 02/12 a 11/12
Terceiro decanato: de 12/12 a 21/12

Panorama geral:

Os Sagitarianos do primeiro decanato (22/11 a 01/12), foram bem favorecidos no ano anterior, agora Júpiter vai desafiar seu Sol nos primeiros meses do ano, é bom segurar um pouco seus ímpetos, para não dar um passo maior que as pernas.

É importante aproveitar a Lua Nova do dia 23/11 para começar a germinar uma ideia. Acredite no seu dom da intuição, no desejo de liberdade e procure pensamentos elevados, para atrair motivação e colocar em marcha seus objetivos grandiosos, já que, a partir de maio, o trígono de fogo no seu Mapa Natal entre Júpiter e Áries e seu Sol, provocará uma energia contagiante no ar. Aproveite as oportunidades que aparecerem, pois, dessa forma, seu desejo de expandir seus horizontes pode ser materializado.

Os nativos do segundo decanato (02/12 a 11/12), podem aproveitar a harmonia entre Saturno e o seu Sol para a possibilidade de muitas realizações, se trabalharem com afinco, devem aproveitar o ano para materializar e concretizar seus objetivos. A Lua Cheia do dia 08/12 clareará com muita propriedade todos os seus esforços, e o momento é de colheita, do que você vem plantando em sua vida.

Os nativos do terceiro decanato (12/12 a 21/12), estão sob a influência da desarmonia entre Netuno e seu Sol, exigindo muito esforço para não se iludir e tomar decisões erradas, há possibilidade de distorção da percepção da realidade. Cuidado, as desilusões podem frustrar, é importante evitar utilizar subterfúgios escapistas. Cuidar do lado Espiritual sempre é o melhor remédio para tristezas e desilusões, é mister não se deixar iludir por gurus charlatães.

Carreira e finanças:

Os nativos do primeiro decanato (22/11 a 01/12) devem aproveitar o ano para fazer bons negócios, porém, nos primeiros meses do ano, evitar excesso de otimismo, manter o foco e nada de metas muito "over". Mas, a partir de maio, a presença do trígono de fogo de Júpiter em Áries ao seu Sol muda o clima, e as coisas realmente podem dar certo, os projetos são liberados e entram em marcha, sua carreira ou seu negócio pode deslanchar se trabalhou duro nos últimos tempos. A sorte bate à sua porta.

Já os nativos do segundo decanato (02/12 a 11/12) estão com muitas chances de crescimento profissional, devem aproveitar o bom momento para investir firme na carreira ou no seu negócio, podendo ter muito reconhecimento pelo seu trabalho, portanto, não percam o foco, continuem pensando grande; esse ano, o que plantou, sedimentou, pode se tornar realidade. Acreditem e mantenham as expectativas sob controle.

Os nativos do terceiro decanato (12/12 a 21/12), estão com Netuno desafiando seu Sol, é importante manter seus objetivos bem centrados e seu espírito alimentado de boas energias, não se deixando iludir por mentiras.

Procurem não desanimar e dispersar nos seus empreendimentos e tarefas, é importante manter os compromissos agendados, para que não aja dispersão com afazeres desnecessários. Selecionem o que for possível realizar, sigam o lema: "primeiro as primeiras coisas" e mantenham o foco, a força e a fé.

Quanto às finanças, os Sagitarianos de todos os decanatos devem estar atentos para a máxima dos economistas; "dinheiro não aceita desaforo", e nada de investimentos que prometam muito, desconfiem sempre, busquem segurança nas aplicações. Especulações devem ser evitadas nos primeiros meses do ano. Já a partir de maio, os nativos do primeiro decanato (22/11 a 01/12) podem pensar em arriscar um pouco mais, informe-se bem antes, para não entrar em furada. Já os dos segundo e terceiro decanatos devem manter a prudência nos investimentos.

Marte vai se encontrar em Gêmeos a partir de agosto, é importante que os Sagitarianos de todos os decanatos priorizem a troca de informações nesse período. Incorporem a flexibilidade à sua personalidade, pois a "flecha só alcança o alvo se o arqueiro tiver habilidade nos movimentos".

Em geral, os melhores períodos para trabalho, dinheiro, negócios e aquisições são: 07/03 a 05/04 Vênus e Marte em Aquário, período bom para trabalho em grupo e planejamento; 03/05 a 09/05 Vênus em Áries, período ótimo para colocar as ideias em ação; 12/08 a 05/09 Vênus em Leão; 17/11 a 10/12 ótimo momento para colocar foco nos seus objetivos e expandir seus negócios, mas a presença de Marte em Gêmeos Retrógrado pede uma revisão nas suas ações, principalmente, nas áreas, de Vendas, Comunicação e Marketing que podem ser no âmbito pessoal ou da empresa. E como está investindo e gastando o seu dinheiro. 17/11 a 10/12 Vênus em Sagitário.

Os menos favoráveis são: 01/01 a 03/02 Vênus e Mercúrio Retrógrados, o período pede cautela e revisão na estrutura de carreira, contratos e investimentos; 06/04 a 02/05 Vênus em Peixes; 12/04 a 07/05 Vênus em Gêmeos; 10/05 a 02/06 Mercúrio Retrógrado; 06/09 a 29/09 Vênus em Virgem; 10/09 a 01/10 Mercúrio Retrogrado; 30/10 a 31/12; Marte em Gêmeos Retrógrado, período pede uma revisão nas ações nas áreas de Vendas, Comunicação e Marketing, no âmbito pessoal e profissional, e em como está investindo e gastando seu dinheiro.

Relacionamentos:

Os nativos do primeiro decanato (22/11 a 01/12) que forem comprometidos estão nos primeiros meses do ano num momento de testes e ajustes de que vão precisar na convivência dentro de casa, na rotina, nos afazeres domésticos. A partir de maio, as coisas melhoram e a possibilidade de lazer, hobbies e filhos animam o casal. Já os solteiros terão oportunidade de iniciar um relacionamento a partir de maio. A sorte está ao seu lado.

Já os nativos do segundo decanato (02/12 a 11/12) estão com possibilidades de assumir compromissos, levarem o namoro para um patamar mais sério, pois a consciência do que querem para sua vida pessoal pode estar ficando bem clara para vocês.

Os nativos do terceiro decanato (12/12 a 21/12) estão num momento um pouco confuso. Os que já possuem um casamento, seja ele formal ou não, podem estar desiludidos com a relação, desejando um amor idealizado, cuidado para não trocar o certo pelo duvidoso.

A presença de Marte no Signo de Gêmeos a partir de agosto pede que os Sagitarianos de todos os decanatos sejam mais flexíveis, procurem escutar o outro, o que ele tem a dizer; sair um pouco daquele lugar em que a "verdade" está absoluta, é interessante que os Sagitarianos reflitam que, na realidade, a "verdade" está do lado em que a pessoa está.

Em geral, os melhores períodos para as relações, encontros amorosos e colaboração são: 07/03 a 05/04 Vênus e Marte e Vênus em Aquário, período que favorece as amizades; 03/05 a 28/05 Vênus em Áries, aproveite o seu poder de sedução; 12/08 a 05/09 Vênus em Leão, período para externar o que é especial para você e para o parceiro; 17/11 a 10/12 Vênus em Sagitário, momento para encontros amorosos mais livres, sem muitas amarras.

Os menos favoráveis são: 01/01 a 06/03 Vênus em Capricórnio Retrógrada, período de revisão e ajustes nas relações, desaconselhável oficialização de compromisso no período; 06/04 a 02/05 Vênus em Peixes período difícil para demonstrar os sentimentos; 24/06 a 18/07 Vênus em Gêmeos, período em que os afetos podem estar sendo expressados de forma bastante equivocada; 06/09 a 29/09 Vênus em Virgem, período difícil para demonstrar amor.

Saúde:

Os nativos do primeiro decanato (22/11 a 01/12) e segundo decanato (02/12 a 11/12) devem dar atenção a seus hábitos e rotina, evitando alguns excessos que possam estar prejudicando sua saúde, com a meta de buscar uma vida saudável, melhorando a sua imunidade. Procurem fazer os exames de rotina que vinham adiando. Até o mês de maio, é importante dar atenção a cuidar do corpo, da mente e do Espírito.

Saturno em bom aspecto com o Sol dos nativos do segundo decanato (02/12 a 11/12) proporciona disciplina e perseverança para que os objetivos sejam alcançados, se tiverem condições podem contratar um coach, para ajudar a começar um trabalho com foco nas suas metas.

Já os nativos do terceiro decanato (12/12 a 21/12) devem ter o máximo de atenção à sua saúde, seja física, mental ou Espiritual. Netuno se encontra num aspecto desafiador ao seu Sol. O ideal é melhorar a sua imunidade, para não ser alvo fácil de infecções. É importante também buscar um conforto Espiritual, seguir uma religião com a qual se identifiquem. Algo pode estar deprimindo-os e causando um desalento de alma; aproveitem a entrada de Júpiter em Áries a partir de maio para trazer mais alegria e diversão para sua vida, o passado passou, o futuro ainda não chegou, dessa forma, foquem no presente, pois só ele existe, é real.

As pessoas têm o próprio jeito, flexibilizem mais, aceitem os outros como são, isso vai melhorar muito sua energia vital. Cuidado para não entrarem no escapismo e ir para os excessos, sejam alimentares, de remédios ou álcool, que podem comprometer seu fígado, pâncreas e até mesmo prejudicar sua vida. Tenha sempre em mente que tudo passa, tudo passará.

Os períodos de maior energia, saúde, vigor e vitalidade são: 07/03 a 15/04 Marte em Aquário; 25/05 a 05/07 Marte em Áries, bom momento energético.

Os períodos menos favoráveis para cirurgia e vitalidade são: 01/01 a 28/01 Vênus em Capricórnio Retrógrada e em 14/01 a 03/02 Mercúrio Retrógrado, período desaconselhável para cirurgias; 10/05 a 02/06 Mercúrio Retrógrado; 10/09 a 01/10 Mercúrio Retrógrado; 30/10 a 31/10 Marte Retrógrado, período desaconselhável para cirurgias, mas, se um procedimento cirúrgico for necessário, olhar fase e Signo da Lua.

Melhores dias para tratamentos estéticos: 07/03 a 05/04 Vênus e Marte em Aquário; 03/05 a 09/05 Vênus em Áries; 12/08 a 05/09 Vênus em Leão; 17/12 a 10/12 Vênus em Sagitário, devido à presença do Marte em Gêmeos Retrógrado é aconselhável evitar procedimentos invasivos.

Períodos menos favorecidos para tratamentos e procedimentos estéticos: 01/01 a 28/01 Vênus em Capricórnio Retrógrada; 14/01 a 28/01 Mercúrio Retrógrado, é desaconselhável procedimentos estéticos; 06/04 a 02/05 Vênus em Peixes; 10/05 a 02/06 Mercúrio Retrógrado; 24/06 a 18/07 Vênus em Gêmeos; 06/09 a 29/09 Vênus em Virgem; 10/09 a 01/10 Mercúrio Retrógrado; 30/10 a 31/12 Marte Retrógrado, período desaconselhável para cirurgias e procedimentos estéticos invasivos.

CAPRICÓRNIO (22/12 A 20/01) — REGENTE SATURNO

Primeiro decanato: de 22/12 a 31/12
Segundo decanato: de 01/01 a 10/01
Terceiro decanato: de 11/01 a 20/01

Panorama geral:

Os Capricornianos do primeiro decanato (22/12 e 31/12), e segundo decanato (01/01 e 10/01), estão num momento mais tranquilo, de consolidar as transformações profundas que precisaram fazer em suas vidas, eliminando situações e até pessoas de seu convívio, que pode ter ocorrido por vontade própria ou por imposição do destino. O momento agora é olhar para a frente, para o futuro, fazer a aceitação das transformações que houve em sua vida, mesmo com dor, trouxeram um renascimento que deve ser apreciado como lições que a vida proporciona. O período é de realizar esperanças acalentadas por toda uma vida, novos objetivos, mais liberdade e leveza, aproveitar para conhecer gente nova e estar aberto às mudanças que surgirem. A Lua Nova do dia 02/01 pede que o Capricorniano seja mais versátil e flexível, mas seguindo em frente perseguindo seus objetivos, sejam eles quais forem.

Já os Capricornianos do terceiro decanato (11/01 e 20/01), estão ainda sob a influência da conjunção de Plutão ao seu Sol, exigindo transformações muito profundas em seus propósitos de vida. Uma revisão intensa de seus valores pode estar acontecendo, exigindo que você se conecte com o que é realmente essencial. É importante procurar compreender o que é o "Poder" para você, e como lidar com situações em que não está no controle. Procure vibrar no positivo, desenvolvendo a criatividade e a habilidade de lidar com as perdas sem se deixar destruir, através da busca de um caminho espiritual que pode te trazer fé, que vai ajudar a aceitar que não controlamos tudo nem todos, trazendo uma maturidade emocional e espiritual para seu novo momento de vida.

Carreira e finanças:

Os Capricornianos de primeiro decanato (22/12 a 31/12) devem aproveitar a primeira Lua Nova do Ano no dia 02/01 e a passagem de Júpiter pelo Signo de Peixes até maio, para procurar expandir profissionalmente, como dono de seu negócio ou funcionário, seja mais flexível e versátil, procure fazer muitos contatos, aumentando suas Vendas e seu mailing, procurar se capacitar e modernizar seu negócio com as novas tecnologias e aplicativos, para estar apto às possíveis oportunidades de crescimento que possam surgir. A segurança financeira é muito importante para o Capricorniano, não é momento de arriscar em ativos que desconhece. Busque ajuda de quem entende para poder investir assertivamente. A partir de maio, quando Júpiter entrar no Signo de Áries, é bom que os Capricornianos mantenham a esperança, mas sem aumentar demais as expectativas, pois as promessas de ganhos e sucesso podem estar superavaliadas.

Já os Capricornianos de segundo decanato (01/01 a 10/01) estão com muitas oportunidades de mostrar seu potencial e expertise, principalmente no seu dom natural para a administração. Se for dono de seu negócio, é um bom momento para rever custos e potencial do produto ou serviço que comercializa ou está pretendendo colocar no mercado. Nas finanças, pode realizar os lucros dos investimentos que fez anteriormente e, para fazer frente a alguma despesa inesperada, é bom uma revisão no orçamento, que pode estar subestimado. Não se esqueça de dar prioridade à compra de aparelhos tecnológicos mais modernos, para viabilizar seu negócio ou carreira, por isso, faça ajustes e corte de áreas supérfluas para que o investimento em tecnologia prevaleça.

Os Capricornianos do terceiro decanato (11/01 a 20/01) estão sob a influência do poderoso Plutão. A Lua Cheia de 17/01 é um bom momento para arregaçar as mangas com afinco e se esforçar muito para se tornar bom naquilo que pretendem. Tenham sabedoria para lidar com as situações e pessoas em posição de poder, evite confrontos, pois pode sair perdendo. Utilize sua força de trabalho, criatividade e intuição para decifrar as intenções das outras pessoas, não se deixe levar pelo medo da derrota, foque no seu alvo e não deixe nada nem ninguém te desviar do rumo traçado.

Para os Capricornianos de todos os decanatos, a Vênus vai estar em Capricórnio e Retrógrada no primeiro mês do ano, o que não promete grandes resultados financeiros em nenhuma atividade, nem é um momento de compras vultosas, nem de negociar salários e aumentar preços. Evite abrir negócio em janeiro de 2022. O momento é propício para organizar e fazer um planejamento financeiro para o ano inteiro.

Em geral, os melhores períodos para trabalho, dinheiro, negócios e aquisições são: 04/02 a 06/03 Marte e Vênus em Capricórnio, ótimo período profissional, 06/04 a 02/05, Vênus em Peixes e 16/04 a 02/05 Marte em Peixes; 03/06 a 23/06 Vênus em Touro, bom período para investimentos e aquisições; 06/09 a 29/09 Vênus em Virgem, bom momento para o trabalho; 24/10 a 16/11 Vênus em Escorpião bom momento para criar estratégias; 11/12 a 31/12 Vênus em Capricórnio, bom momento para o trabalho e os negócios.

Os menos favoráveis são: 01/01 a 03/02 Vênus e Mercúrio Retrógrado, desaconselhável para fechar contratos e negócios, período de rever assuntos de trabalho e financeiros; 10/05 a 02/06 Mercúrio Retrógrado, período desfavorável para assinaturas de contratos; 19/07 a 11/08 Vênus em Câncer; 10/09 a 01/10 Mercúrio Retrógrado; 30/09 a 23/10 Vênus em Libra; 30/10 a 31/12 Marte Retrógrado, momento de refazer estratégias de mercado relativos a Vendas, Comunicações e Marketing, no âmbito pessoal e profissional.

Relacionamentos:

Os Capricornianos entram 2022 com a "Deusa do Amor" Vênus no seu Signo Capricórnio, porém em marcha retrógrada, denotando um período de revisão nos relacionamentos amorosos. O momento exige muita reflexão acerca do amor, com questionamentos a respeito da seriedade e maturidade da relação, com argumentos práticos e racionais. Evite agendar compromissos sérios, tipo noivado, casamento, até o comum "Vamos juntar os trapos" no mês de janeiro de 2022.

A presença de Júpiter no Signo de Peixes vai favorecer muito os Capricornianos até o mês de maio, trazendo muitas possibilidades de encontros na sua convivência diária, no seu ambiente de trabalho, seja ele físico ou virtual, esteja atento, se sentir o coração bater mais forte, acredite na intuição, invista nas mensagens, nos sites de relacionamento, quem sabe rola algo novo, inusitado, de onde você menos espera?

A Lua Nova de 02/01 já entra nessa "vibe", os Capricornianos solteiros do primeiro decanato (22/12 a 31/12) e segundo decanato (01/01 a 10/01) devem aproveitar e investir em contatos para um novo relacionamento, e quem sabe começar o ano com um novo crush, ou mesmo uma volta de um antigo relacionamento. Já os casados estão num momento de conversar para aparar arestas e tentar começar o ano com novas metas para a relação que precisa ser reavaliada e questionada. O amor tem estrutura e forças para enfrentar todas as intempéries que uma vida a dois pode apresentar?

Os Capricornianos de terceiro decanato (11/01 a 20/01) estão com muitos sonhos de materializar coisas e ao mesmo tempo de ganhar poder, mas devem evitar situações de enfrentamento, seja por ciúme ou controle na relação do casal, brigas constantes sobre quem manda mais podem levar a situações que fogem ao controle. A Lua Cheia do dia 17/01 está propícia para que os casados busquem sonhos possíveis em conjunto, nada de metas irreais. Filhos, lazer, viagens, casa própria, devem ser um sonho do casal, procurem entrar num acordo com relação à parte financeira, para que não haja desavenças e seja possível a materialização dos sonhos. Já os solteiros devem ter cuidado para não se envolverem em relacionamentos com pessoas controladoras, violentas e ciumentas. Fuja desse perfil, pois você pode ter muitos problemas mais à frente. Procure alguém mais leve e amoroso, que tenha uma boa Comunicação com você, que traga novas possibilidades de lazer e que possa acrescentar espiritualidade em sua vida, fazendo de você uma pessoa melhor.

Em geral, os melhores períodos para as relações, encontros amorosos e colaboração são: 04/02 a 06/03 Marte e Vênus em Capricórnio, ótimo período para oficializar uma relação; 06/04 a 02/05 Vênus em Peixes e 16/04 a 02/05 Marte em Peixes, bom período para manifestar os sentimentos; 29/05 a 23/06 Vênus em Touro, bom período para amar e ser amado; 06/09 a 29/09 Vênus em Virgem, bom para o feminino e a fertilidade; 24/10 a 16/11 Vênus em Escorpião, período favorável à sexualidade. 11/12 a 31/12 Vênus em Capricórnio, bom momento para oficializar uma relação.

Os menos favoráveis são: 01/01 a 28/01 Vênus em Capricórnio Retrógrada, desaconselhável para oficializar relacionamentos; 21/02 a 16/03 Vênus em Áries, período difícil para a convivência; 19/07 a 11/08 Vênus em

Câncer período mais difícil com as parcerias e relações familiares. 30/09 a 23/10 Vênus em Libra.

Saúde:

Os Capricornianos nativos do primeiro decanato (22/12 a 31/12) vivenciam um momento em que corpo, mente e espírito estão mais em harmonia, vêm fazendo e mantendo as mudanças necessárias para se permanecer saudável. A entrada de Júpiter em Áries a partir de maio requer cuidado para você não exagerar nas expectativas e ter recaídas comportamentais.

Já os nativos do segundo decanato (01/01 a 10/01) estão num processo de aproveitar a oportunidade que as novas tecnologias trouxeram para otimizar seu tempo, podendo praticar um hobby que possa trazer mais saúde e alegria para a sua vida. Aproveite para comprar um relógio que gerencie a saúde diária e comece a praticar novos hábitos que vão passar a ser prazerosos para você. Utilize a tecnologia a seu favor, mesmo que, para isso, precise gastar um pouco mais.

Os nativos do terceiro decanato (11/01 a 20/01) estão num momento muito propício para buscar algo mais espiritual para a sua vida. O trabalho é importante, te sustenta e engrandece, mas é bom diminuir o ritmo de trabalho, acrescentando algo mais sutil na sua rotina, uma dança, yoga, meditação e um hobby que pode ser com a família, para além do trabalho que possa equilibrar sua Energia Vital, aproveitando a tecnologia para inovar na sua rotina.

A Lua Cheia de 17/01 está muito favorável, para que você possa levar mais a sério sua alimentação. Hobbies culinários devem estar ligados a comidas tipo light e fitness, o momento pede que a "ficha caia", que você precisa buscar conhecimento sobre o que come e como come. Estude a respeito.

Plutão em Capricórnio já se encontra no seu passo final nesse Signo e está exigindo muito dos Capricornianos, e agora aos do terceiro decanato (11/01 a 20/01), toda essa pressão pode afetar a saúde, então todo cuidado é pouco e não despreze nenhum sinal de algo diferente no seu corpo. Seja prudente e pragmático, qualquer doença detectada em seu início tem maior possibilidade de sucesso na cura. Portanto, esteja vigilante, seu corpo é seu bem maior.

Os períodos de maior energia, saúde, vigor e vitalidade são: 25/01 a 06/03 Marte em Capricórnio, muita energia e vigor; 16/04 a 24/05 Marte em Peixes; 06/07 a 20/08; Marte em Touro, muita energia física, saúde, vigor e vitalidade.

Os períodos menos favoráveis para cirurgia e vitalidade são: 14/01 a 04/02 Mercúrio Retrógrado; 10/05 a 02/06 Mercúrio Retrógrado; 10/09 a 01/10 Mercúrio Retrógrado; 30/10 a 31/12 Marte Retrógrado, período desaconselhável para cirurgias, mas, se for necessário um procedimento cirúrgico, olhar a fase e o Signo da Lua.

Melhores dias para tratamentos estéticos: 04/02 a 14/02 Vênus e Marte em Capricórnio; 16/04 a 02/05 Vênus e Marte em Peixes; 29/05 a 23/06 Vênus em Touro; 06/09 a 09/09 Vênus em Virgem; 24/10 a 16/11 Vênus em Escorpião; 11/12 a 31/12 Vênus em Capricórnio, mas, como Marte está retrógrado entre 30/10 e 31/12, o período é desaconselhável para procedimentos estéticos invasivos.

Períodos menos favorecidos para tratamentos e procedimentos estéticos: 01/01 a 28/01 Vênus em Capricórnio Retrógrada e entre 14/01 a 03/02 Mercúrio Retrógrado; 03/05 a 28/05 Vênus em Áries; 10/05 a 02/06 Mercúrio Retrógrado; 19/07 a 11/08 Vênus em Câncer; 10/09 a 01/10 Mercúrio Retrógrado; 30/09 a 23/10 Vênus em Libra; 30/10 a 31/12 Marte Retrógrado, desaconselhável procedimentos estéticos invasivos.

AQUÁRIO (21/01 A 19/02) – REGENTE URANO

Primeiro decanato: de 21/01 a 30/01
Segundo decanato: de 31/01 a 09/02
Terceiro decanato: de 10/02 a 19/02

Panorama geral:

Os Aquarianos de primeiro decanato (21/01 e 30/01), e início do segundo decanato (31/01 e 09/02), vêm sofrendo muitas cobranças e transformações, mas pode também ter havido muito crescimento se as oportunidades que surgiram foram bem aproveitadas e as mudanças necessárias feitas com seriedade e segurança.

Procurem, nesse ano, estar atentos às oportunidades que virão com a presença de Júpiter no Signo de Áries a partir de maio de 2022, convidando a estudar mais, melhorar a comunicação e, principalmente, observar seu comportamento nas redes sociais, pensando muito para não falar demais e impulsivamente.

Já os nativos do segundo decanato, nascidos entre os dias 31/01 e 09/02, terão que lidar com muitas responsabilidades e situações de transformações que podem ser provocadas por insatisfações, ou mesmo à revelia, o que pode deixar os Aquarianos com uma sensação de insegurança e medo quanto ao futuro, mas o importante é se manter disciplinado e motivado, com paixão pelo que faz, isso permitirá o Aquariano fazer acontecer em qualquer área da sua vida.

O ano pede novidades, que tal agregar algo novo em suas estruturas já criadas? Pode ser uma boa pedida, procurem manter "simples" o confronto com as crises, elas são oportunidades que temos de ver, sentir e agir diferente, não devemos enfrentá-las como um ser poderoso, e sim lembrar sempre que tudo passa. A Lua Nova de 01/02 está muito favorável para começar algo novo, de forma pragmática, trabalhando duro, acreditando na existência de um Poder Superior, na sua intuição e nos seus insights. Não os desperdice!

Os Aquarianos que nasceram no terceiro decanato, entre os dias 10/02 e 19/02, terão que encarar Saturno cobrando, dando regras e limitando suas ações e direções de vida. É interessante aproveitar o ano para estruturar seus planos e sua vida como um todo, pois o próximo ano promete ser de muitas transformações. A Lua Cheia de 16/02 pode ser o ápice de algo que você vinha fazendo e que chega ao seu limite, o que pode ser um bom momento para começar a germinar novos planos, bem a gosto do Aquariano, quem sabe começar a estudar um novo idioma?

Carreira e finanças:

Aquarianos de todos os decanatos: é importante terem em mente que, com a aceleração das transformações tecnológicas, ficar parado e analógico é ficar para trás. Seu maior dom é estar sempre ligado nas perspectivas de futuro, então procure ver oportunidades na adversidade. A pandemia mudou o mundo como conhecíamos e está demandando capacidade de mudar rapidamente, principalmente na área profissional. Os Aquarianos do primeiro decanato (21/01 a 30/01) e do segundo decanato (31/01 a 09/02) tiveram que lidar com as mudanças de forma abrupta, podendo ter tido perdas e mudanças profissionais. Agora o importante é reorganizar as finanças, evitar gastos excessivos, buscar um trabalho de que realmente goste, que permita liberdade, tempo livre, para a família e a casa, sem tanta necessidade de buscar um cargo de poder, as suas prioridades podem ter mudado completamente.

Aproveite a entrada de Júpiter em Áries a partir de maio para buscar novos contatos, fazer seu mailing e divulgar seu nome ou mesmo seu produto. Tem um mercado ávido por novidades. Os investimentos devem estar ligados à sua carreira, ao seu negócio, procure estudar sobre investimentos, corra riscos calculados, não coloque "todos os ovos numa mesma cesta", quem sabe começar a conhecer um pouco sobre as moedas digitais seja uma boa pedida para o ano, pois parece que são um movimento sem volta. A Lua Nova de 01/02 pode ser um ótimo momento para você colocar em prática seus planos, acreditando nos seus insights, mesmo que precise mudar algo nos seus planos, e naquilo que sempre foi a sua expertise, agregue algo novo, a tecnologia está aí, não negue o óbvio.

Os nativos do terceiro decanato (10/02 a 19/02) estão sob a conjunção de Saturno a seu Sol, denotando um período de reavaliação sobre como estruturou seu lado profissional e o que pretende para o seu futuro. A pandemia mostrou que somos capazes de adaptação, e temos potencial transformador quando desafiados, procure aproveitar para começar a se preparar para esse novo mundo, já antevendo inovações, para quando Urano desafiar seu Sol a partir de 2023. Cuidado com a presença de Júpiter em Peixes com gastos excessivos, principalmente com "viagens", seja pragmático e gaste dentro do possível, mantenha uma reserva prudente para 2023, pois o momento é de guardar energias, e não desperdiçá-las. O ano não é favorável para especulação financeira, nem investimentos de risco.

Em geral, os melhores períodos para trabalho, dinheiro, negócios e aquisições são: 07/03 a 05/04 Vênus e Marte em Aquário, período bom para trabalho em grupo e planejamento; 03/05 a 09/05 Vênus em Áries, período oportuno para colocar as ideias em ação; 24/06 a 18/07 Vênus em Gêmeos e Marte em Áries, bom para trabalhar as Comunicações; 17/11 A 10/12 Vênus e Sagitário, pede foco nos objetivos, mas a presença de Marte Retrógrado sugere uma revisão nas ações, e como está investindo e ganhando seu dinheiro.

Os menos favoráveis são: 01/01 a 03/02 Vênus e Mercúrio Retrógrados, período de cautela e revisão na estrutura de carreira, negócios e investimentos; 10/05 a 02/06 Mercúrio Retrógrado; 29/05 a 13/05 Vênus em Touro; 12/08 a 05/09 Vênus em Leão; 10/09 a 01/10 Mercúrio Retrógrado; 24/10 a 16/11 Vênus em Escorpião; 30/10 a 31/10 Marte Retrógrado, período para revisão de estratégias e ações.

Relacionamentos:

Os Aquarianos do primeiro decanato (21/01 a 30/01) e segundo decanato (31/01 a 09/02) podem estar tendo dificuldades nos relacionamentos. O Aquariano preza muito por sua liberdade, a pandemia mudou muito o estilo de vida das pessoas, obrigando a convivência doméstica com mais intensidade, o que pode ter trazido muito estresse para os relacionamentos dos Aquarianos compromissados. O ideal é o Aquariano tentar, se for possível, manter um espaço só seu na sua casa, em que possa fazer o que deseja da forma que gosta, ou mesmo se for possível um relacionamento cada um na sua casa. Os solteiros podem estar voltando a conviver nos grupos de amigos, em consonância à sua alma gregária, o que pode favorecer a conhecer gente nova. O ideal é quem estiver solteiro buscar interagir com pessoas através dos aplicativos, bem ao gosto do irreverente e moderno Aquariano. A Lua Nova de 01/02 sugere um pouco de novidade na área amorosa, quem sabe uma viagem curta de fim de semana. Surpreenda o parceiro, com algo que ele nem imagina, assim ele(a) não terá como dizer não.

Já os nativos do terceiro decanato (10/02 a 19/02) podem estar num momento de "parada para balanço", o momento é de avaliar a relação, se realmente estão "dentro" da relação ou não, se há amor que resista a todas as intempéries, se estão se sentindo amando e amados. Aprenda a dizer "não" sem culpa. Os que estiverem namorando podem sentir necessidade de reforçar os laços e formalizarem um casamento, agora é bom avaliar bem se quer isso mesmo, pois no próximo ano terá o desafio de Urano a seu Sol, podendo provocar rompimentos, então quem sabe esperar um pouco pode ser mais prudente? A Lua Cheia de 16/02 vai mexer na área das comunicações. Procure utilizar uma comunicação não violenta com o parceiro, aceitando que as pessoas pensam e têm valores diferentes dos seus.

Em geral, os melhores períodos para as relações, encontros amorosos e colaboração são: 07/03 a 05/04 Vênus e Marte em Aquário, período favorável às amizades e participação em grupos; 03/05 a 28/05 Vênus em Áries, aproveite o seu poder de sedução no período; 24/06 a 18/07 Vênus em Gêmeos e Marte em Áries, aproveite o período para fortalecer o diálogo e partir para a ação; 30/09 a 22/10 Vênus em Libra, período bom para os encontros e colaboração de parcerias; 17/11 a 10/12 Vênus em Sagitário, pede encontros amorosos mais livres, sem muitas amarras.

Os menos favoráveis são: 15/04 a 09/05 Vênus em Touro; 12/08 a 05/09 Vênus em Leão; 24/10 a 16/11 Vênus em Escorpião.

Saúde:

O Aquariano de primeiro decanato (21/01 a 30/01) conviveu com a conjunção entre Saturno e seu Sol no ano anterior. Tendo que lidar com muitos assuntos ligados à sua saúde, que podem ter trazido alguns problemas físicos, mas um amadurecimento físico e espiritual pode ter acontecido. O ano de 2022 pede que você continue aproveitando as mudanças que fez em seu corpo, não esmorecendo na disciplina e nas regras que se impôs para melhorar a sua saúde e, se tiver disponibilidade financeira contrate um Personal Trainer, para te orientar nos melhores exercícios a praticar.

Os Aquarianos de segundo decanato (31/01 a 09/02) estão num momento de muita tensão, o que pode prejudicar sua saúde. Toda atenção ao coração e ao sistema circulatório se faz necessário. Buscar a meditação pode ser um bom incentivo para trazer a calma do espírito, lembrando-se sempre de que, em momentos de caos, é necessário priorizar o que realmente é importante, "as primeiras coisas", que são as que devemos fazer são "aqui e agora", que podem não ser as mais urgentes ou as mais agradáveis. Busque tempo para os exercícios e a meditação, transforme sua casa ou até mude de casa, faça adaptações às suas necessidades atuais.

Simplifique sua vida e faça escolhas que sejam importantes para seu bem-estar físico, mental e espiritual, e não deixe que o ambiente tumultuado de sua casa afete a sua saúde; nada nem ninguém é mais importante que você. Aproveite a Lua Nova de 01/02 para cuidar da sua saúde e começar o ano, quem sabe, com um novo hobby que pode ser correr ou pedalar. Saia da preguiça, ela não te pertence mais.

Os Aquarianos de terceiro decanato (10/02 a 19/02) terão que aprender a respeitar os limites do seu corpo, até mesmo pela ação do tempo, que obviamente passa para todos. O importante é mudar algo dentro de você, procurar entender que só você tem o poder de mudar a si mesmo. Então, vá ao médico, faça exames de rotina, pois terá no próximo ano Urano desafiando seu Sol, então vá se preparando energeticamente.

Se está se achando meio velho, mude algo na sua aparência, corte o cabelo ou pinte de outra cor, isso já vai dar uma animada no seu astral. Algum problema referente a ossos, articulações e dentes podem surgir, não adie, vá ao médico, uma sessão de fisioterapia pode ser necessária, e o dentista não pode ser negligenciado, lembre-se de que seu corpo é seu maior "bem". A Lua Cheia de 16/02 pode ser um momento limite na intransigência do Aquariano em resistir a ir ao Médico e ao Dentista. Aproveite a data para agendar o que for necessário para cuidar da sua saúde.

Os períodos de maior energia, saúde, vigor e vitalidade são: 07/03 a 15/04 Marte em Aquário; 25/05 a 05/07 Marte em Áries; 01/08 a 31/12 Marte em Gêmeos.

Os períodos menos favoráveis para cirurgia e vitalidade são: 01/01 a 28/01 Vênus Retrógrada e Mercúrio Retrógrado entrando dia 14/01 a 03/02; 10/05 a 02/06 Mercúrio Retrógrado; 05/07 a 20/08 Marte em Touro; 10/09 a 01/10 Mercúrio Retrógrado; 30/10 a 31/10 Marte Retrógrado, período desaconselhável para cirurgias, mas, caso haja necessidade de um procedimento cirúrgico, olhar fase e Signo da Lua.

Melhores dias para tratamentos estéticos: 07/03 a 05/04 Vênus e Marte em Aquário; 03/05 28/05 Vênus em Áries 24/06 a 18/07 Vênus em Gêmeos e Marte em Áries; 30/09 a 23/10 Vênus em Libra; 17/11 a 10/12

Vênus em Sagitário, mas, como Marte está retrógrado no período, é desaconselhável procedimentos estéticos invasivos.

Períodos menos favorecidos para tratamentos e procedimentos estéticos: 01/01 a 28/01 Vênus Retrógrada e de 14/01 a 03/02 Mercúrio Retrógrado, período desfavorável para procedimentos estéticos; 29/05 a 23/08 Vênus em Touro; 10/05 a 02/06 Mercúrio Retrógrado; 12/08 a 05/09 Vênus em Leão; 10/09 a 01/10 Mercúrio Retrógrado; 24/10 a 16/11 Vênus em Escorpião; 30/10 a 31/12 Marte Retrógrado, período em que é desaconselhável procedimentos estéticos invasivos.

PEIXES (20/02 A 20/03) - REGENTE NETUNO

Primeiro decanato: de 20/02 a 29/02
Segundo decanato: de 01/03 a 10/03
Terceiro decanato: de 11/03 a 20/03

Panorama geral:

Os Piscianos de todos os decanatos terão, nos primeiros meses do ano, a presença do benéfico e grandioso Júpiter no seu Signo Solar, potencializando suas características amorosas, espirituais e sua intensa sensibilidade e podem ser beneficiados pela sorte. Tenham confiança em si mesmo e aproveitem as oportunidades que surgirem.

Os nativos do primeiro decanato (20/02 a 29/02), tiveram o aspecto harmônico entre Urano e seu Sol, que foi uma bênção para os Piscianos, puderam colocar em prática a tecnologia a favor de seu dom criativo. Esse ano devem investir nos estudos, que pode ser de um novo idioma, Marketing Digital, que envolvam novas tecnologias, ou quem sabe um curso de Astrologia pode ser uma boa pedida?

Já os nativos do segundo decanato, (01/03 a 10/03), terão a conversa harmônica, entre Urano e seu Sol, quando a tecnologia já está integrada na vida moderna, fazendo parte do ZEITGEIST, o espírito de nosso tempo atual, como um elemento que forma o ambiente intelectual e cultural do período da história que estamos vivendo. Aproveitem o incrível alcance que a internet possibilita, inovem e criem. Suas esperanças há muito tempo acalentadas podem se materializar.

Os Piscianos do terceiro decanato (11/03 a 20/03), estão com Netuno conjunto a seu Sol, pelo lado positivo, pode estar trazendo muita inspiração e sensibilidade, compaixão e paz mental, proporcionando um despertar espiritual, podendo haver mudanças profundas em sua personalidade. Porém, do lado negativo, a vida pode ficar muito confusa, sem rumo, e você pode estar praticando atos sem um fim determinado, sem foco, e o desapontamento vindo como consequência, possibilitando o envolvimento com álcool, drogas e remédios, para escapar de suas tristezas, decepções e desilusões. A constante sensação de que no passado a vida era melhor pode causar depressão, que é o "mal do século XXI". Procure intensificar o amor, a caridade e a solidariedade, essas práticas espirituais podem aumentar o vigor, a alegria e a vontade de viver, dando um sentido especial à sua vida.

Carreira e finanças:

Os Piscianos do primeiro decanato (20/02 a 29/02) e do segundo decanato (01/03 a 10/03) devem aproveitar este momento em que a sorte está ao seu lado e fazer as mudanças que tiverem que fazer na sua carreira ou então em seu negócio.

Para os empresários, o ano pede mudanças e modernização, principalmente na área de Vendas aliado ao Marketing Digital, buscando integrar seu produto ou serviço nas novas mídias digitais, investindo nas Vendas pela internet, no "delivery", na sua capacitação e na de seus colaboradores. Procure usar sua intuição e rapidez de ação para sair na frente de seus concorrentes. Já para as pessoas que trabalham como funcionários, é importante manter seu perfil atualizado nas plataformas digitais, com fotos que passem eficiência, proatividade e brilho no olhar. Devem se fazer notar, principalmente junto à chefia, procurar divulgar seus feitos e sua eficiência, demonstrando seu intuito de melhorar a receita da empresa em que trabalha. O momento está favorável para que você faça escolhas assertivas e que tenha como objetivo a sua liberdade e oportunidade de crescer profissionalmente. Seu dom para as artes, a música, a dança, o cinema deve ser aproveitado, a tecnologia pode ajudar muito a divulgar seu trabalho ou negócio, esteja alerta e não desperdice as oportunidades que tiver. Seus sonhos estão muito possíveis de se realizarem, quem sabe ter o seu próprio negócio, uma startup, uma página ou um canal numa plataforma digital. A Lua Nova do dia 02/03 está incrível, aproveite a oportunidade para fazer novas parcerias profissionais, que podem investir em você e no seu negócio.

Já os nativos do terceiro decanato (11/03 a 20/03) estão com Netuno conversando com seu Sol de forma muito intensa, por isso, procure se manter conectado com boas energias e não se enganando com aparências. É importante que você seja criterioso, e analítico, procure sempre ponderar. É importante "ser ou parecer?". É necessário conectar as certezas com as fantasias e as percepções sutis do inconsciente, com calma e sabedoria. As oportunidades estão aí, aproveite a energia de poder e transformação, que a conversa fluente entre Plutão e seu Sol estão proporcionando, para crescer na sua carreira ou no seu negócio.

Participar de grupos tradicionais, e com muito tempo de atuação, pode trazer pessoas de poder para seu convívio aumentando as chances de você galgar posições na sua empresa ou aumentando o faturamento do seu negócio. Mas não deixe seu subconsciente sonhador te iludir, te induzindo a acreditar em sonhos fantasiosos e impossíveis, pois a frustração pode acontecer. Vá dentro da sua realidade e nível de conhecimento e tenha fé, há muitas possibilidades de seus sonhos se tornarem realidade. A Lua Cheia de 18/03 pede atenção aos investimentos de risco, em ativos que você desconhece, seja criterioso e busque segurança.

Em geral, os melhores períodos para trabalho, dinheiro, negócios e aquisições são: 29/01 a 06/03 Vênus e Marte em Capricórnio, ótimo período para o trabalho e os negócios; 06/04 a 28/05 Vênus e Marte em Peixes, bom momento para a criatividade; 06/06 a 23/06 Vênus em Touro, bom momento para as finanças e aquisições ;19/07 a 11/08 Vênus em Câncer, e Marte em Touro, bom momento para trabalho e aquisições; 24/10 a 16/11 Vênus em Escorpião, bom momento para criar e reformular estratégias; 10/12 a 31/12 Vênus em Capricórnio, bom momento para o trabalho.

Os menos favoráveis são: 01/01 a 03/02 Vênus e Mercúrio Retrógrado; 24/06 a 18/07 Vênus em Gêmeos; 05/09 a 29/09; Vênus em Virgem e 17/11 a 11/12 Vênus em Sagitário; Marte Retrógrado, desfavorável para ações intempestivas e precipitadas, não colocar energia sobre novos rumos, motivos e projetos, aguardar, quem sabe, umas férias para voltar com uma energia melhor.

Relacionamentos:

Os Piscianos do primeiro decanato (20/02 a 29/02) e os de segundo decanato (01/03 a 10/03) estão vivenciando um bom momento nos relacionamentos amorosos, com muitas novidades e renovações. Para os comprometidos, pode estar havendo uma melhora na Comunicação, principalmente sobre as finanças do casal, e quem sabe realizar aquela viagem dos sonhos que a pandemia adiou.

Já os que estão "na pista" à procura de um amor, os primeiros meses do ano estão incríveis, aproveite que você está mais confiante e com a autoestima lá em cima para conhecer alguém bacana, moderno, mas que seja afetuoso como você gosta. Aproveite a Lua Nova de 02/03 e esteja atento, quem sabe essa pessoa está circulando no seu "pequeno pedaço" e você ainda não tinha se ligado. Mas é possível também conhecer alguém pelos aplicativos de relacionamentos, os tempos mudaram, ouse, inove.

Já os piscianos nativos do terceiro decanato (11/03 a 20/03) estão com Plutão e Netuno em harmonia com seu Sol. Para aqueles que já estão num relacionamento, o importante é ter cuidado para não romancear demais, "amar o amor", e não o parceiro, mesmo com todas as suas qualidades e defeitos. Neste ano, você está com bastante forças para mudar o que tiver que mudar em você, em benefício da relação no futuro.

A Lua Cheia de 18/03 pode ser um momento de transbordamento de algo que não está fluindo tão bem no seu relacionamento, e que o casal vinha jogando para debaixo do tapete. O ideal é, através do diálogo, dizer o que não está bom, seja o sexo ou as finanças, e tentar transformar em prol do bem da relação. Você está com forças de regeneração muito ativas, aproveite para mudar, quem sabe aí o outro muda também?

Os piscianos que estão solteiros podem aproveitar a solteirice e participar de grupos, conhecer gente nova, sem muito compromisso. O importante é o Pisciano aprender a se amar e colocar o foco em si mesmo, se conhecer melhor, para aí poder amar o outro como ama a si mesmo.

Aproveite o período para colocar uma foto poderosa no site de relacionamento, para conseguir atrair alguém interessante para o seu perfil. Mas seja realista, não se iluda esperando a chegada do príncipe no seu cavalo branco. Foque em alguém dentro da sua realidade e suas possibilidades.

Em geral, os melhores períodos para as relações, encontros amorosos e colaboração são: 29/01 a 06/03 Vênus e Marte em Capricórnio; 06/04 a 02/05 Vênus em Peixe e em 16/04 Marte em Peixe, ótimo período para encontros amorosos; 19/07 a 11/08 Vênus em Câncer, período bom para encontros íntimos, familiares e afetuosos; 24/10 a 16/11 Vênus em Escorpião, período propício para incentivar a sexualidade; 11/12 a 31/12 Vênus em Capricórnio, é um bom período para oficializar uma relação.

Os menos favoráveis são: 01/01 a 28/01 Vênus em Capricórnio período desfavorável para oficializar uma relação; 24/06 a 18/07 Vênus em Gêmeos; 06/09 a 29/09 Vênus em Virgem; 17/11 a 10/12 Vênus em Sagitário.

Saúde:

Os Piscianos do primeiro (20/02 a 29/02) e segundo decanatos (01/03 a 10/03) devem estar atentos aos excessos, principalmente, na bebida e na comida, para não engordarem, surgindo problemas hepáticos e pancreáticos, como gordura no fígado, glicose e insulina altas. É bom manter bons hábitos na sua rotina, que incluem a alimentação saudável, exercícios, práticas espirituais e de meditação.

Já os nativos do terceiro decanato (11/03 a 20/03) devem manter a energia e imunidade em alta, uma medicina mais alternativa, como a ortomolecular, pode ser uma boa pedida, tomar vitaminas e buscar tratamentos modernos para fortalecer e regenerar as células do organismo, trazendo vitalidade para seu corpo, evitando a invasão de bactérias oportunistas.

Participar de grupos, sejam eles espirituais, religiosos ou de estudos, vão fazer muito bem a você, ao seu corpo físico, espiritual e mental. Evitem excessos, sejam eles quais forem, fortaleça seu "Eu sou", para que nenhum vício nefasto domine sua alma e seu corpo. Pratique diariamente a filosofia da gratidão, isso vai te aterrar no dia a dia, te mostrando quantas bênçãos você recebe diariamente, te tirando do vitimismo, do pessimismo e da depressão.

A presença de Marte no Signo de Gêmeos de agosto a dezembro vai deixar a energia de ação mais "verborrágica", dessa forma, é importante que os Piscianos de todos os decanatos evitem brigas domésticas e familiares. Descarregar as energias nos exercícios físicos fará muito bem aos nativos deste signo.

Os períodos de maior energia, saúde, vigor e vitalidade são: 25/01 a 06/03 Marte em Capricórnio; 16/04 a 24/05 Marte em Peixes; 06/07 a 20/08 Marte em Touro.

Os períodos menos favoráveis para cirurgia e vitalidade são: 14/01 a 03/02 Mercúrio Retrógrado; 10/05 a 02/06 Mercúrio Retrógrado; 10/09 a 01/10 Mercúrio Retrógrado; 30/10 a 31/12 Marte em Gêmeos Retrógrado, período desfavorável para cirurgias, mas, caso haja necessidade cirúrgica, olhe a fase e o Signo da Lua.

Melhores dias para tratamentos estéticos: 29/01 a 06/03 Vênus e Marte em Capricórnio; 06/04 a 02/05 Vênus e Marte em Peixes; 29/05 a 23/06 Vênus em Touro; 19/07 a 11/08 Vênus em Câncer; 24/10 a 16/11 Vênus em Escorpião; 10/12 a 31/12 Vênus em Capricórnio, mas devido ao Marte em Gêmeos Retrógrado a partir de 30/10 a 31/12, é desaconselhável procedimentos estéticos invasivos.

Períodos menos favorecidos para tratamentos e procedimentos estéticos: 01/01 a 28/01 Vênus Retrógrada; 14/01 a 03/02 Mercúrio Retrógrado; 10/05 a 02/06 Mercúrio Retrógrado; 24/06 a 18/07 Vênus em Gêmeos; 06/09 a 29/09 Vênus em Virgem; 10/09 a 01/10 Mercúrio Retrógrado; 17/11 a 10/12 Vênus em Sagitário; 30/10 a 31/12 Marte em Gêmeos Retrógrado desaconselhável para procedimentos estéticos invasivos.

CALENDÁRIO DAS FASES DA LUA EM 2022

Janeiro

Nova	02/01	15:33	12°20' de Capricórnio
Crescente	09/01	15:11	19°27' de Áries
Cheia	17/01	20:48	27°50' de Câncer
Minguante	25/01	10:40	05°33' de Escorpião

Fevereiro

Nova	01/02	02:45	12°19' de Aquário
Crescente	08/02	10:50	19°46' de Touro
Cheia	16/02	13:56	27°59' de Leão
Minguante	23/02	19:32	05°16' de Sagitário

Março

Nova	02/03	14:34	12°06' de Peixes
Crescente	10/03	07:45	19°50' de Gêmeos
Cheia	18/03	04:17	27°40' de Virgem
Minguante	25/03	02:37	04°33' de Capricórnio

Abril

Nova	01/04	03:24	11°30' de Áries
Crescente	09/04	03:47	19°24' de Câncer
Cheia	16/04	15:54	26°45' de Libra
Minguante	23/04	08:56	03°18' de Aquário
Nova	30/04	17:28	10°28' de Touro

Maio

Crescente	08/05	21:21	18°23' de Leão
Cheia	16/05	01:14	25°18' de Escorpião
Minguante	22/05	15:43	01°39 de Peixes
Nova	30/05	08:30	09°03' de Gêmeos

Junho

Crescente	07/06	11:48	16°50' de Virgem
Cheia	14/06	08:51	23°25' de Sagitário
Minguante	21/06	00:10	29°45' de Peixes
Nova	28/06	23:52	07°22' de Câncer

Julho

Crescente	06/07	23:14	14°59' de Libra
Cheia	13/07	15:37	21°21' de Capricórnio
Minguante	20/07	11:18	27°51' de Áries
Nova	28/07	14:54	05°38' de Leão

Agosto

Crescente	05/08	08:06	13°01' de Escorpião
Cheia	11/08	22:35	19°21' de Aquário
Minguante	19/08	01:36	26°12' de Touro
Nova	27/08	05:16	04°03' de Virgem

Setembro

Crescente	03/09	15:07	11°13' de Sagitário
Cheia	10/09	06:58	17°41' de Peixes
Minguante	17/09	18:51	24°58' de Gêmeos
Nova	25/09	18:54	02°48' de Libra

Outubro

Crescente	02/10	21:14	09°46' de Capricórnio
Cheia	09/10	17:54	16°32' de Áries
Minguante	17/10	14:15	24°18' de Câncer
Nova	25/10	07:48	02°00' de Escorpião

Novembro

Crescente	01/11	03:37	08°49' de Aquário
Cheia	08/11	08:01	16°00' de Touro
Minguante	16/11	10:27	24°09' de Leão
Nova	23/11	19:57	01°37' de Sagitário
Crescente	30/11	11:36	08°21' de Peixes

Dezembro

Cheia	08/12	01:07	16°01' de Gêmeos
Minguante	16/12	05:56	24°21' de Virgem
Nova	23/12	07:16	01°32' de Capricórnio
Crescente	29/12	22:20	08°18' de Áries

AS FASES DA LUA

LUA NOVA

Essa fase ocorre quando o Sol e a Lua estão em conjunção, isto é, no mesmo Signo, em graus exatos ou muito próximos. A luz refletida da Lua é menor do que em qualquer outra fase do seu ciclo.

A atração gravitacional da Lua sobre a Terra é a mais forte e pode ser apenas comparada com a fase da Lua Cheia.

Neste momento, a Lua nasce e se põe junto com o Sol e, ofuscada pela proximidade dele, fica invisível.

Considera-se este como um período de ponto de partida, já que o Sol e a Lua estão unidos no mesmo grau. Novos começos, projetos e ideias estão em plena germinação.

Um alívio ou liberação das pressões do mês anterior nos dá a sensação de estarmos quites com o que passou e disponíveis para começar algo novo. Não vamos trazer nada da fase anterior para este momento — o que era importante e nos envolvia perdeu a força. Estamos aliviados e descarregados. Qualquer direção pode nos atrair.

Todos os resíduos e expectativas do mês anterior já devem ter sido zerados para que possamos mudar de assunto, como se estivéssemos inaugurando uma agenda nova.

Devemos introduzir um assunto, uma pauta, uma ideia nova em nossas vidas, e muitas coisas vão ser geradas a partir daí. Todas as possibilidades estão presentes.

Qualquer coisa que fizermos nessa época, até mesmo uma palavra ou um pensamento, terá muito mais chance de se concretizar.

Pelo menos uma intenção deve ser colocada. Qualquer coisa deve ser plantada aqui: a semente de um projeto, de um romance, de uma ideia ou de uma planta. Nem tudo vai dar resultado, mas estamos plantando no período mais fértil possível. Nunca podemos saber, de antemão, onde novos começos vão nos levar, mas os primeiros passos devem ser dados aqui. O instinto e o estado de alerta estão muito aguçados, funcionando como um guia. A vida está se expressando na sua forma mais básica. A consciência das coisas não está muito clara e só o impulso nos orienta.

A ação ainda é muito espontânea. Não temos plano nem estratégia. Só o vigor do começo.

Lidar com qualquer coisa que diga respeito a nós mesmos e não aos outros — que dependa só de nossa própria intenção e empenho e que possamos fazer por conta própria — terá mais chance.

Relacionamentos começados aqui podem ser estimulantes e muito espontâneos, mas não duradouros. Isso porque as relações neste momento são baseadas nas expectativas pessoais e não na observação de quem é o outro, ou do que a realidade pode de fato oferecer.

Ainda dentro do estilo "tudo-depende-da-motivação-pessoal", empregos, atividades e tarefas que oferecem maior autonomia, que possam ser realizados com um maior índice de liberdade, são os mais vantajosos nessa fase.

Bom para:

- Comprar casa, adquirir imóvel para investimento;
- Fertilidade em alta: concepção, fertilização, gestação;
- Comprar legumes, verduras e frutas somente para consumo imediato (acelera a deterioração);
- Comprar flores desabrochadas somente para uso imediato (diminui a durabilidade);
- Comprar legumes, verduras e frutas verdes (acelera amadurecimento) e flores em botão;
- Criar;
- Relacionamentos passageiros e que servem para afirmação do ego;
- Ganhar peso;
- Cortar o cabelo para acelerar crescimento;
- Introduzir um elemento novo em qualquer esquema;
- Viagem de lazer;
- Fazer poupança;
- Cobrar débitos;
- Começar cursos;
- Iniciar um novo trabalho;

• Trabalhos autônomos, os que dependem de iniciativa pessoal e de pouca colaboração;
• Contratar empregados que precisam ter iniciativa própria;
• Começar uma construção ou uma obra;
• Consertar carro;
• Cirurgia — cinco dias antes e cinco dias depois.

Desaconselhável:
• Cirurgia: no dia exato da Lua Nova;
• Exames, check-ups e diagnósticos, pois falta clareza.

LUA CRESCENTE

Esta fase ocorre quando o Sol e a Lua estão em Signos que se encontram a 90° de distância entre si — uma quadratura — o que representa desarmonia de qualidades.

A luz refletida da Lua é progressivamente maior. Agora, metade da Lua pode ser vista no céu. Ela é visível ao meio-dia e desaparece à meia-noite.

É um aspecto de crise e resistência. O que quer que façamos, passará por um teste e precisará ser defendido, e direcionado com firmeza. Isso significa fazer opções, manter o curso das atividades e comprometer-se.

Não é hora de fugir, desistir ou duvidar. Precisamos aumentar nossa perseverança contra as resistências encontradas. As coisas estão bem mais visíveis. É o primeiro estágio de desenvolvimento dos nossos desejos e objetivos.

Tudo está muito vulnerável, pois há uma luta entre o que era apenas um projeto e o que pode, de fato, tomar forma.

Nem todas as promessas são cumpridas e nem todos os anseios são concretizados, assim como nem todas as sementes vingam.

É um período muito movimentado em que as coisas se aceleram, mas os resultados não estão garantidos, estão lutando para se impor. Os obstáculos devem ser enfrentados e ainda há tempo para qualquer mudança necessária se o crescimento estiver impedido.

O padrão que predominar na Lua Crescente é o que vai progredir durante todo o ciclo lunar, seja o de crescimento do sucesso ou de crescimento dos obstáculos.

É bom abandonarmos completamente os planos que não estão desabrochando e nos concentrarmos nas sementes que estão crescendo.

Tudo está mais claro, delineado e definido. Temos mais certeza do que queremos, conhecemos melhor a possibilidade de realização do que pretendemos e também os problemas e as resistências à concretização de nossos objetivos. Tanto as chances quanto os obstáculos se apresentaram.

O que ou quem quer que tenha que resistir aos nossos intentos vai aparecer e a hora é de enfrentar ou negociar.

As chances estão empatadas. A natureza de todas as coisas está lutando para vencer — até as adversidades.

Em vez de enfrentar cegamente os nossos obstáculos, pois, com isso, perderemos o fôlego, devemos reconhecer os limites que temos e usar nossos recursos e nossas competências. Aliás, esta é a natureza das quadraturas.

Não estamos mais por conta própria ou dependendo apenas de nosso empenho pessoal. Temos que trocar com os outros e com as circunstâncias externas.

É hora de concentrar e focar os esforços. Nada de atirar em todas as direções. Por exemplo: não quebrar o ritmo, não interromper uma dieta, ou um programa de exercícios, não faltar a um compromisso e não se omitir ou se afastar de um relacionamento.

A hora é de comparecer e marcar presença. Uma ausência pode, literalmente, nos tirar do jogo.

Não ser reticente e não permitir que as pessoas sejam conosco é a melhor tática.

Devemos fazer uma proposta, tomar uma atitude, sustentar uma opinião ou, ainda, mudá-las se não estivermos encontrando eco. Também devemos mudar a tática de luta, se sentirmos que perdemos força ou o alvo se distanciou.

Esta é a fase que pede mais desinibição, encorajamento e comunicação. Sair da sombra, do silêncio e da letargia é o que vai nos fazer dar voz e formas às coisas.

Devemos insistir no que está ganhando força e aproveitar o crescimento da onda.

Bom para:

• Cortar o cabelo para crescimento rápido — em compensação, o fio cresce mais fino;

• Cortar o cabelo para acelerar o crescimento quando se quer alterar o corte anterior, eliminar a tintura ou o outra química;

• Tratamento de beleza;

• Ganhar peso ou aumentar o peso de qualquer coisa;

• Fazer poupança e investimentos;

• Comprar imóvel para investimento;

• Cobrar débitos;

• Viagem de lazer;

• Começar cursos;

• Iniciar novos trabalhos;

• Trabalhos de vendas, contratar empregados para área de vendas;

• Acordos e parcerias;

• Romances iniciados nesta fase são mais duradouros e satisfatórios;

• Atividades físicas que consomem muita energia e vigor;

• Lançamentos;

• Noites de autógrafos e exposições;

• Favorece mais quem empresta do que quem pega emprestado;

• Presença de público;

• Assinar contratos, papéis importantes e acordos;

• Novos empreendimentos;

• Comprar legumes, verduras e frutas maduros somente para consumo imediato (acelera a deterioração);

• Comprar flores desabrochadas somente para uso imediato (diminui a durabilidade);

• Comprar legumes, verduras e frutas verdes (acelera o amadurecimento) e flores em botão;

• Plantio de cereais, frutas e flores;

• Transplantes e enxertos;

• Crescimento da parte aérea das plantas e vegetação.

Desaconselhável:
- Dietas de emagrecimento (é mais difícil perder peso);
- Estabelecer propósitos e planos com pouca praticidade ou imaturos.

LUA CHEIA

Ocorre quando o Sol e a Lua estão em Signos opostos, ou seja, se encontram a 180° de distância, formando uma oposição. A luz refletida da Lua atinge o seu ponto máximo.

Agora o círculo lunar é inteiramente visível durante toda a noite. O Sol se põe a oeste e a Lua nasce na direção oposta, no leste.

A atração gravitacional do Sol e da Lua sobre a Terra é a mais forte, equivalente apenas à da Lua Nova. Só que aqui essas forças operam em direções opostas sobre a Terra.

Esse é um aspecto de polarização, culminância, mas também de complementaridade dos opostos. A Lua Cheia é um transbordamento.

Se os obstáculos surgidos na fase da Lua Crescente foram enfrentados e todas as etapas próprias do processo de crescimento foram cumpridas a tempo, no período anterior, então, a Lua Cheia trará realização e culminância. Caso contrário, experimentaremos frustração, conflito e muita ansiedade. A Lua Cheia revela o máximo de qualquer situação.

O sucesso ou o fracasso dos nossos esforços será revelado à plena luz da Lua Cheia. O humor das pessoas está completamente alterado nesta fase.

O magnetismo da Lua Cheia influencia os níveis de água no nosso corpo e em todo o planeta, elevando-os.

Todos os frutos deveriam estar agora plenamente fertilizados e prontos para colheita. A luz não vai crescer para além desse ponto. Não se pode brilhar mais do que isso e nenhum projeto vai desabrochar para além desse nível. Tudo chegou ao seu clímax e à sua energia máxima.

Se não estivermos preenchidos e satisfeitos, a reação de descontentamento se intensificará.

Toda iluminação que vinha crescendo e todo o campo magnético que vinha se ampliando devem ser canalizados para algo; caso contrário, a ansiedade e a agitação crescerão desproporcionalmente.

As sensações e as emoções estão muito aguçadas.

Pode-se esperar mudança de tempo e marés altas devido ao aumento de força gravitacional. E também um sensível aumento do número de partos.

É comum ocorrer antecipação dos nascimentos devido ao aumento de volume de água no organismo. O que tiver de ser atraído energicamente o será aqui.

Ocorre um aumento de preocupação com os relacionamentos, pode-se mesmo ficar obsessivo com alguma relação em particular. Em nenhuma outra fase os relacionamentos terão igual importância.

Problemas nas relações existentes, ou mesmo a falta de um relacionamento, podem nos afetar mais do que o normal.

Encontros iniciados nesta fase exigem negociação e colaboração dos parceiros, pois é uma fase que mostra muito explicitamente as diferenças.

Nesta fase, viveremos as consequências internas e externas das ações iniciadas na Lua Nova. Se formos bem-sucedidos nesse período, as experiências começam a ser usadas, ampliadas, partilhadas e assimiladas.

Se o que tentamos até agora não teve forças para vingar ou se faltou empenho para lutar pelo que desejávamos, é hora de abandonar as expectativas e voltar a tentar apenas na fase da Lua Crescente do próximo mês. Um anticlímax pode nos invadir.

As reações emocionais são mais intensas do que o normal e um sentimento de perturbação e excitação invade a alma. É muito mais difícil manter o equilíbrio.

LUA DISSEMINADORA

É assim chamada a segunda fase da Lua Cheia, que ocorre 45° após o seu início (o que equivale a, aproximadamente, cinco dias depois da entrada da Lua Cheia) e permanece até o início da Lua Minguante.

Aqui, é aconselhável espalhar, disseminar, desconcentrar. É favorável dispersar energia, porque os problemas também se dispersarão, mas, ao mesmo tempo, isso indica espalhar os recursos, partilhá-los, pensar nos outros, porque os retornos podem desdobrar-se e multiplicar-se.

Os relacionamentos criados nesta fase são bastante resistentes, mas atraem pessoas que gostam de impor seu ponto de vista a todo custo. Acabam gerando relações nas quais um dos parceiros termina cedendo e se submetendo à firme vontade do outro.

Bom para:

• Cortar o cabelo para crescer mais cheio com fio mais forte (volume);

• Hidratação e nutrição da pele (os poros mais dilatados absorvem melhor os nutrientes);

• Encontros sexuais;

• Encantamento e magnetismo;

• Grande presença de público;

• Atividades de muito público realizadas num ambiente externo;

• Aumento de frequência em bares e restaurantes (as pessoas saem mais, tudo fica cheio);

• Atividades de comércio;

• Apresentações, shows, exposições, espetáculos, lançamentos e noites de autógrafos;

• Acelerar o amadurecimento de frutas e legumes;

• Desabrochar os botões das flores;

• Colheita de plantas curativas;

• Colheita de frutos mais suculentos;

• Pesca.

Desaconselhável:

• Cirurgia (aumenta o risco de hemorragia, inflamação, edemas e hematomas);

• Dietas para emagrecimento (há maior retenção de líquido);

• Depilação e tinturas de cabelo (crescimento acelerado dos pelos);

• Capinar e aparar grama (crescimento acelerado do capim);

• Legumes e frutas já maduros (acelera a deterioração);

• Comprar flores (diminui a durabilidade);

• Sono (predisposição para alteração do sono e insônia);

• Cerimônias de casamento (excesso de vulnerabilidade, excitação e predisposição à discórdia);

- Pegar estrada (predispõe a aumento de acidentes);
- Sair de carro (caos e congestionamento no trânsito).

LUA MINGUANTE

A luz refletida da Lua começa progressivamente a diminuir. Na primeira fase da Lua Minguante, ela ainda é bastante visível, mas, aos poucos, vai extinguindo seu brilho.

É a fase de menor força de atração gravitacional da Lua sobre a Terra, é o mais baixo nível de volume de água no organismo e no planeta. O período sugere mais recolhimento e interiorização.

Devemos olhar para dentro e examinar como nos sentimos em relação às vitórias ou insucessos da Lua Cheia. Os resultados do ciclo inteiro devem ser revistos, avaliados e resumidos agora. Devemos nos ajustar às circunstâncias que prevaleceram. É uma energia de síntese. É tempo de conciliar as coisas e terminá-las para não começar um novo ciclo com pendências.

Não é aconselhável nenhuma resistência. A fase é de aceitação e adaptação, como se a Lua estivesse perdendo fôlego e luz. Não devemos desgastar as situações para que elas possam ser retomadas posteriormente.

O que não aconteceu até agora não terá mais forças para acontecer. Não temos a menor condição para uma reviravolta.

Em compensação, conflitos e crises perdem igualmente força e podem apaziguar-se e até desaparecer por completo ou perder totalmente o impacto sobre nós. Temos mais facilidade para largar as coisas, pois estamos menos afetados por elas.

As possibilidades ficaram totalmente esclarecidas na Lua Cheia, agora sabemos o que fazer com elas.

A questão aqui é se estamos contentes com o resultado final de nossas tentativas. Se não estivermos, temos que nos ajustar à realidade. Mudar por dentro para melhorar fora. É comum nos sentirmos desorientados nessa fase.

As pessoas que não têm o hábito da introspecção e da autoanálise podem reagir negativamente a esta fase e sofrer um pouco de depressão.

As tentativas feitas na vida profissional não são muito bem-sucedidas. É melhor insistir nas atividades que já estejam em curso e que se realizem num clima de recolhimento.

Nas pessoas mais interiorizadas, só os relacionamentos mais íntimos e profundos encontram eco. Geralmente, durante esta fase, formam-se relações onde um dos parceiros precisa da ajuda e conforto do outro.

Não é recomendável divulgação, lançamento de produtos ou promulgação de leis. Eles podem passar despercebidos.

LUA BALSÂMICA

Assim é chamado o último estágio da Lua Minguante (que ocorre nos últimos quatro dias desta fase).

Este é um tempo de retração, cura e rejuvenescimento. O termo balsâmico quer dizer elemento ou agente que cura, suaviza e restaura.

É hora de largar a atração magnética que a Lua exerce sobre nós e nos deixarmos conduzir no vazio, na sombra. Por incrível que pareça, ficar à deriva trará os melhores resultados. Também devemos procurar fazer as coisas por elas mesmas, sem nenhum outro propósito, além de simplesmente fazê-las.

Uma energia sutil, mais suave, é filtrada, e a cura pode acontecer. A energia psíquica está no máximo e é a intuição que nos guia.

Devemos aceitar as coisas com os resultados que se apresentarem. Tudo está na sua forma final e não vai passar disso. Colhemos o que semeamos.

É tempo de retroceder, levantar acampamento, limpar o terreno, descansar e, principalmente, armazenar forças para a próxima fase que se iniciará.

Não se começa coisa alguma, pelo contrário: resolvem-se todas as pendências, senão vão perdurar pelo mês seguinte. Nesses últimos quatro dias da Lua Minguante, um clima propício à reflexão nos invade naturalmente.

As pessoas estão mais maleáveis e dispostas a fazer adaptações e conciliações. Não é um período brilhante para entrevistas de trabalho, pois falta clareza e objetividade na expressão e definição do que se pretende realizar. Nos relacionamentos, este é um momento de mais aceitação entre os parceiros.

Bom para:

- Dietas de emagrecimento (intensivas para perder peso rápido);
- Dietas de desintoxicação;
- Processos diuréticos e de eliminação;
- Cortar o cabelo para conservar o corte;
- Cortar o cabelo para aumentar o volume (fios mais grossos, pois o crescimento é lento);
- Tintura de cabelo;
- Depilação (retarda o crescimento dos pelos);
- Limpeza de pele;
- Tratamento para rejuvenescimento;
- Cirurgias;
- Cicatrização mais rápida;
- Tratamentos dentários;
- Cortar hábitos, vícios e condicionamentos;
- Encerrar relacionamentos;
- Dispensar serviços e funcionários;
- Arrumar a casa;
- Jogar coisas fora;
- Conserto de roupas;
- Limpeza de papéis;
- Pintar paredes e madeira (absorção e adesão da tinta são melhores);
- Dedetização;
- Combater todos os tipos de pragas;
- Colher frutos (os que não forem colhidos até aqui vão encruar);
- Comprar frutas, legumes e verduras maduros (retarda a deterioração) — cuidado para não comprá-los já secos;
- Comprar flores desabrochadas (retarda a deterioração) — cuidado para não comprá-las já secas;
- Poda;
- Tudo o que cresce debaixo da terra;
- Plantio de hortaliças;
- Corte de madeira;
- Adubagem;
- Desumidificação, secagem e desidratação;

- Capinar e aparar a grama;
- Balanço financeiro do mês;
- Corte de despesas;
- Pegar empréstimo;
- Terminar todas as pendências;
- Romances começados durante esta fase transformam as pessoas envolvidas;
- Finalizar relacionamentos;
- Quitar pagamentos;
- Fazer conservas de frutas e legumes;
- Cultivo de ervas medicinais;
- Retardar o crescimento.

Desaconselhável:
- Inseminação, fertilização, concepção e gestação;
- Atividades de público (a mais baixa frequência de público);
- Divulgação;
- Poupança e investimentos;
- Abrir negócios;
- Lançamentos;
- Noite de autógrafos, exibições, estreias, exposições, inaugurações;
- Conservação de frutas, verduras, legumes e flores;
- Comprar frutas, legumes e verduras verdes (ressecam antes de amadurecer);
- Comprar flores em broto (ressecam antes de desabrochar);
- Começar qualquer coisa (é uma energia de fim).

LUA E CIRURGIA

Lua Minguante
Melhor fase para procedimentos cirúrgicos. A recuperação será mais rápida do que o esperado. Há uma diminuição do nível de líquidos e fluidos corporais, favorecendo sua natural eliminação e menor tendência a inchaços.

Lua Nova

Evitar procedimentos cirúrgicos no dia exato da Lua Nova e no dia seguinte. Sempre há algum tipo de ocultação neste período.

Lua Cheia

Evitar recorrer a procedimentos cirúrgicos durante esta fase. Os fluidos e líquidos do corpo encontram-se em seu nível máximo, havendo assim maior tendência a inchaços, inflamações, hematomas e risco de hemorragia. A recuperação será mais lenta do que o previsto.

Lua Fora de Curso

Nunca operar três horas antes de seu início, durante sua ocorrência e três horas depois de seu término.

PROCEDIMENTOS CIRÚRGICOS

Signos fixos

Há maior estabilidade tanto durante o procedimento quanto no pós-operatório de cirurgias feitas quando a Lua se encontra em Touro, Leão, Escorpião ou Aquário, exceto quando envolvem partes do corpo regidas por estes Signos.

Signos mutáveis

Evitar cirurgias quando a Lua encontra-se em Gêmeos, Peixes, Sagitário e Virgem. O período sugere instabilidade, reações e comportamentos irregulares durante a cirurgia e no pós-operatório.

Signos regentes

Nunca operar órgãos ou partes do corpo que são regidos pelo Signo onde a Lua se encontra ou pelo Signo oposto a este.

SIGNOS	PARTES E ÓRGÃOS DO CORPO
Áries/Libra	Face, cérebro e região da cabeça
Libra/Áries	Rins
Touro/Escorpião	Garganta, tireoide, lábios e boca
Escorpião/Touro	Aparelhos urinários e genital, intestino grosso e reto
Gêmeos/Sagitário	Pulmões, traqueia, laringe, faringe, mãos, braços, pernas e trompas
Sagitário/Gêmeos	Bacia, coxa, fígado, quadril
Câncer/Capricórnio	Estômago, abdômen, aparelho digestivo, útero, ovários
Capricórnio/Câncer	Coluna, ossos, juntas, joelhos, pele, dentes, vista, vesícula
Leão/Aquário	Região lombar, coração
Aquário/Leão	Calcanhar, tornozelos, veias, vasos e capilares
Virgem/Peixes	Aparelho gastrointestinal
Peixes/Virgem	Pés, sistema linfático

Mercúrio Retrógrado

Evitar procedimentos cirúrgicos e diagnósticos. Há maior imprecisão no resultado de exames e probabilidade de equívocos por parte dos médicos e assistentes. Não é incomum haver necessidade da cirurgia ser refeita.

Marte Retrógrado

Evitar cirurgia. Tendência a maior inchaço, sangramento e inflamação. (Ver os períodos em que este planeta fica retrógrados em 2022).

CALENDÁRIO DA LUA FORA DE CURSO 2022

JANEIRO

INÍCIO	FIM
01/01 – 05:16	01/01 – 20:02
03/01 – 13:21	03/01 – 19:43
04/01 – 21:45	05/01 – 21:16
07/01 – 19:24	08/01 – 02:25
10/01 – 04:24	10/01 – 11:46
12/01 – 16:39	13/01 – 00:07
14/01 – 23:22	15/01 – 13:10
17/01 – 20:50	18/01 – 01:02
20/01 – 05:17	20/01 – 11:01
22/01 – 16:47	22/01 – 19:02
24/01 – 19:11	25/01 – 00:56
27/01 – 02:29	27/01 – 04:34
28/01 – 16:00	29/01 – 06:08
31/01 – 01:44	31/01 – 06:42

FEVEREIRO

INÍCIO	FIM
01/02 – 08:02	02/02 – 07:59
04/02 – 06:42	04/02 – 11:56
06/02 – 14:21	06/02 – 19:52
09/02 – 01:48	09/02 – 07:26
11/02 – 05:23	11/02 – 20:26
14/02 – 08:17	14/02 – 08:17
16/02 – 13:58	16/02 – 17:42
18/02 – 20:20	19/02 – 00:50
21/02 – 02:02	21/02 – 06:18
23/02 – 06:25	23/02 – 10:28
25/02 – 00:25	25/02 – 13:27
27/02 – 11:50	27/02 – 15:35
28/02 – 23:02	

MARÇO

INÍCIO	FIM
	01/03 – 17:53
03/03 – 18:46	03/03 – 21:52
06/03 – 01:02	06/03 – 04:59
08/03 – 11:36	08/03 – 15:39
10/03 – 13:43	11/03 – 04:24
13/03 – 12:45	13/03 – 16:31
15/03 – 07:57	16/03 – 01:58
18/03 – 05:12	18/03 – 08:25
20/03 – 09:41	20/03 – 12:44
22/03 – 13:01	22/03 – 15:58
24/03 – 10:00	24/03 – 18:53
26/03 – 20:51	26/03 – 21:55
28/03 – 11:12	29/03 – 01:31
31/03 – 03:37	31/03 – 06:30

ABRIL

INÍCIO	FIM
02/04 – 10:52	02/04 – 13:50
04/04 – 22:54	05/04 – 00:03
07/04 – 00:15	07/04 – 12:30
09/04 – 22:02	10/04 – 00:59
12/04 – 07:17	12/04 – 11:07
14/04 – 15:12	14/04 – 17:45
16/04 – 18:58	16/04 – 21:22
18/04 – 20:55	18/04 – 23:16
20/04 – 17:57	21/04 – 00:51
23/04 – 00:54	23/04 – 03:16
24/04 – 21:34	25/04 – 07:14
27/04 – 10:36	27/04 – 13:09
29/04 – 18:39	29/04 – 21:18

MAIO

INÍCIO	FIM
02/05 – 07:14	02/05 – 07:46
04/05 – 17:38	04/05 – 20:04
07/05 – 07:26	07/05 – 08:49
09/05 – 09:39	09/05 – 19:53
12/05 – 01:00	12/05 – 03:34
14/05 – 05:08	14/05 – 07:33
16/05 – 06:29	16/05 – 08:50
18/05 – 01:00	18/05 – 09:01
20/05 – 09:00	20/05 – 09:52
22/05 – 04:20	22/05 – 12:49
24/05 – 18:34	24/05 – 18:39
27/05 – 00:21	27/05 – 03:22
29/05 – 11:11	29/05 – 14:22
31/05 – 17:11	

JUNHO

INÍCIO	FIM
	01/06 – 02:48
04/06 – 12:16	04/06 – 15:37
05/06 – 20:13	06/06 – 03:21
08/06 – 09:09	08/06 – 12:22
10/06 – 14:37	10/06 – 17:40
12/06 – 18:40	12/06 – 19:31
14/06 – 11:59	14/06 – 19:13
16/06 – 15:42	16/06 – 18:43
18/06 – 15:51	18/06 – 20:01
21/06 – 00:11	21/06 – 00:36
23/06 – 05:03	23/06 – 08:57
25/06 – 16:03	25/06 – 20:13
27/06 – 23:39	28/06 – 08:53
30/06 – 17:15	30/06 – 21:39

JULHO

INÍCIO	FIM
03/07 – 06:59	03/07 – 09:31
05/07 – 15:04	05/07 – 19:24
07/07 – 22:05	08/07 – 02:14
10/07 – 01:35	10/07 – 05:34
11/07 – 22:43	12/07 – 06:00
14/07 – 01:18	14/07 – 05:13
16/07 – 01:37	16/07 – 05:17
18/07 – 03:44	18/07 – 08:17
20/07 – 11:20	20/07 – 15:22
22/07 – 20:46	23/07 – 02:10
25/07 – 05:15	25/07 – 14:53
27/07 – 21:55	28/07 – 03:35
30/07 – 01:30	30/07 – 15:10

AGOSTO

INÍCIO	FIM
01/08 – 19:30	02/08 – 01:05
04/08 – 08:46	04/08 – 08:46
06/08 – 08:25	06/08 – 13:38
08/08 – 07:31	08/08 – 15:38
10/08 – 13:40	10/08 – 15:44
12/08 – 08:08	12/08 – 15:44
14/08 – 12:11	14/08 – 17:42
16/08 – 17:19	16/08 – 23:22
19/08 – 08:06	19/08 – 09:06
21/08 – 19:07	21/08 – 21:28
24/08 – 06:41	24/08 – 10:09
26/08 – 03:55	26/08 – 21:24
29/08 – 00:09	29/08 – 06:44
31/08 – 07:44	31/08 – 14:10

SETEMBRO

INÍCIO	FIM
02/09 – 14:22	02/09 – 19:39
04/09 – 22:52	04/09 – 23:02
06/09 – 18:43	07/09 – 00:41
08/09 – 09:34	09/09 – 01:42
10/09 – 21:30	11/09 – 03:46
13/09 – 01:54	13/09 – 08:39
15/09 – 09:59	15/09 – 17:15
17/09 – 18:53	18/09 – 04:59
20/09 – 12:58	20/09 – 17:37
22/09 – 08:08	23/09 – 04:53
25/09 – 09:50	25/09 – 13:42
27/09 – 13:21	27/09 – 20:14
29/09 – 18:21	30/09 – 01:03

OUTUBRO

INÍCIO	FIM
01/10 – 18:47	02/10 – 04:37
04/10 – 00:50	04/10 – 07:20
05/10 – 19:46	06/10 – 09:46
08/10 – 08:11	08/10 – 12:56
10/10 – 11:03	10/10 – 18:03
12/10 – 18:43	13/10 – 02:07
15/10 – 01:12	15/10 – 13:10
17/10 – 17:57	18/10 – 01:44
20/10 – 07:36	20/10 – 13:25
22/10 – 15:18	22/10 – 22:23
24/10 – 21:36	25/10 – 04:18
27/10 – 01:28	27/10 – 07:54
29/10 – 10:11	29/10 – 10:21

NOVEMBRO

INÍCIO	FIM
02/11 – 08:09	02/11 – 15:46
04/11 – 19:06	04/11 – 20:06
06/11 – 19:30	07/11 – 02:14
09/11 – 09:01	09/11 – 10:36
11/11 – 19:29	11/11 – 21:22
14/11 – 07:42	14/11 – 09:47
16/11 – 20:56	16/11 – 22:03
19/11 – 05:47	19/11 – 07:57
21/11 – 08:15	21/11 – 14:15
23/11 – 15:17	23/11 – 17:15
25/11 – 16:23	25/11 – 18:17
27/11 – 17:12	27/11 – 19:06
29/11 – 03:54	29/11 – 21:14

DEZEMBRO

INÍCIO	FIM
01/12 – 23:45	02/12 – 01:40
04/12 – 02:47	04/12 – 08:37
06/12 – 16:03	06/12 – 17:48
09/12 – 03:15	09/12 – 04:48
11/12 – 15:50	11/12 – 17:08
13/12 – 12:53	14/12 – 05:45
16/12 – 16:14	16/12 – 16:48
18/12 – 19:36	19/12 – 00:30
20/12 – 23:45	21/12 – 04:12
22/12 – 17:16	23/12 – 04:49
25/12 – 00:12	25/12 – 04:13
26/12 – 15:20	27/12 – 04:33
29/12 – 03:21	29/01 – 07:35
31/12 – 09:45	31/12 – 14:08

LUA FORA DE CURSO

Tecnicamente, a Lua Fora de Curso é o intervalo que vai da hora em que a Lua forma seu último aspecto com um planeta antes de deixar um Signo, até o momento em que entra no Signo seguinte.

Esse período ficou, tradicionalmente, conhecido como um período infrutífero. As atividades realizadas enquanto a Lua está Fora de Curso, geralmente, não dão resultados. Isso vem da ideia de que, depois de a Lua ter percorrido todos os aspectos dentro de um Signo, ela ficaria sem rumo, "vazia", sem objetivo, cairia em uma espécie de vácuo, um "ponto cego" até entrar no próximo Signo e começar uma nova série de aspectos com outros planetas.

Durante o período em que a Lua está Fora de Curso, é como se ela entrasse simbolicamente em repouso. Portanto, não acessamos o conhecimento instintivo que a Lua nos oferece.

As perspectivas de qualquer assunto não estão claras ou são mal avaliadas. Podemos nos sentir vagos e confusos, agindo sem objetivo ou finalidade definida ou, ainda, estarmos lidando com pessoas que estejam assim. Por isso, não acertamos o alvo.

Durante este período, tudo está estéril, incerto e descontínuo. Nos são negados os frutos de empreendimentos que, em outros momentos, seriam promissores.

Algumas coisas que não acontecem neste momento podem ser tentadas de novo em outra hora. Devemos usar este período para assimilar o que ocorreu nos últimos dias, antes de iniciarmos um novo curso de ação.

Por isso:

Evite: Decisões importantes, cirurgias e atividades para as quais espera desdobramentos futuros, pois as coisas podem não sair como planejadas ou podem estar baseadas em falsos julgamentos.

Dedique-se: Às atividades rotineiras; ao que já foi planejado anteriormente; aos assuntos sem maior relevância ou dos quais você não espera muito.

Nota: A Lua se move 1° a cada duas horas ou duas horas e meia. Sua influência exata sobre cada planeta dura apenas algumas horas, mas, na realidade, seus efeitos podem fazer-se sentir por grande parte do dia. O início do período da Lua Fora de Curso baseia-se no momento do último aspecto exato que ela forma com um planeta, antes de entrar em um novo Signo. No entanto, ela ainda estará se afastando deste planeta por algum tempo. Por isso, este período, em certos casos, pode coincidir com a formação de aspectos da Lua com outros planetas, o que não é tecnicamente preciso. Considere, portanto, os períodos fornecidos no **Calendário da Lua Fora de Curso** para evitar a escolha de uma data inadequada para a realização de atividades importantes.

O CÉU NOS MESES DO ANO

Janeiro 2022

Domingo	Segunda-feira	Terça-feira	Quarta-feira	Quinta-feira	Sexta-feira	Sábado
						1 ♑
						Lua Minguante em Capricórnio às 20:02 LFC 05:16 às 20:02
2 ● 12°20'	3 ♒	4	5 ♓	6	7	8
Lua Nova às 15:33 em Capricórnio	Lua Nova em Aquário às 19:43 LFC 13:21 às 19:43	Lua Nova em Aquário LFC Início às 21:45	Lua Nova em Peixes às 21:16 LFC Fim às 21:16	Lua Nova em Peixes	Lua Nova em Peixes LFC Início às 19:24	Lua Nova em Áries às 02:25 LFC Fim às 02:25
9 ☽ 19°27'	10	11 ♉	12	13 ♊	14	15
Lua Crescente às 15:11 em Áries	Lua Crescente em Touro às 11:46 LFC 04:24 às 11:46	Lua Crescente em Touro	Lua Crescente em Touro LFC Início às 16:39	Lua Crescente em Gêmeos à 00:07 LFC Fim à 00:07	Lua Crescente em Gêmeos LFC Início às 23:22 Início Mercúrio Retrógrado às 08:43	Lua Crescente em Câncer às 13:10 LFC Fim às 13:10 Mercúrio Retrógrado
16	17 ○ 27°50	18 ♌	19	20 ♍	21	22 ♎
Lua Crescente em Câncer Mercúrio Retrógrado	Lua Cheia às 20:48 em Câncer LFC Início às 20:50 Mercúrio Retrógrado	Lua Cheia em Leão à 01:02 LFC Fim 01:02 Mercúrio Retrógrado	Lua Cheia em Leão Mercúrio Retrógrado Entrada do Sol no Signo de Aquário às 23h38	Lua Cheia em Virgem às 11:01 LFC 05:17 às 11:01 Mercúrio Retrógrado	Lua Cheia em Virgem Mercúrio Retrógrado	Lua Cheia em Libra às 19:02 LFC 16:47 às 19:02 Mercúrio Retrógrado
23	24	25 ☾ 05°33'	26	27 ♐	28	29 ♑
Lua Cheia em Libra Mercúrio Retrógrado	Lua Cheia em Libra LFC Início às 19:11 Mercúrio Retrógrado	Lua Minguante às 10:40 em Escorpião Lua em Escorpião à 00:56 LFC Fim à 00:56 Mercúrio Retrógrado	Lua Minguante em Escorpião Mercúrio Retrógrado	Lua Minguante em Sagitário às 04:34 LFC 02:29 às 04:34 Mercúrio Retrógrado	Lua Minguante em Sagitário LFC Início às 16:00 Mercúrio Retrógrado	Lua Minguante em Capricórnio às 06:08 LFC Fim às 06:08 Mercúrio Retrógrado
30	31 ♒					
Lua Minguante em Capricórnio Mercúrio Retrógrado	Lua Minguante em Aquário às 06:42 LFC 01:44 às 06:42 Mercúrio Retrógrado					

Mandala Lua Nova Janeiro

Lua Nova
02.01.2022
Às 15:33 em
12°20' de
Capricórnio

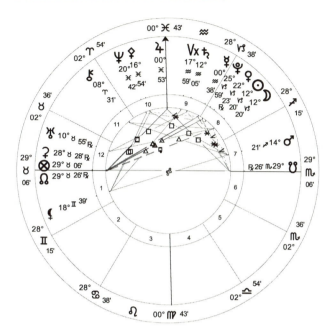

Mandala Lua Cheia Janeiro

Lua Cheia
17.01.2022
Às 20:48 em
27°50' de
Câncer

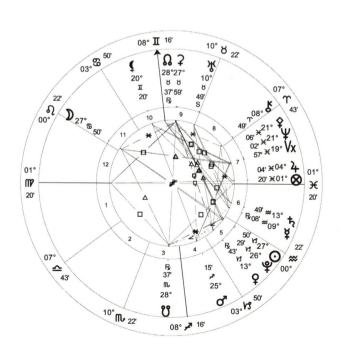

Céu do mês de janeiro

O ano de 2022 traz um céu bem mais favorável se comparado aos últimos dois anos, o que naturalmente vai nos deixar confiantes para tomar decisões para o novo ano e nos mobilizarmos para colocá-las em prática. Para tanto, contaremos com um empurrãozinho celeste; nos primeiros meses do ano, temos uma interessante sincronia em que a fase da Lua Nova vai sempre cair próxima ao momento de virada de cada mês, ratificando o natural simbolismo de um ciclo novinho em folha, página em branco a ser preenchida. No dia 02, forma-se a primeira Lua Nova do ano no Signo de Capricórnio numa bela sintonia com Urano em Touro, harmonizando seriedade de propósito e força de vontade com criatividade e flexibilidade. A presença de Júpiter em Peixes, culminado na hora do encontro dos nossos luminares como que abençoa esta lunação, acrescentando uma forte pitada de fé e otimismo. Mercúrio contribui para a fase de abertura; embora inicie o ano em Capricórnio, neste mesmo dia 02, faz seu ingresso em Aquário, deixando nossas mentes mais criativas e articuladas.

Nos dias que se seguem, entre 05 e 09, na fase da Lua Crescente de Áries, vivemos ainda dentro do contexto capricorniano, mas ainda contando com as benesses, não só pela permanência da angularidade de Júpiter em Peixes, mas também pelo harmonioso encontro de Vênus (em movimento retrógrado até o dia 29) e Sol em Capricórnio, deixando no ar uma mescla de compromisso com sensibilidade, sofisticação e refinamento, acentuado pelo sextil exato do Sol com Netuno em Peixes no dia 11.

O céu nos adverte para não embarcar em devaneios; neste mesmo dia 11, Marte em Sagitário se desentende com Netuno em Peixes, impossibilitando que ações e posicionamentos nos levem aos resultados esperados. Mercúrio também aponta no sentido de avaliarmos mais em vez de agirmos, já que no dia 14 entra em movimento retrógrado ainda em Aquário, só retomando seu movimento direto no dia 04 de fevereiro no Signo de Capricórnio. Além da já tão conhecida fase desfavorável para todas as atividades que tenham a ver com comunicação, papeladas, transações e locomoções, a mudança de Signo indica que a visão progressista aquariana vai precisar buscar embasamento na tradição e sistemas conhecidos de pensamento. Na véspera da exuberante Lua Cheia de Câncer no dia 17 — Signo de predileção da Lua — forma-se o "poderoso" encontro de Sol com Plutão no Signo de Capricórnio; inicia-se um ciclo que fala de ceifar, de reconstruir, transformar e extirpar radicalmente tudo aquilo que já não queremos mais. A Lua Cheia, que por si só já representa o auge, o transbordamento do ciclo, diante deste quadro, vem com intensidade total, um tanto "over" e mesmo dramática pelo confronto. Exatamente por estar tão dignificada e tão emocional no seu Signo de domicílio, padece neste enfrentamento. São tempos em que questões pragmáticas, sérias e muitas vezes radicais "atropelam" a necessidade de aconchego, intimidade e proteção lunar.

Por mais transbordantes e afloradas que estejam nossas emoções, é tempo de priorizar as demandas práticas e objetivas da vida real. A bênção de Júpiter em Peixes se configura ainda mais expressiva por seu posicionamento angular bem no momento deste plenilúnio. Apesar da seriedade e intensidade da fase, uma aura de cura e benignidade paira no ar.

Urano retoma seu movimento direto em Touro no dia 18, favorecendo mudanças e avanços, clima este ainda reforçado pelo ingresso do Sol em Aquário no final do dia 19. Tempo para inovar, quebrar paradigmas e experimentar coisas novas associadas à camaradagem, solidariedade e filantropia. Mercúrio Retrógrado vem fortalecer o clima Aquariano se unindo ao Sol no dia 23, nos primeiros graus do Signo para, rapidamente — como é da natureza do nosso Deus alado e inquieto — já no dia 26 retornar para Capricórnio a caminho de seu primeiro encontro com Plutão no dia 29. O "repensar" indicado pela fase da retrogradação pede mergulho e profundidade.

Marte também ingressa em Capricórnio no dia 26, onde permanece até início de março. Este é, certamente, o Marte mais competente do Zodíaco, Signo em que se encontra "exaltado", tempo em que nossas ações são mais assertivas do que precipitadas, com muito mais chance de atingir o alvo.

Janeiro termina com a Lua minguando no Signo de Escorpião no dia 25 e no dia 29, Vênus — Retrógrada desde o último dezembro —, retomando seu movimento direto em Capricórnio. Vale lembrar que nessas fases nossa Deusa do Amor e da Harmonia fica bem mais próxima da Terra, brindando com um lindíssimo visual aqueles que estiverem acordados antes do Sol nascer.

Posição diária da Lua em janeiro

DIA 01 DE JANEIRO – SÁBADO
☽ Minguante (balsâmica) ☽ em Capricórnio às 20:02 LFC Início às 05:16, LFC Fim às 20:02

Enquanto a Lua estiver em Capricórnio, há um sentimento de seriedade, responsabilidade e até pessimismo. Espera-se retração no consumo. Devemos fazer o que é preciso e não o que queremos. O planejamento e a produtividade são a tônica deste período. Evite marcar cirurgia da coluna, articulações, joelho, pele, dentes, vistas, vesícula, útero, seios e abdômen.

Lua quadratura Netuno – 03:40 às 06:50 (exato 05:16)
Período em que a incerteza, a melancolia e a tristeza nos visitam. No trabalho, encontramos dificuldade em nos concentrarmos e isso pode prejudicar a produtividade. Estamos mais sujeitos ao esquecimento, portanto, atenção para não perder prazos!

Lua sextil Júpiter – 19:36 às 22:48 (exato 21:14)
Período em que todos estamos mais otimistas e confiantes. Aqui, as atividades de ensino estão favorecidas. Há, também, a tendência e aumento de consumo de públicos. Aproveite para ampliar o seu público-alvo.

DIA 02 DE JANEIRO – DOMINGO
● Nova às 15:33 em 12°20' de Capricórnio ● em Capricórnio

Lua trígono Urano – 11:44 às 14:54 (exato 13:21)
O clima deste domingo é de despreocupação, como se os acontecimentos não nos afetassem tanto. O desapego paira no ar, então, que tal verificar suas coisas internas e externas e ver o que precisa ser jogado fora?

Lua conjunção Sol – 13:51 às 17:15 (exato 15:33)
Momento de entusiasmo! Favorável para o processo criativo. Não se esqueça de anotar todas as ideias que surgirem. Mas não é o melhor momento para colocá-las em prática; aguarde até ter maiores informações. Dê tempo para que as ideias amadureçam.

DIA 03 DE JANEIRO – SEGUNDA-FEIRA
🌑 *Nova* 🌑 *em Aquário às 19:43 LFC Início às 13:21 LFC Fim às 19:43*

Enquanto a Lua estiver em Aquário, estaremos ávidos por novidades. Vamos querer sair da rotina e isso nos faz mais curiosos do que o habitual. Estaremos mais desapegados, facilitando que abandonemos situações que não mais nos interessam. Apreciamos mais a liberdade. Durante este período, evite cirurgias de veias, vasos, artérias, capilares, tornozelo, coração e região lombar, sistema vascular cerebral.

Lua sextil Netuno – 03:15 às 06:27 (exato 04:53)
Momentos em que a inspiração está em alta. Antes de dormir, coloque ao lado um papel e uma caneta, para o caso de acordar no meio da noite com uma grande ideia. Se está trabalhando, poderá se beneficiar desta inspiração, levando-o a ter uma intuição sobre as direções a tomar.

Lua conjunção Vênus – 05:26 às 08:31 (exato 07:00)
O dia começa bem, com um bom humor. Se possível, levante um pouco mais cedo e adicione um pouco de romantismo aos primeiros momentos em que estamos, todos, inclinados às aproximações. Agrade o outro ou busque coisas que agradem a si mesmo.

Lua conjunção Plutão – 11:44 às 14:56 (exato 13:21)
As transformações estão favorecidas. Se pretende restaurar algo em casa, fazer um conserto, esse período será proveitoso. Se existe um hábito que pretendemos mudar, aqui é o momento propício para que consigamos mudar e permanecer na mudança.

Lua conjunção Mercúrio – 21:50 às 01:22 de 04/01 (exato 23:38)
Período favorável para o lançamento de eventos culturais ou ligados à informação. Se precisa tornar algo público, esclarecer ou desmentir algum fato aproveite porque os ventos sopram a favor. Nos relacionamentos, encontraremos receptividade para o que verbalizarmos.

DIA 04 DE JANEIRO – TERÇA-FEIRA
🌑 *Nova* 🌑 *em Aquário LFC Início às 21:45*

Lua quadratura Urano – 11:46 às 15:02 (exato 13:26)

Agitação e ansiedade no ar! Devemos nos preparar para os imprevistos, que poderão ocorrer, obrigando-nos a reorganizar a agenda. É preciso manter a calma para evitar erros. Esteja atento para não pressionar as pessoas, tornando-as estressadas e menos produtivas.

Lua conjunção Saturno – 14:04 às 17:22 (exato 15:45)

Momentos onde a determinação está aflorada, então, com disciplina, o resultado é uma produtividade maior. Aproveite para concluir trabalhos que estavam pendentes e comprometendo o cumprimento de prazos pre-estabelecidos. O autocontrole está em alta.

Lua sextil Marte – 20:00 às 23:28 (exato 21:45)

A noite começa com um sentimento de que nossa capacidade está ampliada. Neste período, estamos com os ânimos lá em cima e com muita disposição. Podemos aproveitar este período para tomar decisões, ter atitudes que nos levem a resolver as coisas, até mesmo as que estavam pendentes.

DIA 05 DE JANEIRO – QUARTA-FEIRA
Nova em Peixes às 21:16 LFC Fim às 21:16

Enquanto a Lua estiver em Peixes, estamos envolvidos por um espírito contemplativo. Estamos mais sensíveis, desacelerados, propensos a captarmos impressões do mundo, o que favorece a percepção de soluções. A boa vontade e o romantismo se fazem presentes. Durante este período, convém checar o sistema imunológico, linfático e a taxa de glóbulos brancos. Evite marcar cirurgias nos pés.

Lua conjunção Júpiter – 22:12 às 01:41 de 06/01 (exato 23:58)

Período em que nos visita o otimismo, a confiança e a alegria. Estamos cheios de fé na boa sorte, o que nos torna mais ambiciosos no nosso trabalho, na nossa vida. Há generosidade dentro de nossos relacionamentos íntimos, trazendo maior proximidade emocional.

DIA 06 DE JANEIRO – QUINTA-FEIRA
Nova em Peixes

Lua sextil Urano – 14:19 às 17:49 (exato 16:05)

Estamos nos sentindo emocionalmente mais leves, pois estamos com o sentimento de desapego e, portanto, menos envolvidos nas situações. Bons momentos também para jogar as coisas que não servem mais fora, em casa ou no trabalho. Além disso, saia da rotina e atualize-se.

DIA 07 DE JANEIRO – SEXTA-FEIRA
⬤ *Nova* ⬤ *em Peixes LFC Início às 19:24*

Lua sextil Sol – 00:45 às 04:36 (exato 02:42)

Equilíbrio entre emoção e razão. Momentos onde os casais conseguem encontrar maior harmonia. Estas horas beneficiam de forma particular as fertilizações, as gestações e, também, os nascimentos. A fertilidade se estende a todas as áreas da vida, onde as sementes encontram terreno fértil.

Lua quadratura Marte – 02:01 às 05:47 (exato 03:56)

O conselho é beber um chá relaxante e dormir cedo. Esse período traz inquietação, ansiedade e até agressividade. Evitemos conflitos e conversas difíceis à noite, pois estamos propensos a nos sentir vulneráveis, atingidos, e reagiremos de forma hostil com os outros.

Lua sextil Vênus – 05:58 às 09:23 (exato 07:42)

O dia começa com aguçado senso estético. Momento bom para promover produtos ligados à moda, cosméticos e artes. A disposição em gratificar a nós mesmos faz com que o consumo aumente. No trabalho, esses momentos favorecem a negociação ou aumento de salários. Aproveite!

Lua conjunção Netuno – 07:51 às 11:27 (exato 09:41)

A manhã continua muito favorável; está no ar o sentimento de ajuda mútua. A delicadeza também está presente, nos tornando mais gentis uns com os outros. Há, aqui, convergência frente às questões de interesse comum, devido à maior sintonia entre as pessoas.

Lua sextil Plutão – 17:33 às 21:13 (exato 19:24)

No final deste dia, estamos com a capacidade de concentração aumentada, portanto, empenhe-se em trabalhos que demandem grande dedicação.

Se precisa tomar ações que restaurem ou reparem algum erro, aproveite este período para recuperar possíveis prejuízos ou danos passados.

DIA 08 DE JANEIRO – SÁBADO
⏺ *Nova* ⏺ *em Áries às 02:25 ¸ LFC Fim às 02:25*

Enquanto a Lua estiver em Áries, estamos todos mais dinâmicos, entusiasmados, corajosos. E, também, mais espontâneos e francos. Por isso, atenção para as reações impulsivas, puramente emotivas; pense muito antes de agir! Daremos preferência para estarmos em lugares abertos. Atividades ao ar livre, esportivas e de competição estarão favorecidas. Evite cirurgias na cabeça e nos rins.

Lua sextil Mercúrio – 14:35 às 18:38 (exato 16:38)
Momentos em que a comunicação está em alta! Todos estamos mais comunicativos, portanto, as trocas de mensagens, conteúdos falados ou escritos estão favorecidos aqui. Se tem algum produto para lançar, divulgar ou publicar, aproveite os bons ventos deste período.

DIA 09 DE JANEIRO – DOMINGO
☾ *Crescente às 15:11 em 19°27' de Áries* ☾ *em Áries*

Lua sextil Saturno – 00:31 às 04:21 (exato 02:28)
Momentos que beneficiam a saúde, tornando-a mais estável. O corpo também está mais resistente. Há um favorecimento para se estabilizar os compromissos, os vínculos em nossos relacionamentos. As relações mais antigas são valorizadas. Aqui, queremos segurança.

Lua quadratura Vênus – 11:10 às 14:50 (exato 13:02)
Momentos em que a indolência nos visita. Toleramos menos a frustração, queremos nos gratificar para compensar. A preguiça nos deixa longe de atividades que requeiram disciplina, como dietas e exercícios. Evite medidas financeiras restritivas, como taxas extras e aumentos.

Lua trígono Marte – 12:54 às 17:00 (exato 14:59)
Disposição para decisões, tudo o que estava pendente será resolvido, pois as dúvidas serão dissipadas. Apostemos no comportamento espontâ-

neo, direto, que nos favorecerá. Todas as atividades e ações que demandam iniciativa própria e coragem estão favorecidas.

Lua quadratura Sol – 13:04 às 17:17 (exato 15:11)

Momentos de conflito entre nossos desejos e nossas emoções. Encontramos disputas ao nosso redor e, por isso, temos desgaste energético ao realizarmos as coisas. Nos relacionamentos, os parceiros também estão tensos, dificultando os consensos. Tenha muita calma.

DIA 10 DE JANEIRO – SEGUNDA-FEIRA
☾ *Crescente* ☾ *em Touro às 11:46 LFC Início às 04:24 LFC Fim às 11:46*

Enquanto a Lua estiver em Touro, estamos cautelosos, evitando correr riscos. Queremos proteger o que temos em nível material e emocional, portanto estamos mais apegados a tudo. Queremos bem-estar, segurança. Mais pacientes, estamos mais dispostos a perseverar para conquistar o que queremos. Evite cirurgia de garganta, tireoide, cordas vocais, órgãos genitais, próstata, uretra, bexiga, reto e intestino.

Lua quadratura Plutão – 02:25 às 06:20 (exato 04:24)

Durante este período nossa tendência é a passionalidade, a radicalização e a expressão das emoções, tais como ciúme, sentimento de posse e controle. Relações com problemas podem entrar em crise. Perdas ou traições ocorridas no passado podem voltar a doer.

Lua sextil Júpiter – 14:46 às 18:48 (exato 16:49)

Para quem está comprando um imóvel, esse momento favorece a oportunidade de ter um ganho patrimonial, fique atento! O público de outra cidade ou estado tende a aderir a uma atividade promovida neste momento. Boa indicação para viagens distantes.

DIA 11 DE JANEIRO – TERÇA-FEIRA
☾ *Crescente* ☾ *em Touro*

Lua quadratura Mercúrio – 04:31 às 08:43 (exato 06:39)

Para quem trabalha aqui, o ambiente é de inquietação. As interrupções por motivos sem importância são frequentes e atrapalham a concentração.

Cuidado, foque no que é importante e necessário. Não deixe que conversas e demandas via celular minem a produtividade.

Lua conjunção Urano – 07:21 às 11:21 (exato 09:23)

Busque orientação, opinião de pessoas com um ponto de vista diferente, alguém fora de sua área ou idade pode trazer frescor e criatividade ao seu trabalho. Também é um período em que nos sentimos livres para desabafar emoções que estavam reprimidas.

Lua quadratura Saturno – 11:51 às 15:54 (exato 13:54)

A tarde começa menos favorável. Temos a sensação de que as tarefas são árduas, atrasando as atividades. O contato com as pessoas deve ser mais impessoal. Estamos mais críticos, com a atenção voltadas para as frustrações, o que nos leva ao pessimismo, intolerância e mau humor.

Lua trígono Vênus – 19:38 às 23:29 (exato 21:35)

À noite, o clima é de harmonia, favorecendo entendimentos, alianças. O romantismo está no ar. Aproveite para assistir a um filme romântico ou preparar um jantar à luz de velas, ao som de músicas que falem de amor. Festas e reuniões sociais também serão bem-vindas por todos.

DIA 12 DE JANEIRO – QUARTA-FEIRA
☾ *Crescente* ☾ *em Touro Início às 16:39*

Lua sextil Netuno – 03:36 às 07:40 (exato 05:40)

Os ares de romance nos visitam. A sintonia está em alta. Período favorece atividades em que as pessoas lidem com imagem. O que flui melhor é dedicar-se às atividades mais amplas. Os detalhamentos estão em baixa.

Lua trígono Sol – 06:06 às 10:32 (exato 08:21)

Se quer casar, este é um bom momento. Os tímidos ou inseguros se mostram com mais autonomia, revelando um potencial até então oculto. Situações, ideias, relações e projetos que estavam escondidos podem emergir, revelando seu brilho e potencial de desenvolvimento.

Lua trígono Plutão – 14:36 às 18:41 (exato 16:39)

Aqui, temos uma maior aproximação com pessoas em posição de poder. Portanto, podemos aproveitar para retomar alguns projetos ou tarefas que estavam negligenciados e reapresentá-los. Podemos também ser chamados para trabalhos que já considerávamos perdidos.

DIA 13 DE JANEIRO – QUINTA- FEIRA
☾ *Crescente* ☾ *em Gêmeos às 00:07 LFC Fim às 00:07*

Enquanto a Lua estiver em Gêmeos, a comunicação está em alta. Aproveitemos para aprender, ir a congressos, palestras. Ótimo para vendas de produtos e ideias. Todos estamos interessados em informação. Encontrar as pessoas para conversar, trocar ideias é excelente. Evite cirurgia das vias respiratórias, pernas, braços, mãos, dedos, coxa, bacia e ciático, fígado, fala, audição, sistema neurológico.

Lua quadratura Júpiter – 04:19 às 08:28 (exato 06:26)
Começamos o dia sentindo que o que fazemos não tem importância, nos tornando insatisfeitos e intolerantes com as tarefas simples. Convém evitarmos projeções otimistas, grandes para as quais não se tem condições de realização. Comece com as tarefas menos desgastantes.

Lua trígono Mercúrio – 19:06 às 23:12 (exato 21:11)
Nos relacionamentos, se tem algum assunto delicado a tratar, aqui encontra momentos que facilitam a conversa, o entendimento, o diálogo, as elucidações. O que é verbalizado encontra o acolhimento, a receptividade do outro. É mais fácil expressar as emoções!

DIA 14 DE JANEIRO – SEXTA-FEIRA
☾ *Crescente* ☾ *em Gêmeos LFC Início às 23:22*

Início Mercúrio Retrógrado
Lua trígono Saturno – 01:22 às 05:29 (exato 03:27)
Momentos benéficos para a área de segurança e previdência. Para quem trabalha nesse período, encarar as responsabilidades a seu cargo vai contribuir para aumentar sua reputação.

Aproveite também os bons ventos para pensar e providenciar os projetos de médio e longo prazo.

Lua quadratura Netuno – 16:47 às 20:52 (exato 18:52)

Podemos esperar por descumprimentos de horários, compromissos. Estamos todos desconcentrados e distraídos, o que pode causar perda de objetos, documentos. A tristeza nos visita, gerando incertezas, inseguranças. Experimentamos uma sensação de melancolia.

Lua oposição Marte – 21:11 às 01:31 de 15/01 (exato 23:22)

À noite, temos pouca paciência para atividades que requeiram muito tempo de dedicação. Prefira tarefas nas quais tenha mais autonomia, pois serão mais produtivas do que trabalhando em equipe. As relações estão sujeitas a brigas, não tente impor o seu ponto de vista para o outro.

DIA 15 DE JANEIRO – SÁBADO
☾ *Crescente* ☾ *em Câncer às 13:10 LFC Fim às 13:10*

Mercúrio Retrógrado

Enquanto a Lua estiver em Câncer, a emoção está no ar! As nossas reações ficam menos racionais, estamos mais emotivos e vulneráveis, respondendo a tudo de forma mais emocional. Portanto, devemos ter cuidado para não magoar e não nos magoarmos pelos outros. Evite cirurgia do aparelho digestivo, abdômen, estômago, mamas, útero, ossos, articulações, vesícula, pele e vista.

Lua trígono Júpiter – 18:27 às 22:33 (exato 20:32)

A aventura ronda as relações, deixando-as mais estimulantes. Proponha ao seu par ir para um lugar diferente do habitual. A descontração reforçará a intimidade. Se o relacionamento anda morno, demonstrar que acredita no potencial de crescimento da relação renderá bons frutos.

DIA 16 DE JANEIRO – DOMINGO
☾ *Crescente* ☾ *em Câncer*

Mercúrio Retrógrado

Lua sextil Urano – 08:57 às 12:58 (exato 10:59)

Ainda aqui, se o relacionamento estiver morno, tente uma nova abordagem para o casal. Mas se as pessoas forem muito diferentes no relacionamento, o céu pode os beneficiar. A abordagem também vale para os solteiros: uma atitude ousada com quem nos interessa pode render bons frutos.

Lua oposição Vênus – 15:54 às 19:45 (exato 17:51)

Neste momento, estamos experimentando um sentimento de exclusão. Então, ficamos possessivos, ciumentos, o que predispõe a brigas nos relacionamentos por motivos reais ou imaginários. Cuidado, um terceiro pode mexer com os sentimentos e desestabilizar um relacionamento.

DIA 17 DE JANEIRO – SEGUNDA-FEIRA
○ *Cheia às 20:48 de 27º50' de Câncer* ○ *em Câncer LFC Início às 20:50*

Mercúrio Retrógrado

Lua trígono Netuno – 05:19 às 09:17 (exato 07:18)

Momento propício para iniciar tratamentos imunológicos para alergias. No trabalho, encontra-se a adesão das pessoas que tendem a convergir para um objetivo que favoreça a empresa. Bom momento para a área imobiliária, particularmente as áreas litorâneas.

Lua oposição Plutão – 16:09 às 20:06 (exato 18:09)

Tarde em que não há receptividade a demonstrações excessivas de poder, então, devemos evitar as medidas extremas, pois elas serão rejeitadas. Os ânimos estão mais exaltados, tornando todos mais radicais. Portanto, evitemos medidas impopulares.

Lua oposição Sol – 18:39 às 22:57 (exato 20:48)

As emoções estão alteradas. Há uma tendência maior para uma descarga emocional. Deve-se, portanto, evitar provocações e situações de conflito. Diferenças entre casais e parceiros podem chegar a um clímax e levar a um confronto aberto. Pior dia para se lidar com questões que provoquem o estado emocional das pessoas. As reações podem ser mais exacerbadas do que o usual.

DIA 18 DE JANEIRO – TERÇA-FEIRA
○ *Cheia* ○ *em Leão às 01:02 LFC Fim 01:02*

Mercúrio Retrógrado

Enquanto a Lua estiver em Leão, é tempo de brilho, extroversão e liderança. Estamos alegres, vaidosos, cheios de entusiasmo e nos sentindo o centro do mundo, querendo homenagens, atenções especiais. Preferimos quem nos prefere. Os ambientes refinados estarão em alta. Evite cirurgias de coração, da região lombar, das veias, varizes, capilares e tornozelos.

Lua oposição Mercúrio – 15:49 às 19:28 (exato 17:40)

Se vai se deslocar ou viajar, não se surpreenda com mudanças de horários que podem ocorrer. Evite assinar contratos ou negociar imóveis nesta tarde. Este momento compromete a estrutura dos planejamentos e a negociação de contratos, acordos, pois dados e informações estão oscilantes.

Lua quadratura Urano – 20:14 às 00:07 de 19/01 (exato 22:12)

Período em que os embates podem ser maiores nos relacionamentos já desgastados, podendo levar a afastamentos e até rupturas. Não cobre posicionamentos do outro. Novos encontros serão passageiros. Sono comprometido pela agitação, portanto, acalme-se antes de se deitar.

DIA 19 DE JANEIRO – QUARTA-FEIRA
○ *Cheia* ○ *em Leão*

Mercúrio Retrógrado
Entrada do Sol no Signo de Aquário às 23h38min56seg
Lua oposição Saturno – 02:21 às 06:15 (exato 04:20)
Período de desconforto na saúde de quem tem problemas crônicos ou mal curados. Estamos com baixa resistência e mais cansados. Como a recuperação está mais lenta, é contraindicado para procedimentos cirúrgicos. À noite, devemos ingerir algo leve e dormir cedo.

DIA 20 DE JANEIRO – QUINTA -FEIRA
○ *Cheia (disseminadora)* ○ *em Virgem às 11:01 LFC Início às 05:17*
LFC Fim 11:01

Mercúrio Retrógrado
Enquanto a Lua estiver em Virgem, é tempo para nos dedicarmos aos trabalhos mentais que demandem atenção, senso crítico, detalhamento.

Os assuntos que exigem organização e planejamento também estão em alta. Estamos mais recolhidos, tímidos, exigentes e seletivos. Cuide da alimentação e da saúde geral e evite cirurgia do aparelho gastrointestinal, intestino delgado e nos pés.

Lua trígono Marte – 03:13 às 07:16 (exato 05:17)
Momento que favorece as atividade que dependam de movimento e ousadia. Estamos num ritmo acelerado para a execução de tarefas. Os encontros físicos estão em alta para os relacionamentos mais distantes ou que eram apenas de amizade.

Lua oposição Júpiter – 18:02 às 21:53 (exato 20:00)
No ar, paira um sentimento de insatisfação e carência. Cuidado com as avaliações superestimadas, pois elas podem dar origem a ações e projetos que são fora da sua realidade atual. A indolência nos visita, nos levando a adiar compromissos, negligenciar dietas e também a descumprir tarefas.

DIA 21 DE JANEIRO – SEXTA-FEIRA
○ *Cheia (disseminadora)* ○ *em Virgem*

Mercúrio Retrógrado
Lua trígono Urano – 05:35 às 09:20 (exato 07:29)
A criatividade nos visita. Boas ideias podem trazer soluções para questões relevantes e gerar reconhecimento. Proponha alternativas, isso será muito produtivo. Período para buscar um novo trabalho ou explorar uma nova área.

Lua trígono Vênus – 08:29 às 12:08 (exato 10:28)
A manhã segue beneficiando os serviços gratuitos oferecidos aos clientes, aproveite para realizar promoções. Seremos mais assertivos se usarmos também a diplomacia e a cortesia para alcançar nossos objetivos. Bom para fazer orçamentos, apresentar custos e cobranças.

DIA 22 DE JANEIRO – SÁBADO
○ *Cheia (disseminadora)* ○ *em Libra às 19:02 LFC Início às 16:47*
LFC Fim às 19:02

Mercúrio Retrógrado

Enquanto a Lua estiver em Libra, é tempo de fazer as coisas a dois. Estamos mais sociáveis, flexíveis, diplomáticos e agradáveis, por isso é um período excelente para parcerias profissionais, sociedades, amizades e casamentos. Nas diferenças, opte pela diplomacia, pelo entendimento em vez do embate, buscando aliados. Equilíbrio e reconciliação estão em alta. Evite cirurgias nos rins e na região da cabeça.

Lua oposição Netuno – 00:51 às 04:34 (exato 02:45)

Neste período, esteja muito atento ao dirigir, pois a distração nos ronda. Pode haver muitos enganos na comunicação em geral, portanto, é bom checar mensagens emitidas e recebidas a fim de desfazer possíveis dúvidas. A pouca capacidade de concentração pode comprometer a produtividade.

Lua trígono Plutão – 11:01 às 14:43 (exato 12:54)

Momentos em que estamos propensos a aceitar desafios de mudanças mais radicais. A palavra é: regeneração! Aproveite para abandonar hábitos indesejados ou que estão sendo prejudiciais à sua saúde. Os consertos e as reformas em casa também podem ser executados.

Lua quadratura Marte – 14:49 às 18:42 (exato 16:47)

A impaciência nos ronda. A intolerância com situações e pessoas pode gerar comportamentos impulsivos, podendo prejudicar os resultados esperados. Evite velocidade e esportes ou atividades de risco. Nos relacionamentos, as atitudes egoístas serão mal recebidas.

Lua trígono Sol – 22:43 às 02:41 (exato 00:44 de 23/01)

Para quem trabalha com o público, são momentos de intuição em que captamos suas expectativas e receptividade, pois em todos nós existe uma percepção maior do que queremos e do que precisamos. Período fértil que renderá bons frutos.

DIA 23 DE JANEIRO - DOMINGO
○ *Cheia (disseminadora)* ○ *em Libra*

Mercúrio Retrógrado

Lua trígono Mercúrio – 00:07 às 03:26 (exato 01:48)
Tendência a flexibilidade. Aproveitemos para realizar negociações. Bom para o comércio, sobretudo o varejo. E, particularmente, para venda e troca de veículos. As vendas de revistas e jornais, também podem aumentar.

Lua quadratura Vênus – 14:34 às 18:07 (exato 16:23)
Estamos nos sentindo carentes e é muito provável que não vejamos supridas as nossas expectativas de afeto. Os encontros que se dão aqui devem ter um caráter passageiro, desapegado, sem expectativa; eles não trarão a satisfação emocional que buscamos.

Lua trígono Saturno – 19:36 às 23:14 (exato 21:27)
Qualquer tipo de relacionamento iniciado aqui terá vida longa. O que mais se valoriza é a solidez dos vínculos. As relações efêmeras estão em baixa. A disposição está voltada para a produtividade devido à tendência ao uso adequado do tempo e dos recursos disponíveis.

DIA 24 DE JANEIRO – DOMINGO
○ *Cheia (disseminadora)* ○ *em Libra LFC Início às 19:11*

Mercúrio Retrógrado
Lua quadratura Plutão – 17:23 às 20:56 (exato 19:11)
Evite reuniões se o assunto ou os participantes forem hostis, pois talvez tenhamos contato com situações mais poderosas do que nós. Os investimentos arriscados ou de maior porte estão em baixa. Convém ficarmos dentro dos limites nas situações, para que não ocorra o incontrolável.

Lua sextil Marte – 23:56 às 03:39 de 25/01 (exato 01:49 de 25/01)
Aumento da disposição para erradicar hábitos nocivos. Para quem dorme pouco, é um bom momento para começar a dormir mais cedo. Aqui há energia para o desafio. Então, todos os lançamentos, iniciativas, começos, encontram uma força extra do céu. Aproveite!

DIA 25 DE JANEIRO – TERÇA-FEIRA
☽ *Minguante às 10:40 em 05º33' de Escorpião* ☽ *em Escorpião às 00:56*
LFC Fim 00:56

Mercúrio Retrógrado

Enquanto a Lua estiver em Escorpião, o clima é de erotismo, de desejos e paixões intensas. Mas também há a tendência ao radicalismo, o que devemos evitar, pois todos estamos mais agressivos, impacientes, julgadores e tendemos aos ressentimentos, o que nos leva a perdoar menos. Evite cirurgias nos órgãos genitais, bexiga, uretra, próstata, intestino, reto, garganta, tireoide e cordas vocais.

Lua quadratura Mercúrio – 01:14 às 04:27 (exato 02:52)

Momentos com tendência a nos ressentir se não dialogarmos, não demonstrarmos nossos sentimentos ou se faltar adequação em nossas palavras com quem nos relacionamos. Até uma opinião diferente pode parecer desafeto. É preciso equilibrar as palavras e as emoções.

Lua quadratura Sol – 08:47 às 12:33 (exato 10:40)

Aqui, as incompatibilidades prevalecem sobre as afinidades. Os casais com menos coisas em comum podem sentir que têm mais diferenças, a ponto de parecerem dois extremos. A lucidez e o equilíbrio devem preponderar. Não poupe esforços em esclarecer qualquer situação.

Lua trígono Júpiter – 09:14 às 12:47 (exato 11:03)

Para quem está planejando aumentar a família, é um bom período para concepção e partos.

As atividades de ensino, como universidades, cursos, escolas além dos grandes eventos, como festivais, exposições, campeonatos, congressos, feiras nacionais e internacionais, estão em alta.

Lua oposição Urano – 18:08 às 21:36 (exato 19:54)

O dia termina e contratempos podem alterar a rotina diária. Tarefas, compromissos, reuniões de última hora nos obrigam a repensar o trabalho, portanto, prepare-se para ter flexibilidade nestas horas. E alguns serviços podem ser descontinuados.

Lua sextil Vênus – 18:58 às 22:23 (exato 20:42)

Ares de charme, romantismo e sedução. Preparar um jantar a dois aproxima e cria mais intimidade acompanhada de ternura. Qualquer ação que beneficie a saúde e a estética está em alta. Diagnóstico e tratamentos hormonais e reprodutivos estão favorecidos.

DIA 26 DE JANEIRO – QUARTA-FEIRA
)) *Minguante*)) *em Escorpião*

Mercúrio Retrógrado

Lua quadratura Saturno – 00:57 às 04:25 (exato 02:43)
Estamos sem brilho, sem criatividade, com pouca inspiração. Temos pouca vontade de enfrentar os obstáculos que surgem. Duvidamos dos nossos sentimentos e dos sentimentos dos outros em relação a nós. Por insegurança e medo da frustração emocional, nos retraímos.

Lua trígono Netuno – 12:04 às 15:29 (exato 13:49)
No ar, a solidariedade, a compreensão, a tolerância. Aceitamos melhor as ações que promovam a cidadania, o bem-estar público, como campanhas contra discriminação e combate às drogas. Atividades ligadas à imagem tem grande penetração. Capriche no acabamento visual de produtos.

Lua sextil Plutão – 21:27 às 00:51 de 27/01 (exato 23:11)
Para os que estão em posição de poder, este é um momento em que despertam mais simpatia, popularidade e adesão. No trabalho, se estiver fazendo modificação na equipe, procure um ex-colaborador ou antigos colegas de trabalho. O céu aponta que será uma escolha assertiva.

DIA 27 DE JANEIRO – QUINTA-FEIRA
)) *Minguante*)) *em Sagitário às 04:34 LFC Início às 02:29 LFC Fim às 04:34*

Mercúrio Retrógrado

Enquanto a Lua estiver em Sagitário, somos otimistas, mais positivos. É tempo de ser direto ao ponto, espontâneo e autoconfiante. O alto nível de entusiasmo eleva a nossa expectativa em relação ao outro, podendo gerar frustrações. Entendemos que tudo é possível! Queremos mais independência, e não restrições. Evite cirurgias no fígado, coxas, quadris, ciático, vias respiratórias, pernas, braços e mãos.

Lua sextil Mercúrio – 00:53 às 04:01 (exato 02:29)

Se pretende fazer alguma transação comercial, este é um bom período. Para quem trabalha se deslocando, tem que se deslocar ou realizar pequenas viagens, os ventos sopram a favor. Para quem quer se candidatar a alguma vaga, aproveite este momento para enviar seu currículo.

Lua quadratura Júpiter – 13:19 às 16:43 (exato 15:03)

Esperar ajudas que podem não acontecer pode causar frustração. Cuidado com os excessos na ingestão de comida, álcool, cigarro, prejudicando um tratamento ou dieta saudável. Evite gastos desnecessários, contando com alguma receita que pode não haver. Sem desperdícios!

Lua sextil Sol – 15:59 às 19:34 (exato 17:48)

Boa energia no ar e assertividade na divisão de trabalho segundo as competências. Se iniciou um relacionamento, as chances de entendimento são maiores. Se quer se reconciliar com alguém, não perca esta oportunidade!

DIA 28 DE JANEIRO – SEXTA-FEIRA

☽ *Minguante (balsâmica)* ☽ *em Sagitário LFC Início às 16:00*

Mercúrio Retrógrado

Lua sextil Saturno – 03:59 às 07:18 (exato 05:40)

Nossas emoções estão nos devidos lugares. Se está em um relacionamento e quer fortalecê-lo, organize planos. No trabalho, há predisposição para assumir compromissos, pois há disposição até para tarefas exaustivas.

Lua quadratura Netuno – 14:20 às 17:38 (exato 16:00)

O caos nos visita. É preciso revisar e confirmar compromissos para evitar a negligência das pessoas envolvidas. Além disso, diminui o tempo de nossa concentração, o que torna mais produtivo que tenhamos intervalos de descanso. Atente para vazamentos, infiltrações, umidades, mofos.

DIA 29 DE JANEIRO – SÁBADO

☽ *Minguante (balsâmica)* ☽ *em Capricórnio às 06:08 LFC Fim às 06:08*

Mercúrio Retrógrado

Enquanto a Lua estiver em Capricórnio, ficamos mais sérios e pessimistas.

Hora de fazer o que tem que ser feito em vez de fazer o que queremos. Estamos com mais disciplina, o que pode ser produtivo. As pessoas estão seletivas e cautelosas, inclusive com o consumo. Evite cirurgias na coluna, articulações, joelho, pele, dentes, vistas, vesícula, útero, seios e abdômen.

Lua conjunção Marte – 15:24 às 18:41 (exato 12:11)
Aproveite para marcar posição e conquistar território, como disputar uma concorrência. Bom para trabalhos que são executados com autonomia. Estamos com grande disposição física, o que favorece a prática de esportes, exercícios em geral. Ferimentos encontram uma boa cicatrização.

Lua sextil Júpiter – 14:49 às 18:42 (exato 17:04)
Tempo de otimismo, de pensar grande! Aproveite para expandir, investir em novos pontos de vendas, exportação, representação em outros estados, franquias, lançar novos produtos, fazer parcerias para crescer. Bons ventos ajudam a buscar novos clientes médios e grandes.

Lua trígono Urano – 22:10 às 01:24 de 30/01 (exato 23:49)
Estamos mais desapegados, despreocupados, sem nos sentirmos afetados pelas circunstâncias. Período ideal para surpreender seus afetos agindo de forma inesperada! Quebrar a rotina, usando a criatividade e propondo um programa diferente do habitual, fará bem às relações.

Lua conjunção Vênus – 22:30 às 01:45 de 30/01 (exato 00:09 de 30/01)
O céu predispõe as pessoas à afetuosidade. Nos relacionamentos, estamos mais disponíveis, o que diminui as diferenças e estimula o clima de maior intimidade. Para quem pretende engravidar, o momento é particularmente favorável à fertilização.

DIA 30 DE JANEIRO – DOMINGO
)) *Minguante (balsâmica)*)) *em Capricórnio*

Mercúrio Retrógrado
Lua sextil Netuno – 15:10 às 18:24 (exato 16:49)
O clima é de sedução. Aqui são muito frequentes os encontros ao

acaso. Fique atento às oportunidades, para que não sejam perdidas. Os casais harmoniosos podem criar momentos idílicos. Bom para atividades de fretes, franquias e comunicação com mercados fora do Estado.

Lua conjunção Mercúrio – 21:52 às 00:59 de 31/01 (exato 23:27)

Para quem desenvolve o trabalho de relações públicas, é um bom momento. Em alta também a área comercial e o contato com outras pessoas, pois aqui as palavras conseguem tocar o outro. E aproveite para planejar seus horários de forma mais inteligente — a saúde será muito beneficiada.

DIA 31 DE JANEIRO – SEGUNDA-FEIRA
)) *Minguante (balsâmica)*)) *em Aquário às 06:42 LFC Início às 01:44 LFC Fim às 06:42*

Mercúrio Retrógrado

Enquanto a Lua estiver em Aquário, um espírito mais sociável e gregário nos invade. O clima é de excitação, de eletricidade. Queremos abandonar velhos vícios, dependências e comportamentos. Há o desejo de estar em grupo, no social, preferindo o contato com amigos aos laços íntimos. Evite cirurgias no sistema circulatório, vascular cerebral, nas veias, vasos, artérias, capilares, tornozelos, coração e região lombar.

Lua conjunção Plutão – 00:06 às 03:20 (exato 01:44)

Aqui, o sono é reparador, restaurando o corpo. Período em que as terapias de toda espécie respondem bem. Para quem se submeteu a alguma cirurgia, a recuperação é mais rápida. A gravidez e a fertilização estão favorecidas.

Lua quadratura Urano – 22:47 às 02:03 de 01/02 (exato 00:27 de 01/02)

No trabalho, é possível ocorrer falta de funcionários, prejudicando a fluência das atividades. No ar, estão presentes ansiedade, agitação e inquietação. Estamos todos mais estressados, então, nada de pressão. Os relacionamentos já sob tensão podem sentir mais esse período.

Fevereiro 2022

Domingo	Segunda-feira	Terça-feira	Quarta-feira	Quinta-feira	Sexta-feira	Sábado
		1 ● 12°19' ♒	2 ♓	3	4 ♈	5
		Lua Nova às 02:45 em Aquário LFC Início às 08:02 Mercúrio Retrógrado	Lua Nova em Peixes às 07:59 LFC Fim às 07:59 Mercúrio Retrógrado	Lua Nova em Peixes Mercúrio Retrógrado	Lua Nova em Áries às 11:56 LFC 06:42 às 11:56 Fim Mercúrio Retrógrado à 01:14	Lua Nova em Áries
6 ♉	7	8 ☽ 19°46' ♉	9 ♊	10	11 ♋	12
Lua Nova em Touro às 19:52 LFC 14:21 às 19:52	Lua Nova em Touro	Lua Crescente às 10:50 em Touro	Lua Crescente em Gêmeos às 07:26 LFC 01:48 às 07:26	Lua Crescente em Gêmeos	Lua Crescente em Câncer às 20:26 LFC 05:23 às 20:26	Lua Crescente em Câncer
13	14 ♌	15	16 ○ 27°59' ♌ ♍	17	18	19 ♎
Lua Crescente em Câncer	Lua Crescente em Leão às 08:17 LFC 07:27 às 08:17	Lua Crescente em Leão	Lua Cheia às 13:56 em Leão Lua em Virgem às 17:42 LFC 13:58 às 17:42	Lua Cheia em Virgem	Lua Cheia em Virgem LFC Início às 20:20 Entrada do Sol no Signo de Peixes às 13h42	Lua Cheia em Libra à 00:50 LFC Fim à 00:50
20	21	22	23	24	25 ♑	26
Lua Cheia em Libra	Lua Cheia em Escorpião às 06:18 LFC 02:02 às 06:18	Lua Cheia em Escorpião	Lua Minguante às 19:32 em Sagitário Lua em sagitário às 10:28 LFC 06:25 às 10:28	Lua Minguante em Sagitário	Lua Minguante em Capricórnio às 13:27 LFC 00:25 às 13:27	Lua Minguante em Capricórnio
27 ♒	28					
Lua Minguante em Aquário às 15:35 LFC 11:50 às 15:35	Lua Minguante em Aquário LFC Início às 23:02					

Mandala Lua Nova Fevereiro

Lua Nova
01.02.2022
Às 02:45
em 12°19' de
Aquário

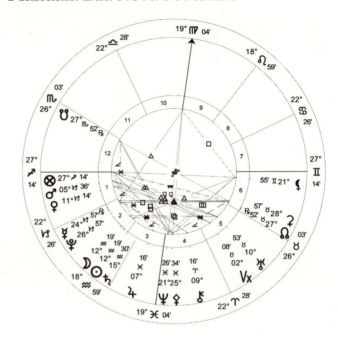

Mandala Lua Cheia Fevereiro

Lua Cheia
16.02.2022
Às 13:56 em
27°59' de Leão

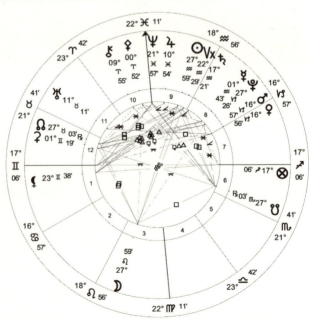

Céu do mês de fevereiro

Boa parte de 2022 é assim, muda o mês, muda a Lua! Amanhecemos o dia 1º com a Lua Nova de Aquário que traz como tema central o confronto entre Saturno em Aquário e Urano em Touro, acendendo mais uma vez o tenso conflito que se estendeu por todo 2021 e ainda reverbera por 2022. Trata-se de entender que os velhos esquemas, que até há pouco davam solidez e estabilidade, estão ficando para trás e é imperioso que avancemos rumo aos novos tempos. O mundo está em ebulição, como se vivêssemos num grande canteiro de obras sem saber direito o que vamos construir. É tempo de inventar, bolar novas soluções e se abrir para os novos paradigmas, levando em conta a máxima aquariana de liberdade e solidariedade.

O mapa da Lua Nova traz também um stellium em Capricórnio, formado por Marte, Vênus, Mercúrio e Plutão; um céu cheio de vigor e energia para nos dedicarmos com afinco e determinação ao que precisa ser reconstruído. Marte harmonizado com Júpiter em Peixes (exato no dia 04) garante o ânimo e assertividade para as atitudes necessárias. Mercúrio — caminhando em passo lento por conta da fase de retrogradação — se mantém muito próximo a Plutão desde a última conjunção em 29/01, ressaltando a necessidade de pesquisa, foco e análise profunda das questões que se colocam. Nosso Mensageiro Celeste retoma seu movimento direto no dia 04, cravando a última conjunção exata com Plutão no dia 11. Aos poucos, vai voltando à sua habitual velocidade e todos os assuntos sob sua regência voltam a fluir, já adentrando o Signo de Aquário no dia 14, onde permanece até 09/03. É tempo de substituir o pensamento organizado e estratégico por ideias criativas e inovadoras.

Enquanto a Lua vai crescendo no céu, Marte em Capricórnio mantém seu alto grau de desempenho; no dia 8 faz um belo trígono com Urano em Touro, deixando as ações já tão assertivas ainda mais ágeis e criativas. Dirige-se, a partir de agora, a um encontro muito importante — que vai dar muito o que falar — com Vênus em Capricórnio. É que depois de alcançá-la, ele não a larga tão cedo. Teremos um mês inteiro pela frente com a linda conjunção Vênus/Marte entrelaçados num galante pas-de-deux. O primeiro encontro oficial será exatamente no dia 16, coincidindo com a majestosa Lua Cheia de Leão. São os simbólicos amantes do céu, cuja união é significadora de paixão, atração erótica e sensual ou de uma grande gana para satisfazer nossos desejos em qualquer outra área de vida, e com o "toque de classe" e elegância capricornianos. Marte é quem dá o ritmo; no Signo de sua exaltação e abraçado com Vênus, as lutas e batalhas do dia a dia ficam muito facilitadas e até prazerosas.

Por falar em prazer, vivacidade e ânimo, a Lua Cheia de Leão vai trazer gás para aumentar o pique, enfim teremos um tempo de extroversão, dado a festas e celebrações. Um alívio se considerarmos o clima mais sisudo do início do mês. Aliada à afinada coreografia de Vênus e Marte, temos também, no mapa da Lua Cheia, uma boa conversa entre Júpiter em Peixes e Urano em Touro, exato no dia 18, aspecto que fala de chances e oportunidades surpreendentes para turbinar o futuro. Coroando esta lunação, culminado no Meio do Céu, Netuno em Peixes abençoa este plenilúnio, tornando este momento ímpar, com a providência divina e a sorte nos favorecendo.

É neste cenário tão especial que o Sol entra no último Signo do zodíaco — também no dia 18 — e a partir de agora o Signo de Peixes vai para os "trending topics", não se fala de outra coisa. Peixes vai pautar as falas astrológicas e será lindo. Faz tempo que não temos um céu assim; um espírito mais contemplativo, humanitário e voltado para uma "Força Maior" domina o período.

Enquanto a Lua começa a minguar no dia 23, Vênus e Marte em Capricórnio — "agarrados" um ao outro — fazem um aceno a Netuno em Peixes, favorecendo ainda mais as iniciativas nas questões de romances, relacionamentos ou atividades artísticas e esportivas.

Uma sacudida inesperada, de repente, pode abalar este clima de harmonia. Evoluindo em Aquário, no dia 25, Mercúrio em Aquário se desentende com Urano em Touro e nos sequestra do clima de calmaria vigente. Tudo fica elétrico; imprevistos e notícias de última hora nos tiram do prumo. Em tempos como estes, é melhor se aquietar e esperar a poeira baixar.

Posição diária da Lua em fevereiro

DIA 01 DE FEVEREIRO – TERÇA-FEIRA
⬤ *Nova às 02:45 em 12º19' de Aquário* ⬤ *em Aquário LFC Início às 08:02*

Mercúrio Retrógrado

Lua conjunção Sol – 01:00 às 04:31 (exato 02:45)

E quando a mente não consegue parar, cheia de ideias e possibilidades de mudança, é um ótimo momento para escrever e evitar que esses processos se percam quando voltar a dormir.

Lua conjunção Saturno – 06:21 às 09:40 (exato 08:02)

A energia disponível agora é de responsabilidade e produtividade. Também é muito importante planejar o que é preciso para implementar as metas que se deseja alcançar tanto na vida diária quanto no trabalho.

DIA 02 DE FEVEREIRO – QUARTA- FEIRA
⬤ *Nova* ⬤ *em Peixes às 07:59 LFC Fim às 07:59*

Mercúrio Retrógrado

Enquanto a Lua estiver em Peixes, é um momento excelente para entrar em contato com o que não é físico ou concreto, pois o período da Lua Nova, onde tudo está mais sem luz, não significa pouca percepção. Período para o lazer incluindo boa leitura, filmes e música. Excelente também para atualizar fotos e filmes nas redes sociais e colocar em dia a visualização dos status dos parentes e amigos. Surgem muitas habilidades metafísicas que ajudam processos e profissionais de terapias.

Lua sextil Marte – 17:45 às 21:20 (exato 19:34)

Ainda dá tempo de finalizar as atividades que se arrastaram ao longo do dia. É possível também uma noite agradável em lugares amplos ou simplesmente fazer uma atividade física leve e meditativa.

Lua conjunção Júpiter – 19:13 às 22:41 (exato 20:58)

A animação e um monte de ideias borbulham tornando difícil decidir o que fazer e onde. Uma coisa é certa: o lugar e as pessoas envolvidas têm que ser inspiradores, do tipo que poucas palavras e um olhar dizem tudo.

DIA 03 DE FEVEREIRO – QUINTA – FEIRA
● *Nova* ● *em Peixes*

Mercúrio Retrógrado
Lua sextil Urano – 00:47 às 04:13 (exato 02:32)
Às vezes, tudo o que se quer é poder expressar autenticidade, aquilo que está dentro. A criatividade acelerada dispara muitas ideias ao mesmo tempo e pode tirar o sono.

Lua sextil Vênus – 01:50 às 05:19 (exato 03:36)
A sensibilidade e a afetividade fluem com a presença das pessoas à volta. É agradável acordar e imaginar todo dia cheio de benefícios. Cuidar da estética dá bons resultados.

Lua conjunção Netuno – 19:08 às 22:39 (exato 20:55)
Bom mesmo é curtir um filme inspirador ou aproveitar esta sensação de leveza e conexão com o impalpável e atualizar as redes sociais, pois a conexão aproxima as pessoas mesmo que em lugares distantes. Se o trabalho exige criatividade, agora é o momento de encontrar muitos caminhos.

DIA 04 DE FEVEREIRO – SEXTA-FEIRA
● *Nova* ● *em Áries às 11:56 LFC Início às 06:42 LFC Fim 11:56*

Fim Mercúrio Retrógrado
Enquanto a Lua estiver em Áries, momentos bons para atividades mais independentes e ao ar livre, pois o excesso de energia pede atividades físicas. Fazer exercícios, como corridas, natação e crossfit (para os que já praticam), é excelente para revigorar. A liderança atrelada ao sentimento de liberdade traz muita segurança para dar início a novos projetos, gerando uma enorme satisfação. Momento que favorece as iniciativas autônomas e o trabalho criativo independente. Competitividade e impulsividade podem ser as fraquezas, se em excesso. Quando a agressividade perde a medida, é hora de praticar um esporte marcial para descarregar.

Lua sextil Mercúrio – 00:09 às 03:41 (exato 01:56)
Boa madrugada para aqueles que precisam estudar, colocar algum tra-

balho em dia. Nossa memória estará privilegiada, por isso estaremos retendo melhor tudo o que vemos, lemos ou ouvimos.

Lua sextil Plutão – 04:53 às 08:27 (exato 06:42)

Qualquer assunto que precise de uma investigação, qualquer coisa que necessite esclarecimento, encontrará aqui seu melhor momento. Excelente para uma reflexão e adentrar nos mais profundos sentimentos. Propicia, também, a recuperação de saúde.

DIA 05 DE FEVEREIRO – SÁBADO
⬤ *Nova* ⬤ *em Áries*

Lua quadratura Marte – 01:30 às 05:23 (exato 03:28)

Nessas horas, pode acentuar a inquietação e a ansiedade, pois podemos nos sentir confinados. As tarefas que requeiram muitas horas de dedicação devem ser adiadas para outro momento. Se existe alguma discórdia, é muito importante deixar para outro momento.

Lua quadratura Vênus – 08:02 às 11:49 (exato 09:43)

Não é apropriado fazer alianças nesse período da manhã. Se as pessoas ou as atividades marcadas para o período da manhã não nos favorecem, tudo indica que não vão ser proveitosos nem agradáveis.

Lua sextil Saturno – 15:29 às 19:15 (exato 17:23)

Agora, sim, as coisas vão andar de forma organizada e desenrolar as tarefas que estão paradas. Pessoas e serviços estão à disposição com todas as ferramentas necessárias. É momento de colaboração.

Lua sextil Sol – 17:15 às 21:19 (exato 19:18)

Agora dá para fechar o dia com chave de ouro com alegria, disposição e satisfação. A sensação de estar tudo cumprido da melhor forma é fortemente sentida. A programação de sábado à noite só pode ser a melhor companhia e em locais interessantes.

DIA 06 DE FEVEREIRO – DOMINGO
⬤ *Nova* ⬤ *em Touro às 19:52 LFC Início às 14:21 LFC Fim às 19:52*

Enquanto a Lua estiver em Touro, momento bom para pensar nas finanças e fazer com que o dinheiro trabalhe a seu favor, por exemplo, fazendo um bom investimento seguro. Cuidar da aparência e da casa vai promover o bem-estar pessoal e tornar as atividades mais simples e práticas. A atividade física pode aliviar o estresse.

Lua quadratura Mercúrio – 07:45 às 11:39 (exato 09:43)

Falar demais pode não dar certo nesta manhã. As pessoas e o trânsito parecem apressados e impacientes e a dica é ir mais devagar com tudo. Planejar o que vai falar ou por onde andar, pois o risco de perder a atenção e, assim, se desviar do caminho é grande.

Lua quadratura Plutão – 12:25 às 16:16 (exato 14:21)

Almoçar sentindo a pressão e a sensação de que tudo pode piorar é bem ruim. Se algo importante está em risco, é hora de avaliar se vale a pena lutar por isso ou se o melhor é deixar ir.

DIA 07 DE FEVEREIRO – SEGUNDA-FEIRA
● *Nova* ● *em Touro*

Lua sextil Júpiter – 10:57 às 14:58 (exato 12:59)

Produtividade com otimismo é uma mistura que sempre dá certo para assuntos pessoais e de negócios. Horizontes bem alargados, mesmo quando se está na intimidade do lar. Comunicação com o estrangeiro pode ser bem legal, pois a internet pode acessar qualquer lugar no planeta.

Lua trígono Marte – 14:06 às 18:18 (exato 16:14)

Uma atitude mais otimista e mais corajosa de encarar os desafios aumenta a disposição e ajuda a dissipar o que está travando a vida. Atitude é a palavra-chave e agir é uma necessidade. Quando projetos precisam de um empurrão, agora é a hora.

Lua conjunção Urano – 15:23 às 19:20 (exato 17:23)

A agitação de fazer coisas novas e mudar o rumo das coisas, nesse momento, pode ser bom. O novo pode ajudar nas situações que encontrem com alguma dificuldade. Boas inovações são bem-vindas se são fáceis de colocar em prática.

Lua trígono Vênus – 18:57 às 23:02 (exato 21:01)
É muito bom sair e ir a um lugar confortável com pessoas agradáveis. Se está precisando de roupas e acessórios, essa oportunidade é única, pois agradar-se é mais importante que seguir quaisquer moda ou padrões.

DIA 08 DE FEVEREIRO – TERÇA-FEIRA
☾ *Crescente às 10:50 em 19°46' de Touro* ☾ *em Touro*

Lua quadratura Saturno – 01:59 às 06:01 (exato 04:02)
A pressão e a cobrança são grandes e fazer uma pausa pode ser importante. Forçar demais pode só dar dor de cabeça. A tensão do momento reflete em dores no corpo, especialmente na coluna, que podem ser amenizadas através de massagem.

Lua quadratura Sol – 08:38 às 13:01 (exato 10:50)
Algumas coisas não dão certo e a insatisfação pode surgir. Melhor mesmo é deixar para outra hora, pois quando se faz algo sem propósito o resultado não é positivo.

Lua sextil Netuno – 12:38 às 16:40 (exato 14:41)
Se o que estamos querendo ou precisando nesse momento é inspiração, a hora de fazer algo diferente é agora. Ouvir música clássica, música das esferas, entender as leis do universo, enfim, entrar em contato com aquilo que nos torna um com o todo.

Lua trígono Mercúrio – 20:41 às 00:54 de 09/02 (exato 22:50)
Agora a mente está mais aberta e com capacidade de raciocínio rápido. Mente e sentimento estão alinhados, assim, as tomadas de decisão ficam mais assertivas.

Lua trígono Plutão – 23:46 às 03:49 de 09/02 (exato 01:48 de 09/02)
A motivação e a confiança crescem juntamente com o poder pessoal e a

fé. Pode-se aumentar o calor nos relacionamentos, mantendo-os mais próximos. Questões de trabalho precisam de investigação e conclusão. Bom para terminar trabalhos intelectuais.

DIA 09 DE FEVEREIRO – QUARTA-FEIRA
☽ Crescente ☽ em Gêmeos às 07:26 LFC Início às 01:48 Fim LFC às 07:26

Enquanto a Lua estiver em Gêmeos, muitas informações, conversas e mensagens é o que mais acontece. Tudo fica interessante e desperta a curiosidade. O momento favorece atividades que precisem de divulgação, como propaganda e marketing, livros, blogs, e-books, jornalismo e relações públicas. A habilidade de negociação e articulação impulsiona muitos trabalhos. Pode haver certa instabilidade de humor, mas basta mudar o assunto que a situação melhora.

Hoje a Lua não faz aspecto com outros planetas no céu. Devemos observar recomendações para a fase e o Signo em que a Lua se encontra.

DIA 10 DE FEVEREIRO – QUINTA-FEIRA
☽ Crescente ☽ em Gêmeos

Lua quadratura Júpiter – 00:23 às 04:32 (exato 02:29)
Uma insatisfação é sentida de madrugada e nada abastece, tomar um chá quente e relaxante pode ajudar a relaxar. Não é uma boa hora para interagir nas redes sociais, pois palavras e imagens podem não expressar exatamente o pensamento.

Lua trígono Saturno – 15:16 às 19:23 (exato 17:21)
Hora certa para reuniões de trabalho e também sociais. A responsabilidade e a disciplina dão o tom da tarde. A escolha de lugares deve incluir bons serviços e austeridade. Elegância é fundamental.

DIA 11 DE FEVEREIRO – SEXTA-FEIRA
☽ Crescente ☽ em Câncer às 20:26 LFC Início às 05:23 Fim LFC às 20:26

Enquanto a Lua estiver em Câncer, são momentos especiais para estar em família ou com pessoas mais próximas. Melhor realizar atividades mais familiares e conhecidas. O cuidado da casa é muito gratificante, bem como da alimentação. Favorece os negócios de família, e com profissões que cuidam de crianças. Assuntos de reformas e mudanças de casa também ficam ativadas. Decoração e Arquitetura são valorizadas.

Lua quadratura Netuno – 01:40 às 05:45 (exato 03:45)
Ficamos tentados a mascarar aquela situação difícil dizendo que tudo vai ficar bem, sem agir em relação a isso. Muitas vezes as coisas precisam de um posicionamento realista. Pedir ajuda de um especialista pode ser uma solução.

Lua trígono Sol – 03:08 às 07:35 (exato 05:23)
A energia é vibrante e a confiança toma conta. Toda essa irradiação atrai pessoas e situações legais. É essa disposição que faz as coisas acontecerem. Hora de agir.

DIA 12 DE FEVEREIRO – SÁBADO
☽ *Crescente* ☽ *em Câncer*

Lua trígono Júpiter – 14:31 às 18:37 (exato 16:36)
Injeção extra de ânimo e disposição. Se o ritmo já estava bom, agora fica ainda melhor e nem todo mundo acompanha. Fazer uma atividade física vigorosa vai melhorar sobretudo o sistema muscular.

Lua sextil Urano – 16:48 às 20:49 (exato 18:50)
Tecnologia pode ser a maior aliada para desempenhar nossas tarefas de trabalho e aquelas atividades que nos dão prazer, como responder mensagens, tirar fotos e atualizar o status.

Lua oposição Marte – 23:13 às 03:28 de 13/02 (exato 01:22 de 13/02)
Uma atitude sem uma estratégia prévia pode levar a uma ação exagerada ou agressiva pouco indicada para esse momento. Tomar um banho, uma xícara de chá e fazer uma pausa antes de qualquer coisa é o ideal.

DIA 13 DE FEVEREIRO – DOMINGO
☽ *Crescente* ☽ *em Câncer*

Lua oposição Vênus – 00:40 às 04:50 (exato 02:45)

As pessoas parecem não estar colaborativas e, assim, surge uma sensação de vazio. Aguarde o sol nascer e tome um bom café da manhã que as coisas tomam seu rumo natural. Horário pouco indicado para intervenções estéticas e mudanças na decoração.

Lua trígono Netuno – 14:15 às 18:13 (exato 16:16)

Aproveite o encantamento da tarde para atividades que envolvam sensorial e imaginação. Ótimo para trabalhos artísticos e todas as mídias. Filmar e fotografar é um ótimo modo de fechar o domingo.

DIA 14 DE FEVEREIRO – SEGUNDA-FEIRA
☾ *Crescente* ☾ *em Leão às 08:17 LFC Início às 07:27 Fim LFC às 08:17*

Enquanto a Lua estiver em Leão, é importante valorizar e fazer atividades que dão prazer e satisfação. É um momento para dar vazão para aquilo que já se gosta e não tem dado tempo para fazer. Ir ao cinema, teatro, participar de jogos. Ser genuíno e cultivar atitudes de caráter enobrece nossas almas. As profissões que atuam bem são, por exemplo, medicina pediátrica e obstetra, as que lidam com entretenimento e as relacionadas com jogos e especulação.

Lua oposição Plutão – 01:08 às 05:04 (exato 03:08)

Não é hora de brincadeiras, nem aceitar desafios, a hora é de levar a sério e prestar atenção nas provocações que podem estar chegando tanto das pessoas quanto de situações. Tudo ou nada pode representar grandes perdas e muitas vezes uma saída estratégica é marcar para outro dia o que já estava programado.

Lua oposição Mercúrio – 05:18 às 09:33 (exato 07:27)

Manhã um pouco difícil para se chegar a um acordo. Transferir reuniões e encontros pode evitar que o desentendimento ponha em risco o que já se conquistou. Se não for possível remarcar, o jeito é ouvir as pessoas até o fim da argumentação e depois se posicionar.

DIA 15 DE FEVEREIRO – TERÇA-FEIRA
☾ *Crescente* ☾ *em Leão*

Lua quadratura Urano – 03:59 às 07:51 (exato 05:57)

Tem muita coisa acontecendo ao mesmo tempo, se não está preparado ou com uma autoestima elevada para enfrentar todas as situações, melhor é adiar qualquer atividade. Fazer yoga ou praticar meditação pode ajudar a minimizar a ansiedade.

Lua oposição Saturno – 15:42 às 19:33 (exato 17:39)

Um encontro social ou empresarial precisa ser previamente planejado e fazer um check-list bem feito é importante para o sucesso. Não estando pronto, o melhor a fazer é prevenir, ou seja, antecipar todas as dificuldades.

DIA 16 DE FEVEREIRO – QUARTA-FEIRA
○ *Cheia às 13:56 em 27º59' de Leão* ○ *em Virgem às 17:42 LFC Início às 13:58 LFC Fim às 17:42*

Enquanto a Lua estiver em Virgem, o ideal, é uma alimentação mais natural. Uma opção inteligente é cuidar da saúde com rotinas simples e que permitam conciliar trabalho e casa. Sabe aquela papelada acumulada na mesa? Momento bastante oportuno para organizá-la. Hoje se tem uma grande diversidade de formas naturais de se alimentar e beber, como os probióticos que podem entrar no cardápio com facilidade. Em alta, a atuação nas áreas de destreza manual, de engenharia e informática.

Lua oposição Sol – 11:53 às 15:58 (exato 13:56)

Quando alguém se opõe a nós, sentimos uma mágoa profunda. É um momento para se olhar o outro lado da questão e perceber que a outra pessoa também pode estar chateada. Procure um ponto em que fique bom para todos envolvidos, mesmo que para isso seja preciso ceder.

DIA 17 DE FEVEREIRO – QUINTA-FEIRA
○ *Cheia* ○ *em Virgem*

Lua oposição Júpiter – 12:33 às 16:18 (exato 14:27)

Menos pode ser mais. Se a tendência é exagerar em qualquer área, o melhor é buscar dentro de si mesmo a causa disso e diminuir qualquer excesso. Pessoas próximas podem estar exigindo muito.

Lua Trígono Urano – 12:41 às 16:23 (exato 14:34)

Com certeza, as coisas diferentes e fora do comum vão dar um toque especial a essa tarde. Uma pitada de irreverência torna tudo mais interessante e menos previsível. Trabalhos criativos têm sua vez agora.

DIA 18 DE FEVEREIRO – SEXTA -FEIRA
○ *Cheia* ○ *em Virgem LFC Início às 20:20*

Entrada do Sol no Signo de Peixes às 13h42min50seg

Lua trígono Vênus – 00:51 às 04:41 (exato 02:48)

Começar o dia dando uma geral na imagem ou na casa é tudo de bom. Há momentos em que tudo flui e encontramos as pessoas que nos ajudam a fazer as tarefas, mesmo nestas horas avançadas. Fica fácil interagir on--line e as imagens ficam ótimas.

Lua trígono Marte – 01:16 às 05:09 (exato 03:14)

Atitude é uma opção para o dia. Agir de acordo com as emoções sendo sincero consigo mesmo adianta muito. A atividade física mais ativa é revigorante.

Lua oposição Netuno – 08:32 às 12:11 (exato 10:23)

Com os pensamentos confusos, não se chega a lugar nenhum. Informações imprecisas e de fontes duvidosas não devem ser levadas em conta. Procedimentos médicos e resultados de exames podem apresentar erros, principalmente devido à falta de atenção.

Lua trígono Plutão – 18:30 às 22:08 (exato 20:20)

Agora é hora de desapegar de qualquer coisa, pessoa ou situação, que de alguma forma está travando o crescimento. Quando é possível desprender-se de algo que já acabou é a melhor coisa que pode acontecer: abre espaço para o novo.

DIA 19 DE FEVEREIRO – SÁBADO
○ *Cheia (disseminadora)* ○ *em Libra às 00:50 LFC Fim às 00:50*

Enquanto a Lua estiver em Libra, momento certo para cuidar da aparência. Ver o outro lado das pessoas, bem como o dos acontecimentos, vai ajudar a entender como as coisas estão ocorrendo e, assim, ter uma atitude mais ponderada e diplomática. Parcerias funcionam muito para empreender ou alavancar um novo projeto. Ter um sorriso no rosto ajuda a começar uma conversa ou negociação. Projetos arquitetônicos e de decoração são bem-sucedidos.

Lua trígono Mercúrio – 07:20 às 11:15 (exato 09:19)

Comunicação com elegância é o que acontece nesta manhã. As palavras e interações fluem corretamente e o resultado é muito bom. Não dá para desperdiçar a hora de escrever e criar nas redes e no home office.

DIA 20 DE FEVEREIRO – DOMINGO
○ *Cheia (disseminadora)* ○ *em Libra*

Lua trígono Saturno – 06:57 às 10:33 (exato 08:47)

Austeridade e elegância são os requisitos para começar esta manhã. Fica fácil planejar e executar com disciplina. Reuniões rendem muito. A produtividade está no seu máximo: excelente para contratar serviços profissionais e também executar tarefas que exijam alto grau de qualificação.

Lua quadratura Vênus – 09:41 às 13:25 (exato 11:35)

A sedução pode não funcionar muito bem. Dar atenção e carinho às pessoas é muito melhor que gerar expectativas, pois muitas vezes as pessoas estão indisponíveis. Não vale a pena trocar a foto de perfil neste momento.

Lua quadratura Marte – 10:32 às 14:17 (exato 12:26)

Parece que o final da manhã não rende, aparentemente, tudo vai estar travado. Até o trânsito fica difícil. Melhor fazer uma atividade física mais vigorosa e uma alimentação leve e saudável para restabelecer o equilíbrio do corpo.

DIA 21 DE FEVEREIRO – SEGUNDA-FEIRA
○ *Cheia (disseminadora)* ○ *em Escorpião às 06:18 LFC Início às 02:02*
LFC Fim às 06:18

Enquanto a Lua estiver em Escorpião, a energia é de controlar tudo e não tem meio-termo: ou é tudo ou nada. Momento excelente para mergulhar em um estudo, trabalho ou pesquisa. Há grande capacidade de aprofundamento e investigação. Interesse especial por assuntos de ocultismo e esoterismo. Profissões que se desenvolvem bem são as que lidam com dinheiro e terapias psicológicas e complementares. Bom para restauração.

Lua quadratura Plutão – 00:15 às 03:47 (exato 02:02)

Evitar confrontos mesmo que seja dentro dos pensamentos é o ideal, mas quando a cabeça não para é bom focar em uma atividade que traga distração. Assuntos financeiros, mesmo que somente para planejar, devem ficar para mais tarde.

Lua trígono Sol – 09:34 às 13:21 (exato 11:29)

O otimismo realmente ajuda a encontrar pessoas e atividades e tudo flui bem. Encontros de todos os tipos dão muito certo, sejam eles românticos ou profissionais. As situações têm um bom desfecho, tanto as negociações quanto os encontros.

Lua quadratura Mercúrio – 17:32 às 21:22 (exato 19:29)

Não é um bom momento para responder ou redigir mensagens de texto, pois o que está pensando em transmitir pode estar incorreto e é melhor revisar. Pode haver desentendimentos por falhas na comunicação e interpretações erradas das palavras.

DIA 22 DE FEVEREIRO – TERÇA-FEIRA
○ *Cheia (disseminadora)* ○ *em Escorpião*

Lua oposição Urano – 00:25 às 03:54 (exato 02:11)

Esta madrugada está cheia de ansiedade e sensação de urgência, o que pode significar que você já acorde se sentindo bastante cansado e atropelado por uma agenda que está completamente lotada e caótica. Sugestão: cancelar algumas atividades para dar espaço para os possíveis imprevistos.

Lua trígono Júpiter – 01:58 às 05:31 (exato 03:47)

Agora as coisas começam a se clarear e a fazer sentido, abrindo saídas para a situação que está se apresentando. A respiração é mais livre e o ânimo pode tomar conta do momento, trazendo otimismo e liberdade de ação.

Lua quadratura Saturno – 12:08 às 15:37 (exato 13:54)

O momento requer uma postura mais reservada. Um almoço tranquilo, de poucas palavras em um pequeno bistrô. O excesso de exigência pode estragar um encontro e, se o assunto é trabalho, melhor estar preparado.

Lua sextil Vênus – 17:05 às 20:43 (exato 18:58)

Horas auspiciosas para tudo o que gostamos ou queremos. Roupas, procedimentos estéticos ou adquirir pequenos luxos, agora é o momento ideal. A sedução vai dar certo.

Lua sextil Marte – 18:08 às 21:47 (exato 20:00)

Se o trabalho é em casa, ainda dá para agilizar tudo o que está para ser redigido ou enviado pela internet. A noite pode ser muito produtiva, pois a energia está alta.

Lua trígono Netuno – 19:16 às 22:44 (exato 21:02)

Inspiração e sintonia com o Cosmo. Olhar para o céu e transcender dá aquela sensação de pertencimento. O mesmo ocorre entre pessoas e a empatia, com poucas palavras, nos aproxima daqueles com quem temos afinidades. Alguém que você menos espera, irá aparecer.

DIA 23 DE FEVEREIRO – QUARTA-FEIRA

☽ *Minguante às 19:32 em 05º16' de Sagitário* ☽ *em sagitário às 10:28 LFC Início às 06:25 LFC Fim às 10:28*

Enquanto a Lua estiver em Sagitário, é importante observar quais metas lançadas anteriormente estão vingando e aí tocar em frente, deixando de colocar energia onde não tem futuro. Fazer um curso e viajar ampliam os horizontes. Cresce também o sentimento de liberdade e a necessidade de estar em ambientes mais abertos e com convívio de mais pessoas. Favorece o contato com pessoas e línguas estrangeiras. Trabalhar com viagens e turismo é muito prazeroso. Estudo de filosofia, culturas e religiões é muito enriquecedor. Outras áreas boas para atuação são as ligadas aos assuntos de leis e justiça, como advocacia. O cuidado é para os excessos de qualquer tipo, principalmente alimentar.

Lua sextil Plutão – 04:40 às 08:07 (exato 06:25)

Se é para recuperar algo, agora é um bom momento. Atividades que impliquem em restauração ou recuperação são o foco. Nas relações afetivas, a profundidade dos sentimentos se intensifica. É muito nobre dar uma segunda chance para alguém ou algo.

Lua quadratura Sol – 17:41 às 21:22 (exato 19:32)

A produtividade pode estar em baixa, assim como a disposição e energia. Não há consenso e nem um consentimento para o andamento das atividades. O cenário melhora se conseguir identificar onde está o ponto cego da situação.

DIA 24 DE FEVEREIRO – QUINTA-FEIRA
)) *Minguante*)) *em sagitário*

Lua sextil Mercúrio – 02:24 às 06:09 (exato 04:19)

Conversa inteligente com gente culta é o que pode aparecer, nem que seja virtualmente. Bom momento para produzir textos e responder quem está on-line. Facilidade para produzir textos e finalizar trabalhos finais de cursos.

Lua quadratura Júpiter – 06:35 às 10:02 (exato 08:20)

O excesso de qualquer coisa, como comida ou até trabalho, pode causar prejuízos. Às vezes, menos é mais. Estar disposto a cortar gastos fará bem. A procrastinação pode atrapalhar e adiar os compromissos importantes.

Lua sextil Saturno – 16:01 às 19:26 (exato 17:46)

A competência dá o toque do momento. Oportunidades de realizar as tarefas bem feitas. Contactar pessoas experientes e profissionais pode ser um recurso para desenvolver qualquer projeto. Bom momento para aprimorar o que já se domina.

Lua quadratura Netuno – 22:42 às 02:05 (exato 00:25 de 25/02)

Somente um bom filme pode minimizar a sensação de confusão que adentra a madrugada. Não é uma boa hora para escrever mensagens, pois a distração pode gerar erros. E a energia pode estar bem baixa, melhor descansar.

DIA 25 DE FEVEREIRO – SEXTA-FEIRA
)) *Minguante*)) *em Capricórnio às 13:27 LFC Início às 00:25*
LFC Fim às 13:27

Enquanto a Lua estiver em Capricórnio, a competência e o profissionalismo são desenvolvidos em todas as áreas. A preocupação com o futuro e com a carreira é importante nesta fase e é preciso investir em conhecimento e treinamento. Quando adquirir bens, que estes sejam bons, que durem. Este período favorece o desenvolvimento de assuntos mais pragmáticos e conservadores. As profissões que favoreçam a estabilidade são mais procuradas e cursos de aperfeiçoamento favorecem a promoção.

Hoje a Lua não faz aspecto com outros planetas no céu. Devemos observar recomendações para a fase e o Signo em que a Lua se encontra.

DIA 26 DE FEVEREIRO – SÁBADO
)) *Minguante (balsâmica)*)) *em Capricórnio*

Lua sextil Sol – 00:21 às 03:57 (exato 02:11)

Mesmo sendo madrugada o otimismo toma conta e a sensação de equilíbrio interno favorece realizações de trabalho e de entrar em contato com pessoas, mesmo não presentes. Foco e clareza norteiam as atividades agora, alta produtividade.

Lua trígono Urano – 06:59 às 10:20 (exato 08:42)

O uso criativo e funcional dos recursos mostra a competência de cada pessoa envolvida no projeto. Tanto em casa como no trabalho, a criatividade inovadora traz bons resultados. Pessoas novas e coisas diferentes aparecem.

Lua sextil Júpiter – 10:01 às 13:25 (exato 11:44)

Impulsionar é a palavra forte nestas horas. Mas pode ser melhor, é bom para empreender e para dar um empurrãozinho nos projetos. Comida boa e lugares alegres fazem muita diferença na sua vida. É para aproveitar.

DIA 27 DE FEVEREIRO – DOMINGO
☽ Minguante (balsâmica) ☽ em Aquário às 15:35
LFC Início às 11:50 LFC Fim às 15:35

Enquanto a Lua estiver em Aquário, a capacidade intelectual e as atividades de grupos são muito usadas. As pessoas estão dispostas a serem mais solidárias e fraternas. O novo e o inconvencional estão à disposição do coletivo. Tecnologia e avanços com a internet motivam e trazem novas formas de negócios e comunicação. Ser livre e sair da rotina pode ser a tônica dessa fase. Assumir posturas diferentes do tradicional é muito comum. As profissões em alta são ligadas às ciências humanas e tecnologia.

Lua sextil Netuno – 01:08 às 04:29 (exato 02:51)

A sintonia com as pessoas ao redor parece ajudar as coisas fluírem melhor. A parte artística e musical fica mais forte e pode influenciar o que se está fazendo. Sonhar permite encontrar saídas criativas para os impasses.

Lua conjunção Vênus – 04:19 às 07:51 (exato 06:07)

Investir na aparência mais autêntica vai cair bem. Usar a lei da atração neste momento é muito legal. Estes dois princípios, Lua e Vênus, são parte da química para atrair situações e pessoas boas para o momento presente.

Lua conjunção Marte – 05:19 às 08:50 (exato 07:07)

É hora de botar o corpo para se movimentar e começar o dia com muita disposição. Momento bom para realizar um serviço de modo autônomo. Se fizer reuniões, realize com poucas pessoas, pois a interação vai fluir melhor.

Lua conjunção Plutão – 10:09 às 13:29 (exato 11:50)

O desafio é manter a responsabilidade e eficiência em todo o processo. A tensão está presente em todos. A pressão é forte para terminar tarefas em todos os âmbitos da vida. Não se tem tempo para falar de sentimentos, por isso é bom procurar um profissional da área para ajudar no processo.

DIA 28 DE FEVEREIRO – SEGUNDA-FEIRA

)) *Minguante (balsâmica)*)) *em Aquário LFC Início às 23:02*

Lua quadratura Urano – 09:09 às 12:30 (exato 10:51)

Manhã tensa, com muitas interrupções e coisas inesperadas acontecendo, por isso o ideal seria adiar a maior parte das atividades para mais tarde. Tomar cuidado no trânsito é bom em todos os momentos, principalmente quando a cabeça está cheia de pensamentos e preocupações.

Lua conjunção Mercúrio – 17:19 às 21:02 (exato 19:12)

Expressar o que está sentindo ajuda as pessoas e as situações envolvidas a irem na direção certa. Quando tudo fica esclarecido, os relacionamentos fluem. As questões pessoais podem ser resolvidas através das mensagens de texto ou Whatsapp. As mídias sociais contribuem para o contato com pessoas mais afastadas.

Lua conjunção Saturno – 21:19 às 00:42 de 01/03 (exato 23:02)

O nível de exigência pode aumentar tanto para si mesmo quanto para os outros, e no final da noite o ideal mesmo é relaxar. Fazer uma avaliação do que deu errado e deixar a resolução para o melhor momento é a melhor saída.

Março 2022

Domingo	Segunda-feira	Terça-feira	Quarta-feira	Quinta-feira	Sexta-feira	Sábado
		1 ♓	2 ● 12°06' ♓	3 ♈	4	5
		Lua Minguante em Peixes às 17:53 LFC Fim às 17:53	Lua Nova às 14:34 em Peixes	Lua Nova em Áries às 21:52 LFC 18:46 às 21:52	Lua Nova em Áries	Lua Nova em Áries
6 ♉	7	8 ♊	9	10 ☽ 19°50' ♊	11 ♋	12
Lua Nova em Touro às 04:59 LFC 01:02 às 04:59	Lua Nova em Touro	Lua Nova em Gêmeos às 15:39 LFC 11:36 às 15:39	Lua Nova em Gêmeos	Lua Crescente às 07:45 em Gêmeos LFC Início às 13:43	Lua Crescente em Câncer às 04:24 LFC Fim às 04:24	Lua Crescente em Câncer
13 ♌	14	15	16 ♍	17	18 ○ 27°40' ♍ ♎	19
Lua Crescente em Leão às 16:31 LFC 12:45 às 16:31	Lua Crescente em Leão	Lua Crescente em Leão LFC Início às 07:57	Lua Crescente em Virgem à 01:58 LFC Fim à 01:58	Lua Crescente em Virgem	Lua Cheia às 04:17 em Virgem Lua em Libra às 08:25 LFC 05:12 às 08:25	Lua Cheia em Libra
20 ♏	21	22 ♐	23	24 ♑	25 ☽ 04°33' ♑	26 ♒
Lua Cheia em Escorpião às 12:44 LFC 09:41 às 12:44 Entrada do Sol no Signo de Áries às 12h33	Lua Cheia em Escorpião	Lua Cheia em Sagitário às 15:58 LFC 13:01 às 15:58	Lua Cheia em Sagitário	Lua Cheia em Capricórnio às 18:53 LFC 10:00 às 18:53	Lua Minguante às 02:37 em Capricórnio	Lua Minguante em Aquário às 21:55 LFC 20:51 às 21:55
27	28	29 ♓	30	31 ♈		
Lua Minguante em Aquário	Lua Minguante em Aquário LFC Início às 11:12	Lua Minguante em Peixes à 01:31 LFC Fim à 01:31	Lua Minguante em Peixes	Lua Minguante em Áries às 06:30 LFC 03:37 às 06:30		

Mandala Lua Nova Março

Lua Nova
02.03.2022
Às 14:34 em
12°06' de
Peixes

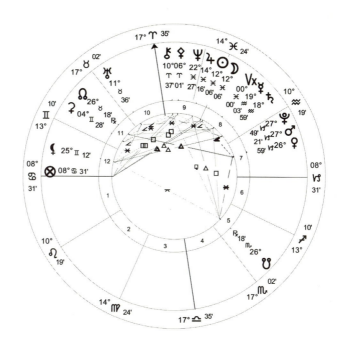

Mandala Lua Cheia Março

Lua Cheia
18.03.2022
Às 04:17 em
27°40' de
Virgem

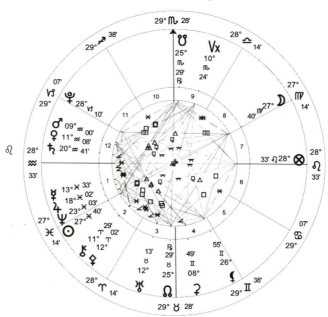

Céu do mês de março

As Piscianas "águas de março que fecham o verão" veem a linda Lua Nova do dia 02 trazendo uma configuração excepcionalmente benéfica e bastante rara de acontecer. O encontro do Sol e da Lua em Peixes acontece bem do lado de Júpiter e, mais rara ainda, pela presença de Netuno logo ali adiante formando um abençoado stellium no Signo de Peixes com a presença de seus dois regentes (Júpiter, o tradicional, e Netuno, o moderno).

Quem entende o significado disso sabe que é de extasiar a alma. Comparando em termos bem mundanos, poderíamos pensar no "royal straight flush" do jogo de pôquer. Essa posição, no entanto, nada tem de mundana, na verdade ela é bem espiritual: significa bênçãos, elevação mística, transcendência, altruísmo, humanitarismo, empatia, serviço social, inspiração artística e até milagres. É isso mesmo, em tempos assim pode-se ver claramente forças ocultas operando a nosso favor.

Poderíamos perguntar por que tem tanta importância se a Lua Nova só tem vigência por cerca de um mês? Aqui vem a boa nova: na verdade esta preciosa Lua Nova é apenas o prenúncio do início — o trailer do filme — do ciclo de Júpiter/Netuno que começará oficialmente no dia 12 de abril, mas que já nos abençoa e inspira desde já. Contaremos com este aspecto mágico nas próximas lunações. No mapa da Lua Crescente no dia 10, por exemplo, teremos o Sol alinhado aos dois (encontro exato com Júpiter no dia 05 e com Netuno no dia 13).

Para manter os pés no chão diante de um período tão mágico, neste mesmo dia 02, fazendo parte do mapa da Lua Nova, temos o encontro de Mercúrio e Saturno em Aquário, Signo no qual se afinam na capacidade de reflexão e sensatez e possibilita olhar os acontecimentos de uma perspectiva séria e realista. Logo em seguida, no dia 09, Mercúrio ingressa em Peixes combinando mais com a vibe poética e romântica do momento.

A conjunção Vênus/Marte segue firme e forte no Signo de Capricórnio e se faz presente no mapa da Lua Nova, chegando ao momento de maior força no dia 03, quando há o encontro com Plutão. O charme, a capacidade de sedução e o erotismo ganham muita força, podemos ir com tudo em busca dos nossos desejos. O cuidado aqui é para não ir com muita sede ao pote.

No dia 06, Vênus e Marte entram juntinhos no Signo de Aquário, mudando totalmente a perspectiva dos relacionamentos que passam a valorizar mais leveza, camaradagem e liberdade. Aos poucos, Vênus vai ganhando velocidade e começa a evoluir a frente de Marte, embora ainda mantenham certa proximidade. Entre os dias 19 e 22, um após o outro, se desarmonizam com Urano em Touro, quebrando de vez o elo de união, deixando os relacionamentos mais erráticos, instáveis e nervosos. Se levarmos em conta que isso acontece dentro do quadro de situações tão mágicas, podemos entender esses desentendimentos como "livramentos", ótimo momento para deixar ir o que não faz sentido e nos voltarmos para as forças maiores que estão atuando com mais potência, já que estaremos em plena Lua Cheia no dia 18.

A Lua Cheia é em Virgem, mas o Signo de Peixes continua roubando a cena. No momento exato do plenilúnio, Mercúrio e Sol enquadram a quase já formada conjunção Júpiter/Netuno desenhando, mais uma vez, um stellium no Signo de Peixes e realça de novo todo o contexto dado a graças divinas.

O eixo Virgem/Peixes se complementa no quesito do "servir", sejam ajudas de ordem prática ou a mãozinha divina nos salvando, nos apoiando em alguma situação. Plutão em Capricórnio, numa configuração especialmente benéfica, participa da lunação potencializando mais ainda os processos de cura e regeneração.

Mercúrio garante o "alto-astral" do momento com vários aspectos positivos com Urano (dia 17), Júpiter (dia 21), Netuno (dia 23) e Plutão (dia 26). Podemos ver as coisas de uma maneira aberta, positiva, inspirada e profunda e tudo isso fazendo parte de um dos eventos mais importantes do ano, que é o ingresso do Sol em Áries no dia 20, o equinócio de outono para o hemisfério Sul.

O "réveillon" astrológico se dá quando o Sol ingressa a 0° de Áries e recomeça seu caminho pelo Zodíaco, este é o verdadeiro início do ano do ponto de vista astrológico e a mágica e benéfica conjunção Júpiter/Netuno em Peixes é parte importante deste mapa, ao qual nos referiremos o ano todo como o "Mapa do Ingresso".

É um mapa bem eloquente, inclusive com informações um tanto contraditórias; a melhor delas é, sem sombra de dúvida, a excelente posição de

Mercúrio alinhado com a dupla Júpiter/Netuno em Peixes, que cai angular no mapa calculado para a nossa região (maior parte do Brasil) e ainda se alinha com o Sol em Áries no Meio do Céu. Fica como um "selo de qualidade" que garante que esse novo ano astrológico permitirá vibrações positivas, otimismo, fé e muito apoio mútuo.

Por outro lado, a dupla Vênus/Marte em Aquário em tensão com Urano em Touro sinaliza uma aceleração dos processos de mudança, podendo, inclusive, abalar nosso emocional, como se pode ver pela tensão Lua/Plutão no momento do ingresso. Será pela necessidade de se desapegar? O fato é que a humanidade vai ter que alterar a rota e manter-se aberta para novos tempos.

Depois de cumprir seu papel divino de dar destaque à dupla Júpiter/Netuno em Peixes no mapa do ingresso, nosso Mensageiro dos Deuses, Mercúrio, acelera e ingressa em Áries no dia 27. Bom período para "papo reto", expor nossas ideias de maneira franca e direta.

Vênus em Aquário também começa a ganhar velocidade e termina o mês de mãos dadas com Saturno. É tempo de maior seletividade e compromisso, os relacionamentos são postos à prova e nas questões econômicas e financeiras é tempo de economia e contenção.

Posição diária da Lua em março

DIA 01 DE MARÇO – TERÇA-FEIRA
)) *Minguante (balsâmica)*)) *em Peixes às 17:53 LFC Fim às 17:53*

Enquanto a Lua estiver em Peixes, estaremos mais sensíveis ao que se passa ao entorno. Ficará mais difícil descriminar emoções que sejam suas ou do ambiente em que está inserido. A energia do Signo de Peixes transborda nossa sensibilidade, aumentando a percepção além da esfera pessoal.

Respeite um ritmo mais lento e mais introspectivo. Use a sensibilidade para ativar a criatividade, encontrando respostas e até outras soluções antes impensadas. Se puder, opte por se poupar em relações de assuntos mais difíceis de serem abordados, já que haverá potencialização das emoções.

DIA 02 DE MARÇO – QUARTA-FEIRA
● *Nova às 14:34 em 12°06' de Peixes* ● *em Peixes*

Lua sextil Urano – 11:58 às 15:26 (exato 13:44)

A Lua Nova é indicação de um novo ciclo que se inicia sob o colorido do Signo de Peixes, que pede mais sensibilidade e entendimento para encontrar a melhor solução para os desafios que se apresentarem. A energia de Urano nos tornará uma antena parabólica, atraindo insight e uma impetuosidade ao agir, principalmente nos deixando mais ágeis na solução de imprevistos. Aproveite!

Lua conjunção Sol – 12:43 às 16:26 (exato 14:34)

Ao alinharmos nossas emoções com nossos objetivos fica mais fácil conquistar resultados positivos. Excelente momento para abordar temas mais espinhosos, uma vez que a empatia tenderá a prevalecer, fazendo com que as diferenças não sejam obstáculos para se chegar num denominador comum.

Lua conjunção Júpiter – 16:38 às 20:09 (exato 18:23)

Vai com tudo, no entanto, cuidado com exagero. Ficará difícil conter entusiasmo, desejos, emoções e sentimentos diante de qualquer situação que se apresente. Cuidado com compensações, já que nossas emoções, sentimentos, vontades terão maior dificuldade de saciedade.

DIA 03 DE MARÇO – QUINTA-FEIRA
⬤ *Nova* ⬤ *em Áries às 21:52 LFC Início ás 18:46 LFC Fim às 21:52*

Enquanto a Lua estiver em Áries, estaremos mais corajosos na busca dos nossos desejos. O Signo de Áries traz uma energia de início, nos tirando da zona de conforto, principalmente diante de uma situação que de alguma forma exige impetuosidade.

Lua conjunção Netuno – 06:51 às 10:22 (exato 08:39)
Se puder, acorde um pouco mais cedo, pois a tendência será de nos atrasarmos. Estaremos mais preguiçosos, mais lentos e com dificuldade de canalizar a energia para cumprimento das tarefas preestabelecidas. Seria interessante espaçar os compromissos, respeitando um ritmo mais lento. Respeite-se, do contrário, poderá resultar em irritabilidade diante de qualquer tipo de pressão.

Lua sextil Plutão – 16:16 às 19:49 (exato 18:04)
Tarde extremamente produtiva, principalmente para resolver questões que antes pareciam impossíveis. A energia de Plutão revigora e refaz laços, sendo excelente momento para investir em situações que necessitem de acordos ou desfazer uma má impressão.

Lua sextil Vênus – 16:21 às 20:08 (exato 18:16)
Seu poder de sedução será seu aliado para conquista dos objetivos traçados. Não será através da arrogância que conseguirá o que deseja. Utilize da diplomacia, investindo num comportamento esteticamente agradável para impor o ritmo de qualquer tipo de negociação. Fazer algo prazeroso será um combustível extra para cumprir sua rotina. Cultive o amor.

Lua sextil Marte– 16:52 às 20:37 (exato 18:46)
É no final da tarde que sua energia estará a todo vapor. Nada será encarado com preguiça. Atividades físicas mais intensas proporcionarão um bem-estar físico. Não descarte uma noite de intensa paixão.

DIA 04 DE MARÇO – SEXTA-FEIRA
🌑 *Nova* 🌑 *em Áries*

Hoje a Lua não faz aspecto com outros planetas no céu. Devemos observar recomendações para a fase e o Signo em que a Lua se encontra.

DIA 05 DE MARÇO – SÁBADO
🌑 *Nova* 🌑 *em Áries*

Lua sextil Saturno – 07:03 às 10:48 (exato 08:57)
Manhã de sábado produtiva, aproveite para colocar a vida em dia. Tudo o que estiver atrasado ou foi deixado de lado durante a semana poderá ser concluído. Estaremos dispostos a fazer sacrifícios em função da responsabilidade assumida.

Lua sextil Mercúrio – 14:42 às 18:56 (exato 16:50)
Aproveite para colocar o papo em dia com amigos que não vê há tempos. Isso lhe trará uma satisfação enorme, assim como tudo que trouxer algum tipo de novidade. A troca de informação acalmará a sua necessidade de movimento. Excelente energia para estudar, divulgar trabalhos e interagir.

Lua quadratura Plutão – 23:07 às 02:55 de 06/03 (exato 01:02 de 06/03)
A intensidade das emoções deverá ser contida para não trazer à tona sentimentos de rejeição ou mágoas oriundas de situações mal resolvidas. A tendência será intensificarmos sentimentos de abandono ou rejeição, diante de qualquer necessidade não atendida. Evite confrontos. Não é hora de testar seu poder.

DIA 06 DE MARÇO – DOMINGO
🌑 *Nova* 🌑 *em Touro às 04:59 LFC Início às 01:02 LFC Fim às 04:59*

Enquanto a Lua estiver em Touro, a tendência será manter e preservar nossas conquistas. Privilegiaremos a estabilidade em detrimento da impulsividade de se lançar no novo. O Signo de Touro tem como principais características a firmeza, a paciência e a determinação, sendo um excelente momento para consolidar posições.

Lua quadratura Marte – 03:04 às 07:07 (exato 05:07)

Inicie o dia preparado para encontrar obstáculos. Aborrecimentos tenderão a colorir essa manhã. Assim, tente iniciar o dia com um banho relaxante e um revigorante dejejum para encarar a rotina de forma mais equilibrada. Evite cair em provocações, pois os ânimos estarão exaltados.

Lua quadratura Vênus – 03:04 às 07:08 (exato 05:08)

Prepare-se para as coisas não saírem como o esperado. Encare da melhor maneira possíveis desafetos que possam vir a ocorrer. Releve, cultivando a diplomacia. Desavenças poderão surgir, exigindo maior energia para serem revertidas posteriormente.

DIA 07 DE MARÇO – SEGUNDA-FEIRA
● Nova ● em Touro

Lua conjunção Urano – 01:40 às 05:35 (exato 03:39)

Madrugada intensa, que pode resultar num sono mais agitado e pouco revigorante. O dia começará elétrico, sendo importante estar pronto para lidar com situações emergenciais. Evite a postergação e esteja pronto para agir rapidamente. Tenha em mente que tudo pode sair diferente do que foi programado.

Lua sextil Júpiter – 08:49 às 12:49 (exato 10:50)

Manhã fértil banhada de bom humor e uma deliciosa sensação de bem-estar. Uma sensação de amplitude pode motivar ações mais ousadas. Estarão favorecidos estudos que ampliem seu conhecimento. Assuntos de justiça tenderão a maior resolutividade.

Lua sextil Sol – 11:54 às 16:11 (exato 14:04)

Há uma convergência do que sentimos e o que desejamos. O equilíbrio das emoções facilitará a ação com maior chance de assertividade. Excelente para redefinir estratégias devido à maior clareza do que verdadeiramente envolve o assunto em questão.

Lua quadratura Saturno – 16:56 às 20:55 (exato 18:57)

Haverá um sentimento de exaustão, tanto físico como emocional. Descanse, evitando realizar atividades mais intensas nessa parte do dia. A impaciência e o mau humor poderão causar desafetos, ao ter que encarar qualquer tipo de impedimento. Evite contar com os outros, pois a tendência será se frustrar.

Lua sextil Netuno – 23:03 às 03:02 de 08/03 (exato 01:04 de 08/03)
Crie um clima de encantamento, seja saboreando um delicioso vinho, uma massagem com óleo relaxante e até deitar a cabeça no seu delicioso travesseiro, agradecendo tudo de bom que conquistou. Com certeza, seus sonhos tenderão a ser inspiradores.

DIA 08 DE MARÇO – TERÇA-FEIRA
● *Nova* ● *em Gêmeos às 15:39 LFC Início às 11:36 LFC Fim às 15:39*

Enquanto a Lua estiver em Gêmeos, estaremos mais abertos ao diálogo. Excelente momento para promover encontros, debates ou qualquer tipo de interação. A tendência é que haja maior abertura para negociações. Invista na agilidade mental. Informe-se.

Lua quadratura Mercúrio – 08:46 às 13:21 (exato 11:06)
Empecilhos poderão surgir tanto nos deslocamentos quanto na execução do que havia sido programado. Diminua o ritmo tentando focar no que realmente é importante. Faça backup de todo o seu trabalho, pois poderão ocorrer problemas com os aparelhos eletrônicos.

Lua trígono Plutão – 09:34 às 13:34 (exato 11:36)
Banhe-se nessa energia revigorante e invista em situações que pareciam perdidas. A energia de Plutão cura e regenera situações que pareciam perdidas. Excelente energia para dar um gás em projetos que ficaram esquecidos.

Lua trígono Marte – 17:31 às 21:48 (exato 19:42)
Final do dia produtivo. Terminaremos o dia cheio de gás para dar continuidade ao que ainda falta ser feito. Se tiver trabalhos atrasados, aproveite para colocá-los em dia. Invista numa atividade física que revigore seu corpo. Vitalidade.

Lua trígono Vênus – 18:16 às 23:37 (exato 20:28)

Excelente para tratamentos estéticos ou dar aquela mudada no visual. Invista num programa a dois, com quem você verdadeiramente sabe que lhe quer bem. A noite promete momentos de amor e afetividade.

DIA 09 DE MARÇO – QUARTA-FEIRA
● *Nova* ● *em Gêmeos*

Lua quadratura Júpiter – 22:02 às 02:10 de 10/03 (exato 00:08 de 10/03)

Não deixe que a insatisfação tire o seu sono. Calma, respire para não compensar e atacar a geladeira ou fazer compras impulsivas pela internet. As dificuldades e os obstáculos podem ser vencidos pela inteligência. Acalme-se, amanhã será um novo dia.

DIA 10 DE MARÇO – QUINTA-FEIRA
☾ *Crescente às 07:45 em 19º50' de Gêmeos* ☾ *em Gêmeos*
LFC Início às 13:43

Lua quadratura Sol – 05:32 às 09:58 (exato 07:45)

O desafio será conjugar racionalidade e sensibilidade. Duvide das impressões emocionais. Opte pelo que vê de concreto. Racionalize suas ações, articulando soluções viáveis. Nem que precise abrir mão, provisoriamente, das suas aspirações.

Lua trígono Saturno – 05:44 às 09:50 (exato 07:49)

Manhã produtiva, a rotina será encarada com bastante naturalidade. Os sacrifícios necessários para honrar com os compromissos não pesarão como de habitual. Organize-se e aproveite para acelerar compromissos postergados.

Lua quadratura Netuno – 11:40 às 15:44 (exato 13:43)

Tente descansar na hora do almoço e, se puder, diminua o ritmo na parte da tarde. Espace compromissos, pois a tendência é que não dê conta de uma agenda muito ocupada. Fisicamente pode ter que lidar com algum tipo de indisposição. Postergue decisões importantes e leia e releia tudo o que for assinar.

DIA 11 DE MARÇO – SEXTA-FEIRA
☾ *Crescente* ☾ *em Câncer às 04:24 LFC Fim às 04:24*

Enquanto a Lua estiver em Câncer, estaremos mais suscetíveis aos assuntos familiares ou que correspondam aos vínculos mais íntimos. Que tal curtir a casa, compartilhando a sua intimidade com quem verdadeiramente lhe quer bem? Excelente momento para relembrar amizades, procurando aquele amigo querido com quem você não fala há tempos. Relembrar bons momentos com aqueles com quem você se sente seguro e amado, alimentará o corpo, a alma e o coração. Experimente!

Lua trígono Mercúrio – 06:39 às 11:20 (exato 09:02)
Estaremos alertas, sedentos de informações novas que acrescentem algo em velhos assuntos. Haverá maior receptividade, sendo um excelente momento para aquela conversa que exija maior abertura para se chegar a um denominador comum. Bom momento para intensificar e se dedicar aos seus estudos.

DIA 12 DE MARÇO – SÁBADO
☾ *Crescente* ☾ *em Câncer*

Lua sextil Urano – 02:36 às 06:38 (exato 04:39)
Madrugada recheada de estímulos positivos. Tenderemos a iniciar o dia mais animados, cheio de energia para fazer algo novo. Programe uma viagem com a família para esse fim de semana. Mudar de ares fará bem para criatividade.

Lua trígono Júpiter – 12:03 às 16:09 (exato 14:08)
Você estará animado e otimista, principalmente, se ousarmos seguir nossos sonhos. Programas ao ar livre poderão trazer uma sensação de liberdade que satisfarão a vontade de expandir seus horizontes.

Lua trígono Sol – 23:41 às 04:02 de 13/03 (exato 01:53 de 13/03)
Final do dia banhado por uma sensação de plenitude. Aproveite para relaxar, desfrutando de uma harmonia interna, já que hoje tudo tenderá a fluir em total conexão. Há uma convergência entre seus desejos e seus sentimentos.

DIA 13 DE MARÇO – DOMINGO
☾ *Crescente* ☾ *em Leão às 16:31 LFC Início às 12:45 LFC Fim às 16:31*

Enquanto a Lua estiver em Leão, privilegie o que lhe dá prazer, se colocando em primeiro lugar. Ovacione suas qualidades, a fim de criar uma atmosfera de maior entusiasmo em tudo o que se propuser a realizar. Ficará mais fácil ser reconhecido pelos seus feitos, se estes forem temperados com uma pitada de alegria e generosidade.

Lua trígono Netuno – 00:25 às 04:24 (exato 02:26)
Noite revigorante, em que conseguiremos relaxar e vivenciar sonhos frutos das inspirações captadas do inconsciente. Aproveite para meditar ao acordar, isso equilibrará suas emoções internas. É um dia para deixar as coisas acontecerem sem muita intromissão. Confie.

Lua oposição Plutão – 10:45 às 14:42 (exato 12:45)
Se conseguir, saia de fininho ou se faça de invisível, não caindo em provocações, mesmo que essas reabram antigas feridas emocionais. A melhor saída é racionalizar a situação e se colocar de forma madura, negociando uma saída menos dolorosa. Situações no limite tenderão ao rompimento. Cuidado, reflita antes de tomar qualquer decisão no calor das emoções. Você precisa ter consciência da sua capacidade, não permitindo que o outro lhe tire do equilíbrio.

DIA 14 DE MARÇO – SEGUNDA-FEIRA
☾ *Crescente* ☾ *em Leão*

Lua oposição Marte – 02:12 às 06:21 (exato 04:19)
Inicie o dia com calma; se puder, acorde uma hora mais cedo e tome um banho relaxante e um café revigorante. Prepare-se para um dia competitivo. Exercícios serão bem-vindos por diminuírem a ansiedade. Estaremos impacientes e extremamente na defensiva. Evite discussões.

Lua oposição Vênus – 05:53 às 09:05 (exato 07:01)
O desafio, no momento, será manter a autoestima em alta. Estaremos apagadinhos, carentes e insatisfeitos. Evite reclamar da vida, tentando ver o lado bom dos acontecimentos. Tudo é aprendizado e passa. Não

conte com a ajuda dos outros, pois as pessoas estarão pouco disponíveis para colaborar.

Lua quadratura Urano – 14:05 às 17:57 (exato 16:03)
Tarde intensa, em que necessitará de jogo de cintura para dar conta de possíveis imprevistos que venham a ocorrer. Se puder, espace compromissos e diminua o ritmo, evitando fazer mais de uma coisa ao mesmo tempo. Isso lhe deixará menos ansioso.

DIA 15 DE MARÇO – TERÇA-FEIRA
☾ Crescente ☾ em Leão LFC Início às 07:57

Lua oposição Saturno – 06:00 às 09:50 (exato 07:57)
Vai ser difícil levantar-se da cama. Mas evite deixar que o desânimo abale sua produtividade. Acolha seu cansaço e vá mais devagar, priorizando assuntos mais importantes. Você tenderá a se sentir muito exigida ao absorver responsabilidades que não são suas. É um dia para pegar mais leve e, se puder, poupe-se.

DIA 16 DE MARÇO – QUARTA-FEIRA
☾ Crescente ☾ em Virgem à 01:58 LFC Fim à 01:58

Enquanto a Lua estiver em Virgem, estaremos mais práticos e empenhados em realizar qualquer coisa da melhor forma possível. Excelente para colocar a vida em dia, descartando situações desnecessárias. Faxine o armário, a vida, os sentimentos. Às vezes, começa a ficar insuportável empurrar para debaixo do tapete.

Lua oposição Mercúrio – 21:01 à 01:13 de 17/03 (exato 23:09)
A dificuldade será manter a atenção para o que importa. Facilmente, podemos deixar a mente vagar, sem ter a clareza necessária para analisar qualquer situação. Não é recomendado tomar nenhuma decisão importante. A comunicação tenderá a ficar dificultada, cuidado para não ser mal interpretado.

Lua trígono Urano – 22:34 às 02:14 de 17/03 (exato 00:26 de 17/03)

Se você anda muito preocupado com um determinado assunto, é um excelente momento para dar um rumo novo se conseguir desapegar de antigos paradigmas. A sensação será de alívio e libertação. Energia de Urano instiga a novas ideias, insights e soluções criativas. Aproveite.

DIA 17 DE MARÇO – QUINTA-FEIRA
☽ *Crescente* ☽ *em Virgem*

Lua oposição Júpiter – 08:53 às 12:33 (exato 10:45)

Analise se suas expectativas se encontram dentro da realidade, evitando futuras frustrações. Pode ser que você tenha maximizado uma situação, além do necessário. Hoje será preciso vigiar os sentimentos para conter os exageros. Verifique se você está realizando coisas além da sua capacidade de dar conta.

Lua oposição Netuno – 18:14 às 21:49 (exato 20:03)

Vamos terminar o dia exaustos, tanto fisicamente como psicologicamente. Estaremos mais vulneráveis e sensíveis aos acontecimentos a nossa volta. Tome muito cuidado para não cometer exageros. Moderação é a palavra de ordem. Se possível, vá para a cama mais cedo e descanse.

DIA 18 DE MARÇO – SEXTA-FEIRA
○ *Cheia às 04:17 em 27°40' de Virgem* ○ *em Libra às 08:25*
LFC Início às 05:12 LFC Fim 08:25

Enquanto a Lua estiver em Libra, a diplomacia e a cordialidade serão importantes para se conquistar os objetivos traçados. Os relacionamentos estarão em evidência, já que ficará mais gostoso compartilhar momentos de prazer. Aproveite para dar mais atenção ao seu companheiro, ou mesmo um amigo que anda meio cabisbaixo. Assuntos jurídicos também estarão favorecidos.

Lua oposição Sol – 02:22 às 06:12 (exato 04:17)

Não se angustie se as coisas não estão tão claras para você. O momento pede equilíbrio emocional a fim de não colocar a "carreta na frente dos bois". Tudo tem sua hora, para acontecer portanto, acalme-se, e espere o horizonte clarear.

Lua trígono Plutão – 03:24 às 06:57 (exato 05:12)

Madrugada revigorante, favorável para curas e transformações. Aproveite para reavaliar situações. Antigas lembranças poderão emergir, para, enfim, serem resolvidas. Haverá grandes chances de que você veja as coisas de outro modo, finalmente se livrando de lixos emocionais.

Lua trígono Marte – 23:37 às 03:19 de 19/03 (exato 01:30 de 19/03)

Você estará animado e cheio de energia. Excelente para sair com amigos ou com a pessoa amada. Tome coragem e convide aquela pessoa que não sai dos seus pensamentos. Vai ser difícil deixar para outro dia aquilo que pode ser resolvido hoje.

DIA 19 DE MARÇO – SÁBADO
○ *Cheia* ○ *em Libra*

Lua trígono Vênus – 03:59 às 07:45 (exato 05:54)

Acordaremos bem dispostos. Se estiver acompanhado, compartilhe momentos de prazer, realizando programas que aguçem seu poder de sedução. Se estiver sozinho, é um excelente dia para curtir a vida e, quem sabe, esbarrar em alguém interessante. Faça coisas prazerosas, tente se divertir e se esquecer um pouco dos problemas. Se precisar fazer as pazes com alguém, o momento é esse.

Lua trígono Saturno – 19:13 às 22:43 (exato 21:00)

A noite tende a ser agradável, você estará se sentindo seguro emocionalmente. Se precisar colocar o trabalho em dia, será produtivo. Já que não pesará tanto, encare com eficiência as tarefas que faltam.

DIA 20 DE MARÇO – DOMINGO
○ *Cheia* ○ *em Escorpião às 12:44 LFC Início às 09:41 LFC Fim 12:44*

Entrada do Sol no Signo de Áries às 12h33min14seg
Equinócio da Primavera H. Norte – Equinócio de Outono H. Sul
Enquanto a Lua estiver em Escorpião, tudo tende a ser sentido de forma intensa. Ficamos mais sensuais, nos deixando levar por sensações erotizadas. Mergulhamos fundo nas questões abordadas e em tudo o que nos

propomos a realizar. Nada passará despercebido, principalmente o que não é mostrado. Evite alimentar antigos ressentimentos.

Lua quadratura Plutão – 07:59 às 11:23 (exato 09:41)

Aproveite a manhã de domingo para realizar um programa mais leve. Tente espairecer a mente, desviando a atenção de situações mal resolvidas ou remoendo emoções que acabam fazendo mal para sua alma. Evite abordar assuntos mais tensos. Escute mais do que fale, sempre policiando as palavras. Não é momento de atacar, e sim de tentar escapar de qualquer tipo de provocação. Poupe-se.

DIA 21 DE MARÇO – SEGUNDA-FEIRA
○ *Cheia (disseminadora)* ○ *em Escorpião*

Lua quadratura Marte – 06:27 às 10:04 (exato 08:18)

Hoje o dia começará agitado, se puder, intensifique os exercícios matinais para acalmar os ânimos. A tendência é a impaciência, podendo fazer uma tempestade num copo d'agua. Conte até três quando for contestado.

Lua oposição Urano – 08:14 às 11:40 (exato 09:59)

O importante é ter jogo de cintura. Situações inesperadas poderão tumultuar sua manhã. Tente fazer uma coisa de cada vez, para não impor um ritmo que acelere ainda mais, resultando em uma ansiedade. Tome cuidado com acidentes ao tentar dar conta de mais de uma coisa ao mesmo tempo.

Lua quadratura Vênus – 11:43 às 15:23 (exato 13:35)

Prepare-se para situações adversas, não se deixando abater por resultados negativos. Afinal de contas, nem sempre tudo sai como o esperado. Não é um dia propício para procedimentos estéticos.

Lua trígono Júpiter – 19:24 às 22:52 (exato 21:10)

A noite promete momentos agradáveis. Tente se divertir fazendo algo diferente, fora do habitual. A sorte estará ao seu lado. Aproveite para enxergar de um ângulo mais amplo uma situação antiga que vem tirando seu sono. Olhe para a vida com otimismo.

Lua trígono Mercúrio – 21:28 à 01:23 de 22/03 (exato 23:27)

A mente estará aguçada, com grande poder de memorização. Excelente para estudar algo novo, ler um livro. Quanto mais se informar de algo, mais vai se sentir emocionalmente equilibrado.

Lua quadratura Saturno – 23:06 às 02:32 de 22/03 (exato 00:51 de 22/03)

Vamos terminar o dia exaustos. Tente poupar-se, não se cobrando tanto. Dificilmente conseguiremos estender muito, seja com o trabalho ou com o estudo. Procure descansar. Isso amenizará o mau humor.

DIA 22 DE MARÇO – TERÇA-FEIRA
○ *Cheia (disseminadora)* ○ *em Sagitário às 15:58 LFC Início às 13:01*
LFC Fim às 15:58

Enquanto a Lua estiver em Sagitário, estaremos estimulados a ampliar os horizontes. Programar uma viagem ou mesmo aprender um novo idioma poderá ser uma forma de sair do corriqueiro. O alto-astral tenderá a prevalecer. Só não exagere, mantendo o foco em suas metas. Assim ficará mais fácil vencer qualquer tipo de obstáculo que surgir.

Lua trígono Netuno – 02:43 às 06:07 (exato 04:27)

Madrugada relaxante, resultando num descanso revigorante. Tente começar o dia de maneira mais leve, sem tanta pressão. Seu lado criativo estará apurado. Não descarte qualquer ideia que vier na sua cabeça.

Lua sextil Plutão – 11:18 às 14:42 (exato 13:01)

Excelente energia para reverter uma situação de prejuízo. A palavra de ordem é transformação, seja de um negócio, de uma relação ou mesmo da aparência. Acredite no seu potencial.

Lua trígono Sol – 18:02 às 21:41 (exato 19:53)

Energia harmoniosa, favorecendo qualquer tipo de encontro. As emoções estarão alinhadas com os acontecimentos. Não desperdice a oportunidade de esclarecer qualquer tipo de mal-entendido. Invista num encontro a dois, pois poderá render bons frutos.

DIA 23 DE MARÇO - QUARTA-FEIRA
◯ Cheia (disseminadora) ◯ em Sagitário

Lua sextil Marte – 12:23 às 15:59 (exato 14:13)

O momento é favorável para se tomar uma atitude, principalmente se for um assunto que você vem postergando. Estaremos com iniciativa e coragem para lutar pela nossa vontade. Uma dose de energia extra resultará num dia excepcionalmente produtivo.

Lua sextil Vênus – 18:38 às 22:18 (exato 20:30)

O clima de cordialidade deve banhar seu início de noite. Estaremos mais receptivos, facilitando entendimentos, acordos e qualquer tipo de esclarecimento. Excelente dia para aproveitar um jantar a dois ou então curtir com amigos queridos. Não desperdice a oportunidade de fazer algo que lhe faça verdadeiramente bem. Período favorável para tratamentos estéticos.

Lua quadratura Júpiter – 23:15 às 02:42 de 24/03 (exato 01:01 de 24/03)

Estaremos com o nível de exigência muito alto. Procure não exagerar nas suas colocações ou atitudes das quais venha a se arrepender amanhã. Valorize o que está ao seu alcance.

DIA 24 DE MARÇO - QUINTA-FEIRA
◯ Cheia (disseminadora) ◯ em Capricórnio às 18:53 LFC Início às 10:00
LFC Fim às 18:53

Enquanto a Lua estiver em Capricórnio, estaremos mais pragmáticos encarando as situações como elas se apresentam. Não será qualquer coisa que nos tirará do foco. Assuntos de trabalho tenderão a ser privilegiados neste momento. Dificilmente desistiremos de cumprir qualquer compromisso.

Lua sextil Saturno – 02:25 às 05:50 (exato 04:10)

Afaste a preguiça e o baixo-astral. A tendência é que encaremos as tarefas com sorriso nos lábios. Aproveite e dê um gás no seu trabalho. Nem sempre estamos animados para novas conquistas.

Lua quadratura Netuno – 05:48 às 09:12 (exato 07:32)

Procure deixar tudo organizado na véspera. A tendência é que fiquemos mais dispersos e enrolados para resolver assuntos que exijam mais atenção. Não é um bom momento para assinar contratos. Leia e releia várias vezes. Cuidado para não perder objetos.

Lua quadratura Mercúrio – 08:01 às 11:55 (exato 10:00)

Esforce-se para se fazer entender. A comunicação estará dificultada. A tendência é que tenhamos que dar conta de duas coisas ao mesmo tempo. Prepare-se e tenha jogo de cintura. Cheque todas as informações que receber.

DIA 25 DE MARÇO – SEXTA-FEIRA
)) *Minguante às 02:37 em 04º33' de Capricórnio*)) *em Capricórnio*

Lua quadratura Sol – 00:47 às 04:26 (exato 02:37)

Instabilidade emocional pode tirar você do foco. Lembre-se de que contratempos são para serem vencidos e não para nos tirar do jogo. Mantenha a calma e siga em frente.

Lua trígono Urano – 14:33 às 17:57 (exato 16:17)

Tarde animada, em que tudo o que é novo será introduzido de forma certeira. Estaremos criativos para implantar novas soluções para antigos assuntos. A versatilidade pode trazer resultados inesperados. Esteja aberto a novos conceitos.

DIA 26 DE MARÇO – SÁBADO
)) *Minguante*)) *em Aquário às 21:55 LFC Início às 20:51 LFC Fim às 21:55*

Enquanto a Lua estiver em Aquário, estaremos mais livres e menos presos a antigos preceitos. Nossas decisões tenderão a levar em consideração o todo e não apenas o que nos favorece. A ideia de compartilhar ficará mais forte, favorecendo trabalhos em equipe. Prefira programas em grupo.

Lua sextil Júpiter – 03:04 às 06:32 (exato 04:50)

Energia de sorte. Anime-se e comece o dia cheio de otimismo que tudo ocorrerá como o desejado. Estaremos sedentos por conhecimento. Ótimo para se dedicar a um assunto que lhe transporte para além do conhecido. Expanda sua mente.

Lua sextil Netuno – 08:53 às 12:18 (exato 10:38)

Esta manhã está inspiradora. Faça menos força e se deixe levar pelo fluxo dos acontecimentos. Acredite, às vezes é a melhor solução. Fique atento às suas intuições. Estaremos mais conectados com a energia do entorno.

Lua conjunção Plutão – 17:21 às 20:46 (exato 19:05)

Vista a camisa da humildade. Do contrário, o adversário poderá crescer em cima de você. Não é dia para discussões. O melhor a fazer é passar despercebido.

Lua sextil Mercúrio – 18:52 às 22:49 (exato 20:51)

Use a inteligência para sair de situações desfavoráveis. Novas ideias tenderão a surgir, facilitando o surgimento de soluções. Você não desperdiçará uma boa conversa. Conversando, trocando experiências, pode chegar a novas conclusões. Circule.

DIA 27 DE MARÇO – DOMINGO
☽ *Minguante* ☽ *em Aquário*

Lua sextil Sol – 07:43 às 11:25 (exato 09:36)

Sensação de que o universo se abriu e tudo ficou mais claro e esclarecido. Aproveite o bom humor e vá curtir o domingo. Exercite-se ao ar livre, aproveitando para energizar seu corpo e descarregar a tensão da semana.

Lua quadratura Urano – 17:54 às 21:21 (exato 19:39)

Para que se irritar no final do fim de semana? Deixe para lá, porque você não pode ter controle de tudo. Nem sempre as coisas acontecem como você deseja. Não deixe que imprevistos lhe tirem do sério.

DIA 28 DE MARÇO – SEGUNDA-FEIRA
☽ *Minguante (balsâmica)* ☽ *em Aquário LFC Início às 11:12*

Lua Conjunção Marte – 00:19 às 03:57 (exato 02:09)

Madrugada cheia de erotismo, excelente para uma noite ao lado de quem se ama. O dia tende a ser encarado com força e vitalidade. Estaremos mais animados e corajosos para enfrentar uma rotina intensa. Importante dosar o ímpeto das suas ações, para não ser mal interpretado.

Lua conjunção Vênus – 08:55 às 12:39 (exato 10:49)

Coloque amor em tudo o que fizer, mesmo que não seja algo que lhe dê prazer. A afetividade poderá dar um toque especial na forma de abordar um tema ou uma situação. Temos que encarar as responsabilidades e é disso que essa segunda-feira está falando. Fique atento, pois oportunidades poderão surgir, facilitando a sua vida.

Lua conjunção Saturno – 09:26 às 12:55 (exato 11:12)

A realidade que se apresenta pode não ser do jeito que você deseja, no entanto, não tem como fugir das responsabilidades. É hora de fazer esforço extra para conseguir dar conta dos compromissos agendados. Persista.

DIA 29 DE MARÇO – TERÇA-FEIRA

☽ Minguante (balsâmica) ☽ em Peixes à 01:31 LFC Fim à 01:31

Enquanto a Lua estiver em Peixes, estaremos mais sensíveis às energias. Excelente momento para ficar mais introspectivo, numa análise interna dos movimentos realizados nesse ciclo que está se encerrando. A Lua balsâmica traz uma energia de limpeza e cura. Deixe-se levar por essa energia, entendendo os processos e preparando o terreno para o novo ciclo lunar.

Lua sextil Urano – 22:07 à 01:39 de 30/03 (exato 23:55)

A intuição estará aflorada. Fique atento aos insights, que também poderão vir através dos sonhos. Esteja aberto a uma nova forma de ver as coisas. Inove encontrando soluções inusitadas.

DIA 30 DE MARÇO – QUARTA-FEIRA

☽ Minguante (balsâmica) ☽ em Peixes

Lua conjunção Júpiter – 12:35 às 16:12 (exato 14:26)

Dia regado a oportunidades, intensifique suas relações pessoais e de trabalho. A tendência é que o retorno seja favorável. Excelente para divulgar produtos e lançar campanhas de marketing. A aceitação tenderá a ser positiva, alcançando mais pessoas. Assuntos legais também estarão favorecidos. Se tiver algum processo emperrado, foque em ações resolutivas.

Lua conjunção Netuno – 17:07 às 20:41 (exato 18:56)

Final de dia inspirador. Estaremos com a imaginação ativa, podendo resultar em ideias criativas que antes jamais passaram por nossa cabeça. Crie uma atmosfera de encantamento e usufrua dessa energia embriagante que tende a alimentar mais a alma do que o corpo. Opte por atividades, como yoga e meditação. Energize-se e tenha bons sonhos.

DIA 31 DE MARÇO – QUINTA-FEIRA
)) *Minguante (balsâmica)*)) *em Áries às 06:30 LFC Início às 03:37*
LFC Fim às 06:30

Enquanto a Lua estiver em Áries, ficamos ansiosos para agir. No entanto, a Lua minguante balsâmica não é momento de iniciar nada, e sim de analisar o que não deu certo e que precisa ser mudado. Use a energia ariana da iniciativa e coragem, não se deixando abater pelos fracassos. Só depende de você virar esse jogo. A hora é de criar estratégias a serem adotadas no próximo ciclo lunar.

Lua sextil Plutão – 01:48 às 05:24 (exato 03:37)

Energia renovadora. Excelente para reverter uma situação que parecia perdida. Estaremos alinhados a liberar ressentimentos que possam atrapalhar qualquer tipo de negociação. O momento pede que reveja posições e até transforme a forma que encara determinados problemas.

Lua conjunção Mercúrio – 21:25 à 01:43 de 01/04 (exato 23:36)

Estará mais fácil falar dos sentimentos e abordar assuntos polêmicos. Aliás, palavras não faltarão para articular a seu favor. Favorece a viagens curtas, comércio, trocas de informação e tudo o que envolva aprendizagem. Estaremos sedentos por novidades.

Abril 2022

Domingo	Segunda-feira	Terça-feira	Quarta-feira	Quinta-feira	Sexta-feira	Sábado
					1 ● 11°30' ♈	2 ♉
					Lua Nova às 03:24 em Áries	Lua Nova em Touro às 13:50 LFC 10:52 às 13:50
3	4	5 ♊	6	7 ♋	8	9 ☾ 19°24' ♋
Lua Nova em Touro	Lua Nova em Touro LFC Início às 22:54	Lua Nova em Gêmeos à 00:03 LFC Fim à 00:03	Lua Nova em Gêmeos	Lua Nova em Câncer às 12:30 LFC 00:15 às 12:30	Lua Nova em Câncer	Lua Crescente às 03:47 em Câncer LFC Início às 22:02
10 ♌	11	12 ♍	13	14 ♎	15	16 ○ 26°45' ♎ ♏
Lua Crescente em Leão à 00:59 LFC Fim à 00:59	Lua Crescente em Leão	Lua Crescente em Virgem às 11:07 LFC 07:17 às 11:07	Lua Crescente em Virgem	Lua Crescente em Libra às 17:45 LFC 15:12 às 17:45	Lua Crescente em Libra	Lua Cheia às 15:54 em Libra Lua em Escorpião às 21:22 LFC 18:58 às 21:22
17	18 ♐	19	20	21 ♑	22	23 ☽ 03°18' ♒
Lua Cheia em Escorpião	Lua Cheia em Sagitário às 23:16 LFC 20:55 às 23:16	Lua Cheia em Sagitário Entrada do Sol no Signo de Touro às 23:24	Lua Cheia em Sagitário LFC Início às 17:57	Lua Cheia em Capricórnio à 00:51 LFC Fim à 00:51	Lua Cheia em Capricórnio	Lua Minguante às 08:56 em Aquário Lua em Aquário às 03:16 LFC 00:54 às 03:16
24	25 ♓	26	27 ♈	28	29 ♉	30 ● 10°28' ♉
Lua Minguante em Aquário LFC Início às 21:34	Lua Minguante em Peixes às 07:14 LFC Fim às 07:14	Lua Minguante em Peixes	Lua Minguante em Áries às 13:09 LFC 10:36 às 13:09	Lua Minguante em Áries	Lua Minguante em Touro às 21:18 LFC 18:39 às 21:18	Lua Nova às 17:28 em Touro Eclipse Solar Parcial às 17:28

Mandala Lua Nova Abril

Lua Nova
01.04.2022
Às 03:24 em
11°30' de Áries

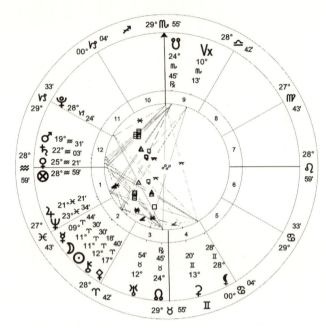

Mandala Lua Cheia Abril

Lua Cheia
16.04.2022
Às 15:54 em
26°45' de
Libra

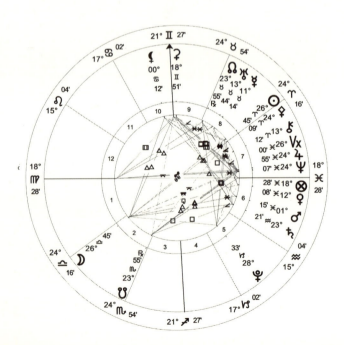

Mandala Lua Nova Abril

Lua Nova
30.04.2022
Às 17:28 em
10°28' de Touro

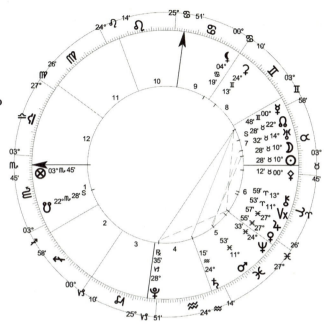

Céu do mês de abril

A Lua Nova de Áries acontece na madrugada do dia 1º, bem menos acelerada e impulsiva do que de costume por conta da forte presença de Saturno do lado de Marte (exato no dia 5), regente do Signo, bem no momento do encontro Sol/Lua. Vênus, que ainda anda ali por perto, no final de Aquário, participa do encontro, e temos a tríplice conjunção Marte/Saturno/Vênus próxima do Ascendente do mapa da Lua Nova, dizendo que, desta vez, a capacidade empreendedora de Áries estará associada à visão altruísta e progressista de Aquário com seriedade e comprometimento.

Mercúrio evolui no Signo de Áries, em passo bem acelerado, chegando a um bom termo com Saturno e Marte entre os dias 7 e 8, mas já no dia 10 enfrenta uma tensão com Plutão. São aquelas fases em que nos sentimos aptos para planejar e tomar decisões, mas surgem informações e revelações que nos obrigam a aprofundar a análise. No dia 11, nosso Mensageiro cruza a fronteira e entra no Signo de Touro e o pensamento fica mais pragmático, voltado para estabilidade e realização.

Outras condições bem mais amenas e favoráveis, no entanto, começam, aos poucos, a se plasmar no horizonte e voltamos a conviver com o clima mágico e fluido do Signo de Peixes. Vênus aí se encontra desde o último dia 05, favorecendo o romantismo e a solidariedade. No dia 15, é a vez de Marte entrar em Peixes, onde funciona de maneira mais branda e sutil, contorna os obstáculos em vez de enfrentá-los e, assim, vai abrindo o seu caminho.

No dia 12, dá-se o mais importante evento de 2022: o encontro exato (em grau, minuto e segundo) de Júpiter com Netuno em Peixes, inaugurando oficialmente o tão falado ciclo de bênçãos, elevação espiritual e altruísmo. Por sorte poderemos contar com este par abençoado em todas as lunações desde março e, mais importante, no Mapa do Ingresso de Áries. O ciclo Júpiter/Netuno se renova a cada 13 anos e, sendo em Peixes, é a "crème de la crème".

No mapa da Lua Cheia de Libra no dia 16 (calculada para a nossa região e valendo para a maior parte do Brasil), esta preciosa dupla, mais uma vez, marca sua presença de forma enfática por se posicionar no Descendente do mapa. Contribui muito para que tenhamos mais serenidade e compreensão, coisas de que vamos precisar mesmo, pois, no momento do plenilúnio, nossos luminares encaram uma forte tensão com Plutão em Capricórnio. É tempo de baixar a bola e reconhecer a impotência. E o emocional transbordando, à flor da pele, por conta da Lua Cheia. É possível achar uma saída no encontro de Mercúrio com Urano em Touro para mudar o padrão mental e mudar a maneira de lidar com o tema que nos aflige. Vênus em Peixes faz um simpático aceno à dupla, aumentando a dose de compreensão e amorosidade (exatos no dia 18).

O Sol entra em Touro nas últimas horas do dia 19, encontrando Vênus — regente do Signo — em Peixes que, como sabemos, anda nesta fase tão especial, ganhando mais benefícios ainda, porque será na Lua Nova do dia 30 — Eclipse Solar — o encontro exato de nossa Deusa do Amor e da Harmonia com a dupla Júpiter/Netuno (exato com Netuno no dia 24).

Mercúrio, bem acelerado em Touro, se desentende com Saturno no dia 24 para entre os dias 27 e 28, se harmonizar com Júpiter, Netuno e Plutão. Podemos deduzir que qualquer bloqueio, entrave ou mesmo pensamentos pessimistas tendem a se dissolver rapidamente, inspirando nosso mental, que tende a estar mais profundo e intuitivo. No dia 29, Mercúrio cruza a barreira do Signo e faz sua primeira entrada em Gêmeos, seu Signo predileto, onde suas habilidades mentais operam no seu melhor. Neste mesmo dia, Plutão entra em movimento retrógrado até início de outubro.

E aqui termina a fase em que as Luas Novas se formavam nos primeiros dias do mês, e passam a acontecer no final de cada mês.

A Lua Nova de Touro será um Eclipse Parcial do Sol conjunto a Urano, no dia 30. Percorrendo o Signo de Touro desde 2018, Urano simboliza muitas inovações em temas básicos da vida, como na área rural, no setor agropecuário, no sistema bancário etc. Este eclipse potencializa ainda mais estes avanços, contando, desta vez, com o abençoado auxílio da conjunção Vênus/Júpiter/Netuno, conforme mencionado anteriormente. Plutão posicionado na base do mapa em bom aspecto com Júpiter colabora com o sentido de positividade e melhorias profundas.

Vale lembrar que eclipses têm vigência ou reverberam por cerca de seis meses até o evento do próximo no mês de outubro.

Posição diária da Lua em abril

DIA 01 DE ABRIL – SEXTA-FEIRA
● *Nova às 03:24 em 11°30' de Áries* ● *em Áries*

Lua conjunção Sol – 01:25 às 05:23 (exato 03:24)

A primeira lunação do novo ano astrológico se dá em Áries, numa sexta-feira, e isso é muito bom! Teremos todo o fim de semana para nos atirarmos corajosamente à renovação necessária pedida pela Lua Nova. Acordar cedo é a tendência natural dessa manhã, depois de uma madrugada agitada. Aproveite, pois essas são horas em que tudo é promessa e tudo é possibilidade.

Lua sextil Marte – 17:08 às 21:05 (exato 19:08)

Um happy hour para celebrar o final da semana e o início do novo ano é muito bem-vindo. O segredo é mantê-lo curto, começar cedo e decidir logo aonde ir. Se for possível, ser a céu aberto, em um novo lugar, melhor ainda.

Lua sextil Saturno – 21:10 às 00:56 de 02/04 (exato 23:05)

A noite de sexta termina de um jeito promissor. Saturno e a Lua têm um contato amigável que pode ajudar a dar forma, estrutura e longevidade às ideias surgidas do entusiasmo.

DIA 02 DE ABRIL – SÁBADO
● *Nova* ● *em Touro às 13:50 LFC Início às 10:52 LFC Fim às 13:50*

Enquanto a Lua estiver em Touro, a Lua se veste das cores suaves e confortáveis do Signo. A fase nova da Lua pede cautela e a energia taurina é propícia para o período. Este é um período de semeadura, mas de nenhuma certeza. Então, é bom escolher as novas sementes com paciência e calma, cuidando apenas para não sufocarmos o novo, por excesso de apego ou aversão ao risco.

Lua sextil Vênus – 05:20 às 09:27 (exato 07:26)

Sono gostoso e muito confortável ajuda a começar bem o dia e a lidar com o aspecto mais desagradável que também ocorre pela manhã.

Lua quadratura Plutão – 08:57 às 12:44 (exato 10:52)

Circunstâncias irritantes se apresentam e provocam o nosso humor e rancor. O segredo, aqui, é não engajar. Não alimente o ciúme, nem a preguiça, nem a carência. Deixe o passado no passado, fuja da tentação de demonstrar seu poder ou testar seu afeto. As coisas podem sair do controle rápida e dramaticamente.

DIA 03 DE ABRIL – DOMINGO
⚫ *Nova* ⚫ *em Touro*

Lua conjunção Urano – 12:49 às 16:43 (exato 14:48)

Nada como um dia depois do outro, não é mesmo? A tarde de domingo se apresenta despreocupada e criativa. Deixe as emoções seguirem mais livres e cultive a leveza.

DIA 04 DE ABRIL – SEGUNDA-FEIRA
⚫ *Nova* ⚫ *em Touro LFC Início às 22:54*

Lua quadratura Marte – 06:03 às 10:14 (exato 08:10)

Começar o dia com muita agitação parece inevitável, mas é possível atentar para não dar muito espaço para a ansiedade se instalar. Ouça seu corpo e o respeite. Não deixar nada para a última hora é a melhor forma de não se sentir atropelado ao começar a semana.

Lua sextil Júpiter – 06:28 às 10:29 (exato 08:30)

O perigo, aqui, é o otimismo, criar a atmosfera perfeita para acharmos que teremos tempo para tudo e um pouco mais. Não desperdice essa energia usando-a à toa, aproveite para aliviar o estresse do começo da manhã com muito bom humor.

Lua quadratura Saturno – 06:58 às 10:56 (exato 08:59)

Saturno nos lembra de que não, não temos todo o tempo do mundo. Tempo é um recurso que pode ser escasso e costuma recompensar um bom planejamento. Então, ao organizar a sua manhã, planeje-se para atrasos, impedimentos e limitações.

Lua sextil Netuno – 09:37 às 13:34 (exato 11:38)

Passadas as tensões do começo da manhã, o clima muda. Um ambiente de ajuda mútua e delicadeza ajuda a alimentar a inspiração e a tolerância.

Lua trígono Plutão – 19:00 às 22:58 (exato 21:01)
A noite convida à transformações mais profundas e a desafios. Bom momento para limpar o terreno das mágoas e dos conflitos inúteis.

Lua quadratura Vênus – 20:42 à 01:03 de 05/04 (exato 22:54)
Apesar de o clima ser favorável à mudança de página e de assunto, algumas emoções são mais complicadas de lidar. Estamos mais difíceis de sermos agradados, cansados, frustrados e carentes. Então, use muito tato, muita sensibilidade e muito cuidado para se aproximar do que quer que seja: ideia, afeto, pensamento ou hábito.

DIA 05 DE ABRIL – TERÇA-FEIRA
● *Nova* ● *em Gêmeos à 00:03 LFC Fim à 00:03*

Enquanto a Lua estiver em Gêmeos, é um bom período para trocar informações sobre os planos que estão se desenhando nesse período. Ainda não é hora de tomar decisões, mas de ouvir as opiniões, perceber as reações e as emoções que elas provocam. Isso nos ajudará a decidir quais iniciativas deverão receber nossa atenção quando a nova fase chegar.

Hoje a Lua não faz aspecto com outros planetas no céu. Devemos observar recomendações para a fase e o Signo em que a Lua se encontra.

DIA 06 DE ABRIL – QUARTA-FEIRA
● *Nova* ● *em Gêmeos*

Lua sextil Sol – 07:19 às 11:43 (exato 09:33)
Manhã favorável a encontros e trocas. A harmonia entre os opostos está favorecido e há boa vontade para que, com um esforço pequeno, novas ideias sejam testadas em um ambiente favorável.

Lua sextil Mercúrio – 16:28 às 21:23 (exato 18:58)
O final da tarde acrescenta uma facilidade ao diálogo, sinalizado pelo encontro favorável entre Mercúrio e a Lua. Troca de informações, negociações, conversas e deslocamentos fluem mais tranquilos.

Lua trígono Saturno – 19:23 às 23:28 (exato 21:27)

Seriedade e capacidade produtiva estarão em alta. Iniciativas que demandam disciplina acontecem naturalmente, sem a necessidade de sacrifícios extenuantes.

Lua quadratura Júpiter – 19:37 às 23:45 (exato 21:43)

Para aproveitar melhor o aspecto anterior, é importante manter as expectativas sob controle. As circunstâncias tendem a inflar as avaliações. Mantenha os pés no chão e os olhos focados no objetivo.

Lua quadratura Netuno – 21:51 à 01:55 de 07/04 (exato 23:55)

Outro ponto importante de atenção que pode prejudicar as facilidades apresentadas pelos outros aspectos é o excesso de sensibilidade. Evite a distração e equívocos gerados por ilusões desnecessárias.

Lua trígono Marte – 22:04 às 02:24 de 07/04 (exato 00:15 de 07/04)

As discussões vão ampliar a sensação de capacidade de realização de projetos. Esse aspecto favorece a adesão aos planos debatidos nesse momento.

DIA 07 DE ABRIL – QUINTA-FEIRA

● *Nova* ● *em Câncer às 12:30 LFC Início à 00:15 LFC Fim às 12:30*

Enquanto a Lua estiver em Câncer, nossa sensibilidade está em alta. E isso pode ser uma alegria e uma bênção ou uma chateação, dependendo de como lidamos com as nossas emoções e a dos outros. Durante a Lua Nova, a introspecção é bem-vinda e, nesse Signo, a Lua se encontra em casa. Aproveite para cuidar das emoções para que estejam devidamente nutridas e prontas para apoiar as atividades dessa lunação.

Lua trígono Vênus – 15:05 às 19:33 (exato 17:21)

Tarde será gostosa e bastante propícia à aproximação entre as pessoas. Estar próxima e buscar apoio das pessoas do nosso convívio mais íntimo para dar suporte às nossas iniciativas é um bom jeito de aproveitarmos essas horas.

DIA 08 DE ABRIL – SEXTA-FEIRA
● *Nova* ● *em Câncer*

Lua sextil Urano – 13:25 às 17:29 (exato 15:29)

Um clima mais despreocupado e leve dá o tom dessa tarde de sexta. Aproveite o último dia da Lua Nova e o colorido Canceriano para surpreender as pessoas de que você mais gosta com uma ideia carinhosa, uma lembrança inusitada ou mimo inesperado.

DIA 09 DE ABRIL – SÁBADO
☽ *Crescente às 03:47 em 19º24' de Câncer* ☽ *em Câncer LFC Início às 22:02*

Lua quadratura Sol – 01:35 às 05:58 (exato 03:47)

A madrugada pode ser mais tumultuada e desconfortável. As circunstâncias do momento não colaboram para o relaxamento, o recolhimento nem o entendimento. Procure recolher-se e evite confusões desnecessárias.

Lua trígono Júpiter – 09:33 às 13:38 (exato 11:38)

Após uma madrugada mais tumultuada, a manhã se inicia bem mais alegre e otimista. A Lua entrou na fase Crescente e é hora de colocar em prática os planos gestados na Lua Nova. Aproveite que a Lua ainda se veste das cores de Câncer para levar suas emoções para passear em lugares que lhe tragam muitas boas lembranças e encontrar quem faça parte da sua família do coração.

Lua trígono Netuno – 10:45 às 14:46 (exato 12:48)

Que manhã gostosa! Sensibilidade à flor da pele e inspiração estão presentes e nos ajudam a suavizar as diferenças.

Lua quadratura Mercúrio – 18:00 às 22:49 (exato 20:27)

O clima muda bastante nesta noite de sábado. A fase Crescente da Lua já aponta para uma tendência ao conflito. É preciso começar a separar o que deve do que não deve receber a nossa atenção. Tendo isso em mente, fique atento ao poder que a palavra tem. Ideias desencontradas, palavras ditas na hora ou do jeito errado podem atrapalhar bastante. Deslocamentos também podem ser prejudicados.

Lua oposição Plutão – 20:01 à 00:01 de 07/04 (exato 22:02)

Esse aspecto reforça o sinal de alerta. Os ânimos se exaltam e os conflitos podem sair do controle. Cautela e cuidado são essenciais para evitar riscos e problemas graves nos relacionamentos e nos deslocamentos. Logo na sequência, a Lua estará fora de curso, dificultando, inclusive, a resolução de problemas gerados nessas horas. Redobre a atenção.

DIA 10 DE ABRIL – DOMINGO
☾ *Crescente* ☾ *em Leão à 00:59 LFC Fim à 00:59*

Enquanto a Lua estiver em Leão, o entusiasmo aquece o nosso coração. Aliás, coração é a palavra-chave dessa fase. A Lua cresce com o brilho leonino e é essencial colocar nosso coração em tudo o que quisermos colher na Lua Cheia.

Hoje a Lua não faz aspectos com outros planetas no céu. Devemos observar recomendações para a fase e Signo em que a Lua se encontra.

DIA 11 DE ABRIL – SEGUNDA-FEIRA
☾ *Crescente* ☾ *em Leão*

Lua quadratura Urano – 01:27 às 05:22 (exato 03:26)

Madrugada tensa e inquieta. Antes de sair de casa, verifique se os compromissos estão confirmados. É muito comum ocorrerem cancelamentos, correrias, imprevistos e tensões.

Lua trígono Sol – 17:55 às 22:04 (exato 20:02)

Um final de tarde mais promissor se desenha, favorecendo os encontros e a possibilidade de harmonia entre as emoções e os pensamentos.

Lua oposição Saturno – 19:54 às 23:45 (exato 21:51)

A oposição da Lua a Saturno aponta a possibilidade de o clima ser atrapalhado por um excesso de espírito crítico. É preciso equilibrar as tendências entre aceitar as coisas como são e ser rígido com o que precisa melhorar. Tente encontrar o melhor equilíbrio possível.

DIA 12 DE ABRIL – TERÇA-FEIRA
☾ *Crescente* ☾ *em Virgem às 11:07 LFC Início às 07:17 LFC Fim às 11:07*

Enquanto a Lua estiver em Virgem, estamos aptos a trabalhar na seleção e na escolha do que merece receber nossa atenção e energia. O senso crítico fica mais apurado e realizamos, com mais facilidade, trabalhos que demandem atenção a detalhes e organização.

Lua oposição Marte – 05:15 às 09:16 (exato 07:17)
A manhã começa com chance de tempestades de mau humor. Controle a agressividade, evite o comportamento impulsivo e a implicância. Se possível, organize-se na noite anterior para evitar ter que tomar decisões de última hora.

Lua trígono Mercúrio – 15:41 às 20:07 (exato 17:56)
A tarde apresenta boas condições para transações comerciais, ajustes de detalhes contratuais e reuniões produtivas. Aproveite!

DIA 13 DE ABRIL – QUARTA-FEIRA
☾ *Crescente* ☾ *em Virgem*

Lua oposição Vênus – 00:26 às 04:28 (exato 02:29)
Uma carência chatinha e a sensação de que nada nos satisfaz atrapalham o nosso descanso. Evite cair na tentação da autoindulgência e procure o conforto com medidas ligadas à saúde do corpo e do ambiente.

Lua trígono Urano – 10:25 às 14:05 (exato 12:17)
A manhã se desenvolve com mais leveza e criatividade. Olhe para sua rotina e seus planos com novos olhos e não hesite em tentar alternativas ainda não testadas.

DIA 14 DE ABRIL – QUINTA-FEIRA
☾ *Crescente* ☾ *em Libra às 17:45 LFC Início às 15:12 LFC Fim às 17:45*

Enquanto a Lua estiver em Libra, é chegada a hora de usar a diplomacia e a cordialidade para estimular o desenvolvimento dos nossos planos. Reconciliações, concessões e a sensibilidade necessária para perceber o ponto de vista do outro estarão em alta nos próximos dias.

Lua oposição Netuno – 05:23 às 08:58 (exato 07:12)

Despertar pode ser um pouco mais complicado essa manhã. Estamos mais desconcentrados, inseguros e caóticos. Cuidado com compromissos assumidos que exijam mais concentração. O ideal é evitar qualquer comportamento mais arriscado nessas horas.

Lua oposição Júpiter – 05:59 às 09:37 (exato 07:50)
Para ajudar a tornar esse amanhecer ainda mais bagunçado, haverá uma tendência a esperar mais das circunstâncias, das pessoas e de nós mesmos do que podemos, de fato, entregar. Mais uma razão para manter nossos compromissos mais simples e modestos.

Lua trígono Plutão – 13:24 às 16:57 (exato 15:12)
A tarde favorece as viradas e as transformações. Segundas chances são possíveis e devem ser aproveitadas. Mergulhe com inteligência e se dedique aos assuntos que já tinham recebido o rótulo de causas perdidas.

DIA 15 DE ABRIL – SEXTA-FEIRA
☾ *Crescente* ☾ *em Libra*

Hoje a Lua não faz aspectos com outros planetas no céu. Devemos observar recomendações para a fase e Signo em que a Lua se encontra.

DIA 16 DE ABRIL – SÁBADO
○ *Cheia às 15:54 em 26º45' de Libra* ○ *em Escorpião às 21:22*
LFC Início às 18:58 LFC Fim às 21:22

Enquanto a Lua estiver em Escorpião, as paixões e os desejos são intensos e, com a Lua em sua fase Cheia, a tendência é de transbordamento. O que preparamos ao longo da lunação agora atinge o seu pico ou o início do seu fim.

Lua trígono Saturno – 8:23 às 11:48 (exato 10:08)
Uma manhã excelente para atividades que exijam foco e dedicação. A intensidade da Lua Cheia em Escorpião flui em harmonia com a disciplina de Saturno.

Lua oposição Sol – 14:05 às 17:43 (exato 15:54)

Nessa tarde, é bom usar a força dos pares e buscar a complementaridade. No entanto, as crises são sérias para aqueles relacionamentos em estado crítico. Evite pensar somente em si e evite provocações.

Lua quadratura Plutão – 17:15 às 20:37 (exato 18:58)
Realmente, essa tarde não está facilitando um clima muito pacífico. Ciúme, disputas de poder, mágoas antigas, traições, tudo pode contribuir para o acirramento dos ânimos. Pise com muito cuidado onde anda e preste atenção aos sinais de virada de tempo.

Lua trígono Marte – 22:07 à 01:40 de 17/04 (exato 23:58)
À noite, a história é outra. Há mais coragem para enfrentarmos os desafios. A sinceridade e a espontaneidade são o caminho a seguir para liberar nossas emoções dos mal-entendidos.

DIA 17 DE ABRIL – DOMINGO
○ *Cheia* ○ *em Escorpião*

Lua oposição Mercúrio – 17:48 às 21:36 (exato 19:44)
Cuidado para não usar a palavra como arma, nem o silêncio como castigo. Para que atrapalhar o que pode ser uma noite mais tranquila?

Lua trígono Vênus – 18:02 às 21:38 (exato 19:52)
Apesar dos aspectos mais difíceis, o encontro feliz entre a Lua e Vênus traz uma promessa de encontros agradáveis e de reconciliação.

Lua oposição Urano – 18:47 às 22:07 (exato 20:29)
Sabe aquela história de deixar livre o que amamos? Pois bem, é para levar esse conselho de forma literal agora. Tentativas de controlar, tolher, cobrar promessas e demandar compromissos devem ser evitadas.

DIA 18 DE ABRIL – SEGUNDA-FEIRA
○ *Cheia* ○ *em sagitário às 23:16 LFC Início às 20:55 LFC Fim 23:16*

Enquanto a Lua estiver em Sagitário, estamos mais leves e dispostos a rir dos nossos receios. Sob a Lua Cheia, é hora de celebrar a esperança, o futuro e o otimismo.

Lua quadratura Saturno – 10:50 às 14:10 (exato 12:32)

A segunda começa truncada. Há um desejo de estar em qualquer lugar que não aqui e em qualquer momento que não agora. As obrigações parecem mais pesadas e entediantes. Se for possível, trabalhe sozinho e não espere colaborações.

Lua trígono Netuno – 12:00 às 15:19 (exato 13:41)

À medida que o dia avança, tudo começa a mudar. Logo no começo da tarde, a inspiração retorna e promove a sintonia mais apurada entre as pessoas. Escolha um lugar especial para o almoço e deixe o peso da manhã para trás.

Lua trígono Júpiter – 13:55 às 17:17 (exato 15:38)

Tudo flui mais fácil essa tarde e o bom humor favorece a boa vontade entre as pessoas, facilitando o trabalho em equipe.

Lua sextil Plutão – 19:15 às 22:33 (exato 20:55)

Se você pode aproveitar os bons aspectos dessa tarde, o terreno estará preparado para as transformações que esse aspecto favorece. Um ótimo momento para regenerar e restaurar as forças. Aproveite.

DIA 19 DE ABRIL – TERÇA-FEIRA
○ *Cheia (disseminadora)* ○ *em sagitário*

Entrada do Sol no Signo de Touro às 23hs24min06seg

Lua quadratura Marte – 02:45 às 06:13 (exato 04:31)

Ansiedade pode atrapalhar muito o descanso nessa madrugada. Evite qualquer coisa que possa lhe dar a sensação de estar aprisionado: cobertas, roupas e pensamentos. A Lua disseminadora sugere a dispersão da nossa atenção como um antídoto à ansiedade.

Lua quadratura Vênus – 23:45 às 03:20 de 19/04 (exato 01:34 de 20/04)

A falta de descanso da noite anterior vai cobrar o seu preço essa noite. É fácil cairmos em tentação e procurarmos algo que compense essa sensação.

DIA 20 DE ABRIL – QUARTA-FEIRA

○ *Cheia (disseminadora)* ○ *em sagitário LFC Início às 17:57*

Lua sextil Saturno – 12:38 às 15:58 (exato 14:20)

Determinação e boa disposição para assumir compromissos, o que favorece a construção de reputações mais sólidas.

Lua quadratura Netuno – 13:39 às 15:59 (exato 15:21)

O problema, nessa tarde, é que as boas intenções trazidas pelo aspecto anterior podem encontrar uma resistência na sensibilidade mais acentuada das pessoas ao redor. Cuidado para que a disciplina não ultrapasse os limites das pessoas, nem os seus.

Lua quadratura Júpiter – 16:14 às 19:36 (exato 17:57)

Definitivamente, não force a mão. Também não espere muito das outras pessoas. O melhor nos momentos é pegar mais leve e evitar o desgaste.

DIA 21 de ABRIL – QUINTA-FEIRA

○ *Cheia (disseminadora)* ○ *em Capricórnio à 00:51 LFC Fim 00:51*

Enquanto a Lua estiver em Capricórnio, seriedade e responsabilidade dão o tom dos dias. É comum nos sentirmos mais cautelosos, econômicos, tímidos e desconfiados. Como a Lua está em sua última etapa da fase Cheia, é melhor evitar concentrar muita atenção nos resultados esperados da lunação que se encerra. O que foi possível, foi. O que não foi, será na próxima.

Lua trígono Sol – 00:55 às 04:29 (exato 02:44)

Use essa noite para tentar descansar mais profundamente. A disciplina e o planejamento podem ajudar bastante a reduzir o estresse causado pela cobrança exagerada.

Lua sextil Marte – 07:07 às 10:38 (exato 08:54)

Boa disposição para começar o dia na hora exata e com a quantidade necessária de energia. Promete ser um começo de dia bastante produtivo para você.

Lua trígono Urano – 22:37 à 01:59 de 22/04 (exato 00:19 de 22/04)

Leveza, criatividade e libertação de situações que nos limitam. O importante aqui é permitir que o novo se manifeste. Altere um hábito, uma atitude, um pensamento e veja como as emoções também mudam.

DIA 22 DE ABRIL – SEXTA-FEIRA
○ *Cheia (disseminadora)* ○ *em Capricórnio*

Lua sextil Vênus – 05:52 às 09:32 (exato 07:44)

A sexta promete bons momentos. Logo cedo, o encontro da Lua com Vênus aponta para uma manhã bem charmosa e agradável.

Lua trígono Mercúrio – 10:20 às 14:06 (exato 12:15)

A mente está afiada e as conversas estão animadas. Reuniões estão favorecidas, assim como os deslocamentos curtos.

Lua sextil Netuno – 15:55 às 19:19 (exato 17:39)

Muita leveza e boa disposição. Sensibilidade e inspiração nos ajudam a intuir o melhor direcionamento para nossos esforços.

Lua sextil Júpiter – 19:14 às 22:41 (exato 20:59)

A noite dá continuidade ao alto-astral da manhã com muito bom humor e bem-estar emocional. Generosidade e colaboração são atitudes que ajudam a trazer o melhor desse período.

Lua conjunção Plutão – 23:10 às 02:34 de 23/04 (exato 00:54)

Para finalizar o dia, o encontro com Plutão estabelece um clima mais intenso e predisposto a transformações mais profundas.

DIA 23 DE ABRIL – SÁBADO
☽ *Minguante às 08:56 em 03º18' de Aquário* ☽ *em Aquário às 03:16*
LFC Início à 00:54 LFC Fim às 03:16

Enquanto a Lua estiver em Aquário, temos mais facilidade de abandonar velhos vícios e dependências físicas e emocionais. Considerando que a Lua começa sua fase Minguante, é um bom período para aproveitar e selecionar o que você quer deixar para trás de vez.

Lua quadratura Sol – 07:06 às 10:46 (exato 08:56)

Nas primeiras horas da manhã, temos a tensão típica do início dessa fase. Emoções e desejos estão em conflito, assim como propósito e necessidades. É importante dedicar tempo e esforço para esclarecer os assuntos ao máximo.

DIA 24 DE ABRIL – DOMINGO
☽ Minguante ☽ em Aquário LFC Início às 21:34

Lua quadratura Urano – 01:50 às 05:19 (exato 03:36)

A madrugada é inquieta e predisposta a sobressaltos. Procure evitar o excesso de ansiedade, deixando os problemas que não têm solução imediata para o novo dia.

Lua conjunção Saturno – 18:47 às 22:18 (exato 20:35)

É um aspecto de seriedade e disciplina. Aproveite essas horas para organizar a semana.

Lua quadratura Mercúrio – 19:37 às 23:29 (exato 21:34)

O domingo termina com a indicação de tropeços na comunicação. Fique muito atento ao diálogo e à clareza com que você apresenta suas emoções para evitar conflitos.

DIA 25 DE ABRIL – SEGUNDA-FEIRA
☽ Minguante ☽ em Peixes às 07:14 LFC Fim às 07:14

Enquanto a Lua estiver em Peixes, a contemplação, a imaginação e a sensibilidade pedem que desaceleremos nossas atividades. A pressa não levará a nada e só aumentará o caos ao redor.

Lua sextil Sol – 15:13 às 19:03 (exato 17:10)

O alinhamento emocional com seus objetivos tende a trazer uma clareza do que realmente você deseja. Ative a sua sensibilidade conectando-se com sua verdade.

DIA 26 DE ABRIL – TERÇA-FEIRA
☽ Minguante (balsâmica) ☽ em Peixes

Lua sextil Urano – 06:51 às 10:27 (exato 08:41)

Amanhecemos leves e descontraídos. É um bom momento para fugir da rotina e experimentar coisas novas, ouvir novas histórias, tentar novos caminhos.

Lua conjunção Vênus – 23:50 às 03:48 de 27/04 (exato 01:51 de 27/04)

A noite de terça pode não ser a noite ideal para o romance, mas, com esse encontro, vale a pena esquecer que amanhã é dia de trabalho. Aproveite o clima de encantamento para cultivar a doçura e o dengo que há em você.

DIA 27 DE ABRIL – QUARTA-FEIRA
☽ Minguante (balsâmica) ☽ em Áries às 13:09 LFC Início às 10:36
LFC Fim às 13:09

Enquanto a Lua estiver em Áries, estamos mais corajosos, mais impulsivos e mais ativos. A fase Minguante da Lua pede que deixemos as coisas que não funcionaram para trás, e a Lua em Áries começa a gritar "é para já!". Siga o chamado, Ariano, e limpe o terreno para a nova lunação que vai chegar.

Lua conjunção Netuno – 01:12 às 04:51 (exato 03:03)

Boa madrugada para descansar, relaxar e sonhar. O sonho e o sono ajudam a restaurar nossas forças e curar aquelas dores que nem sempre mostramos à luz do dia.

Lua conjunção Júpiter – 06:15 às 09:58 (exato 08:08)

Otimismo e alegria estão à nossa disposição para começarmos essa quarta-feira bem-dispostos. Essas são ótimas horas para viagens e, além de agradáveis, são auspiciosas.

Lua sextil Mercúrio – 06:34 às 10:34 (exato 08:36)

Conversas, diálogos, negociações, entendimentos, reuniões, todas essas atividades estão favorecidas neste começo de manhã, reforçando o aspecto anterior.

Lua sextil Plutão – 08:45 às 12:25 (exato 10:36)

Esta é realmente uma manhã especial. Além das vantagens trazidas pelos encontros felizes da Lua com Júpiter e Mercúrio, Plutão entra em cena para dar profundidade e aumentar a capacidade de concentração, de restauração e recuperação.

DIA 28 DE ABRIL – QUINTA-FEIRA
☽ Minguante (balsâmica) ☽ em Áries

Hoje a Lua não faz aspecto com outros planetas no céu. Devemos observar recomendações para a fase e o Signo em que a Lua se encontra.

DIA 29 DE ABRIL – SEXTA-FEIRA
☽ Minguante (balsâmica) ☽ em Touro às 21:18 LFC Início às 18:39
LFC Fim 21:18

Enquanto a Lua estiver em Touro, nosso bem-estar ganha destaque. Queremos conforto, rotinas conhecidas, alimentos gostosos e tudo aquilo que nos alegre o corpo e a alma.

Lua sextil Saturno – 08:21 às 12:09 (exato 10:17)

Manhã de alta produtividade. Determinação, autocontrole e disciplina são elementos que estão à nossa disposição para levarmos a cabo os nossos objetivos.

Lua quadratura Plutão – 16:43 às 20:32 (exato 18:39)

Atenção! Tudo ganha contornos muito incisivos e há uma hostilidade no ar. Os pavios estão curtos e tendemos a levar tudo a ferro e fogo. Muito cuidado com as reações exacerbadas e com ultimatos.

DIA 30 DE ABRIL – SÁBADO
● Nova às 17:28 em 10°28' de Touro ● em Touro

Eclipse Solar Parcial às 17:28 em 10°28' de Touro
Lua conjunção Sol – 15:21 às 19:34 (exato 17:28)

Em dias de eclipse, é bom ter certeza de que nada está por um fio. Aproveite os dias anteriores para limpar o terreno e desarmar as bombas. É importante chegar a essa tarde sem tensões excessivas.

Lua sextil Marte – 18:19 às 22:27 (exato 20:24)

Autenticidade e expressão honesta dos sentimentos são duas atitudes que favorecem o alívio das tensões e encorajam o rompimento de situações nocivas.

Lua conjunção Urano – 23:26 às 03:21 de 01/05 (exato 01:25 de 01/05)

Surpresas, criatividade e espontaneidade são as palavras-chave para aproveitar bem essa noite e madrugada de sábado. Faça o que você ama, mas experimente fazê-lo de maneira diferente.

Maio 2022

Domingo	Segunda-feira	Terça-feira	Quarta-feira	Quinta-feira	Sexta-feira	Sábado ♌
1 Lua Nova em Touro	**2** ♊ Lua Nova em Gêmeos às 07:46 LFC 07:14 às 07:46	**3** Lua Nova em Gêmeos	**4** ♋ Lua Nova em Câncer às 20:04 LFC 17:38 às 20:04	**5** Lua Nova em Câncer	**6** Lua Nova em Câncer	**7** Lua Nova em Leão às 08:49 LFC 07:26 às 08:49
8 ☽ 18°23' ♌ Lua Crescente às 21:21 em Leão	**9** ♍ Lua Crescente em Virgem às 19:53 LFC 09:39 às 19:53	**10** Lua Crescente em Virgem Início Mercúrio Retrógrado às 08:49	**11** Lua Crescente em Virgem Mercúrio Retrógrado	**12** ♎ Lua Crescente em Libra às 03:34 LFC 01:00 às 03:34 Mercúrio Retrógrado	**13** Lua Crescente em Libra Mercúrio Retrógrado	**14** ♏ Lua Crescente em Escorpião às 07:33 LFC 05:08 às 07:33 Mercúrio Retrógrado
15 Lua Crescente em Escorpião Mercúrio Retrógrado	**16** ○ 25°18' ♏ ♐ Lua Cheia à 01:14 em Escorpião Lua em Sagitário às 08:50 LFC 06:29 às 08:50 Eclipse Lunar total à 01:14 Mercúrio Retrógrado	**17** Lua Cheia em Sagitário Mercúrio Retrógrado	**18** ♑ Lua Cheia em Capricórnio às 09:01 LFC 01:00 às 09:01 Mercúrio Retrógrado	**19** Lua Cheia em Capricórnio Mercúrio Retrógrado	**20** ♒ Lua Cheia em Aquário às 09:52 LFC 09:00 às 09:52 Entrada do Sol no Signo de Gêmeos às 22:22 Mercúrio Retrógrado	**21** Lua Cheia em Aquário Mercúrio Retrógrado
22 ☾ 01°39' ♓ Lua Minguante às 15:43 em Peixes às Lua em Peixes à 12:49 LFC 04:20 às 12:49 Mercúrio Retrógrado	**23** Lua Minguante em Peixes Mercúrio Retrógrado	**24** ♈ Lua Minguante em Áries às 18:39 LFC 18:34 às 18:39 Mercúrio Retrógrado	**25** Lua Minguante em Áries Mercúrio Retrógrado	**26** Lua Minguante em Áries Mercúrio Retrógrado	**27** ♉ Lua Minguante em Touro às 03:22 LFC 00:21 às 03:22	**28** Lua Minguante em Touro Mercúrio Retrógrado
29 Lua Minguante em Gêmeos às 14:22 LFC 11:11 às 14:22 Mercúrio Retrógrado	**30** ● 09°03' ♊ Lua Nova às 08:30 em Gêmeos Mercúrio Retrógrado	**31** Lua Nova em Gêmeos LFC Início às 17:11 Mercúrio Retrógrado				

Mandala Lua Cheia Maio

Lua Cheia
16.05.2022
Às 01:14 em
25°18' de
Escorpião

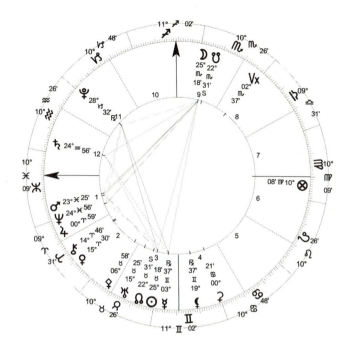

Mandala Lua Nova Maio

Lua Nova
30.05.2022
Às 08:30 em
09°03' de
Gêmeos

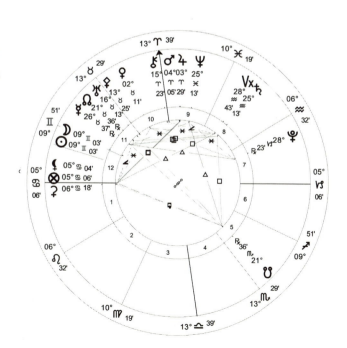

Céu do mês de maio

Maio começa com os personagens do Eclipse Solar ainda todos no palco, já começando a se movimentar, em alguns casos ainda para alcançar o grau exato, como a harmonia de Vênus e Júpiter em Peixes com Plutão em Capricórnio, entre os dias 01 e 03, aspecto este que favorece muito o setor econômico e de negócios e todo tipo de interação, como os relacionamentos diplomáticos ou interpessoais. O encontro oficial Sol/ Urano se dá no dia 5, prometendo muitas inovações, conforme enfatizado pelo mapa do eclipse.

Vênus prossegue sua trajetória pelo zodíaco, chegando em Áries no dia 02. No dia 06, se harmoniza com Mercúrio em Gêmeos, deixando os relacionamentos mais fogosos, independentes e descompromissados.

No dia 10, temos dois movimentos importantes no céu; Júpiter faz sua primeira entrada no Signo de Áries (ainda retorna a Peixes no final de outubro) e Mercúrio, que já vinha desacelerando desde que entrou em Gêmeos, faz sua manobra e passa ao movimento retrógrado. É aquela conhecida "pausa para reflexão". A esperteza mercuriana agora está a serviço de processos de revisão, avaliação e correção e, até o dia 03/06, todos os assuntos sob sua regência se complicam, com mais chance de extravios, mal-entendidos, erros de avaliação etc. O ideal é respeitar a pausa e, se possível, adiar todo compromisso que envolva comunicação, manuseio de dados, papelada ou todo tipo de documento para o mês que vem.

No início de Áries, Júpiter inaugura um tempo de mais pioneirismo, lança sementes que possibilitam ousar e ir mais longe ainda.

A Lua Cheia é um Eclipse Total da Lua em Escorpião, o que indica a tendência de estarmos lidando com situações que nos deixam tristes e desanimados, seja lá o que for, vai dar para remediar. Marte aliado a Netuno em Peixes e Plutão em Capricórnio (graus exatos no dia 18) fazem um "tour de force" e escoram a situação. A superação conta, inclusive, com a mãozinha favorável do destino que anda a toda, desde o encontro Júpiter/Netuno em Peixes e, no momento, bem energizada pela passagem de Marte neste grau. Mercúrio em Gêmeos não poderia se ausentar desta empreitada e, no dia 19, andando de ré, se harmoniza com Júpiter em Áries para garantir que o resultado seja realmente positivo.

O Sol ingressa no Signo de Gêmeos, no dia 20, sendo recepcionado por Mercúrio, regente do Signo, ainda no grau zero. São tempos de inquietude, mentalidade muito aguçada e interesse pelos assuntos mais diversos.

No dia 23, Sol e Júpiter se harmonizam gerando um tempo de bem-estar e otimismo. Mercúrio, em passo muito lento, retorna para Touro e, até o dia 25, repassa pelos pontos de harmonia com Marte e Plutão, fornecendo energia e profundidade para o período de revisões indicado por sua retrogradação.

Entre os dias 24 e 28, peças importantes se mexem no tabuleiro celeste e passam a ocupar posições bem mais adequadas. Marte entra em Áries e Vênus em Touro. Antes de sua despedida de Áries, entre os dias 24 e 27, Vênus se harmoniza com Saturno e se desentende com Plutão. Nos relacionamentos e nas finanças, é tempo de respeitar limites ou teremos de lidar com situações acima de nossa capacidade. Ingressando em Touro (dia 28), Vênus fica muito mais à vontade, trata-se do amor sensual, doce, íntimo e fiel, de apreciação da natureza e de valores sólidos e confiáveis.

Lua e Júpiter acompanham Marte em sua entrada em Áries, o que significa um ingresso triunfante. Em vez de agressividade, é tempo de muita energia, atitudes vigorosas e assertivas para resolver qualquer parada. Não vai faltar ânimo.

A Lua Nova de Gêmeos, no dia 30, vem com uma mensagem ambígua, bem dentro do que se espera da natureza do Signo. Mercúrio e Saturno em desarmonia tende a indicar um período de entraves, enfatizando a dificuldade atual nas questões ligadas a todo tipo de comunicação, e poderíamos concluir se tratar de um período menos ágil. No entanto, a força e a vitalidade da conjunção Marte/Júpiter em Áries garantem uma energia revigorada e entusiasmo para fazer e acontecer. Um pequeno triângulo entre Mercúrio, Netuno e Plutão ajuda mais ainda a desembaraçar as questões.

Posição diária da Lua em maio

DIA 01 DE MAIO – DOMINGO
Nova em Touro

Lua quadratura Saturno – 18h34 às 22h31 (exato 20h34)

Dia para buscar se acolher e ficar perto só de quem a gente ama, pois a disponibilidade energética do período é para carência e impaciência. Qualquer pessoa que seja de fora do circuito emocional parecerá, um intruso. Se não é possível ficar com quem se ama, melhor ficar sozinho.

Lua sextil Netuno – 19h05 às 23h02 (exato 21h05)

Momento de sensibilidade e intuição. Noite para colocar uma boa música ou assistir a um filme poético. Você está sensível ao mundo sutil e toda graça o encanta. Entregue-se à sutileza do mundo dos sonhos e permita-se encontrar os seus.

DIA 02 DE MAIO – SEGUNDA-FEIRA
Nova em Gêmeos às 07h46 LFC Início às 07h14 LFC Fim às 07h46

Enquanto a Lua estiver em Gêmeos, seja livre, seja simples, descomplique, descomprometa-se. O sinal está verde para sermos leves como uma flor de algodão. Momento para relativizarmos, para entrarmos em contato com a natureza dual, ambígua de nós, seres humanos, que somos tanto capazes de entender a lógica, como nos apaixonarmos e nos entregarmos ao labirinto das emoções.

Lua sextil Júpiter – 02h18 às 06h20 (exato 04h21)

Bom humor, prosperidade e fartura. Momento positivo para quem está tentando engravidar. O casal pode ter uma relação sexual programada para a fertilização nesse trânsito, que é muito auspicioso.

Lua trígono Plutão – 03h00 às 06h58 (exato 05h24)

Reconciliação, retorno, reavaliação de uma relação que ainda tem vida, mas que já demos por perdida. Período ideal para transformar e regenerar emoções. Aprofundar, ir a fundo e passar a limpo uma situação trará conforto emocional.

Lua sextil Vênus – 05h01 às 09h24 (exato 07h14)

Início de manhã dedicada ao feminino, com esse encontro de amor entre Vênus e a Lua. Há uma atmosfera de receptividade e simpatia. Bom momento para realizar procedimentos de beleza e iniciar a semana plenos de confiança e autoestima.

Lua conjunção Mercúrio – 09h58 às 14h11 (exato 12h06)

Manhã para colocar a vida em dia. Responda e-mails, organize sua agenda. Bom para estudar e aprender coisas novas. Momento de curiosidade e mente aberta para o novo.

DIA 03 DE MAIO – TERÇA-FEIRA
Nova em Gêmeos

Lua quadratura Marte – 09h32 às 13h50 (exato 11h43)

Não se irrite por estar disperso. A dispersão faz parte da ambivalência, faz parte da dúvida que temos em qual direção ir. Não se apresse, tenha paciência. Faz parte da construção do caminho não saber para onde se está indo. O erro faz parte do acerto. Inale e exale pelo menos dez vezes antes de agir.

DIA 04 DE MAIO – QUARTA-FEIRA
Nova em Câncer às 20h04 LFC Início às 17h38 LFC Fim às 20h04

Enquanto a Lua estiver em Câncer, você estará sentindo-se mais sensível, mais acolhedor com suas próprias vulnerabilidades e também com tendência a ter mais atenção ao que o faz se sentir em casa. É o cheirinho de bolo de laranja saindo do forno? Ou o gosto de pão com manteiga que a avó colocava na chapa? O que reconecta você com aquela criança livre e feliz que você é? É na Lua em Câncer que você clama por essa criança que há em você.

Lua trígono Saturno – 06h48 às 10h52 (exato 08h52)

Excelente para colocar as rédeas da vida nas mãos, para inserir ritmo e disciplina no que anda irregular e nebuloso. Bom para organização e planejamento. A prudência e o amadurecimento são as qualidades que devemos usar nesse período.

Lua quadratura Netuno – 07h13 às 11h17 (exato 09h17)
Confusão, dispersão. Não exija precisão e análise de si mesmo. Descanse o corpo e a mente.

Lua quadratura Júpiter – 15h32 às 19h40 (exato 17h38)
Cuidado para não exagerar. Muitas vezes, para evitarmos fugir de um problema, tendemos a nos compensar: comemos mais, consumimos coisas de que não precisamos, descansamos além da conta. Tome conta de si mesmo. Mantenha os limites à vista.

Lua quadratura Vênus – 23h41 às 04h11 (exato 01h58 de 05/05)
Carência, vazio, sensação de falta... Nesse período, em que o sentimento é de desamparo, ampare-se! Tomar um banho longo, com especiarias, experimentar uma refeição mais calorosa, realizar aquela automassagem ou experimentar um escalda-pés... Vale tudo aquilo que proporcione conforto e satisfação.

DIA 05 DE MAIO – QUINTA-FEIRA
● *Nova* ● *em Câncer*

Hoje a Lua não faz aspecto com outros planetas no céu. Devemos, então, observar recomendações para a fase e o Signo em que a Lua se encontra.

DIA 06 DE MAIO – SEXTA-FEIRA
● *Nova* ● *em Câncer*

Lua sextil Urano – 00h10 às 04h15 (exato 02h14)
Uma noite de sono em que a gente deve ter um papel e uma caneta ao lado da cama, pois esse aspecto nos permite ter uma antevisão, ideias originais, insights, período em que estamos conectados com o futuro.

Lua sextil Sol – 01h50 às 06h15 (exato 04h04)
Madrugada de clarividência, noite de intuição e clareza. É possível ter nitidez sobre algo que estava se manifestando de forma oculta ou inconsciente. Momento em que as forças yin e yang se harmonizam, por isso aumentam o discernimento e o equilíbrio entre a razão e a emoção.

Lua trígono Marte – 02h24 às 06h44 (exato 04h35)

Período em que estamos muito assertivos em relação ao que queremos e aonde queremos chegar, ou seja, dia de conexão interna que ativa o poder de discernir entre o que desejamos e o que precisamos. Observando essa diferença, podemos agir para sermos cada vez mais assertivos em relação ao nosso propósito.

Lua trígono Netuno – 20h11 à 00h13 de 07/05 (exato 22h14)

Um bálsamo para a alma, Netuno fazendo aspecto com a Lua nos conecta ao lado idílico, lúdico da vida. Uma sexta-feira cheia de prazeres, um portal para trazermos a energia dos sonhos para o mundo real.

DIA 07 DE MAIO – SÁBADO
Nova em Leão às 08h49 LFC Início às 07h26 LFC Fim às 08h49

Enquanto a Lua estiver em Leão, aumenta a vontade de estar bem consigo mesmo, a autoestima, a generosidade, a confiança e o amor-próprio. Aposte na alegria, na brincadeira, na diversão, no prazer, e libere a criança livre e feliz que habita você.

Lua oposição Plutão – 03h58 às 07h59 (exato 06h00)

Momento que pede observação, questões mal resolvidas podem voltar à tona, qualquer coisa pode ser um gatilho, pois elas estão permeando o inconsciente. Fique atento aos sinais e você evitará reações desproporcionais.

Lua trígono Júpiter – 05h22 às 09h27 (exato 07h26)

A alquimia entre Júpiter e Lua faz tudo parecer muito excitante. Ela traz para esse dia de sábado um brilho, uma pitada de fantasia e uma dose de liberdade. Uma vontade de avançar, de progredir, de ir além. O sabor doce da vida nos permeia.

Lua sextil Mercúrio – 15h56 às 20h00 (exato 18h00)

Cerque-se de pessoas que preencham sua alma. Momento para boas conversas, bons diálogos, boas compras e de todos aqueles pequenos prazeres. É a simplicidade de estar rodeado daqueles companheiros de jornada que chamamos de amigos.

Lua trígono Vênus – 18h48 às 23h13 (exato 21h03)

A delicadeza da obra de arte, que é o encontro entre pessoas que se amam, fica evidenciada nessa noite. Permita-se amar, permita-se acarinhar, permita-se afagar os amores de sua vida.

DIA 08 DE MAIO – DOMINGO
☾ Crescente às 21h21 em 18°23' de Leão ☾ em Leão

Lua quadratura Urano – 12h42 às 16h39 (exato 14h42)

Momento de imprevistos, de incertezas, de agitação e ansiedade. Cuide da sua saúde mental, atente-se a qualquer emoção exagerada, desproporcional e intolerante. Urano desafia a nossa estabilidade emocional, nos levando a limites inesperados. Fique atento e não submeta suas ações a essas energias.

Lua quadratura Sol – 19h13 às 23h28 (exato 21h21)

Período de desarmonia entre a energia feminina e masculina. A expansão natural da Lua Crescente fica suspensa pela necessidade de segurança que o Sol em Touro representa. Dia em que devemos pensar em hierarquia de valores para fazermos nossas escolhas, sabendo que a balança vai estar mais pesada para um lado ou para outro, em desequilíbrio.

DIA 09 DE MAIO – SEGUNDA-FEIRA
☾ Crescente ☾ em Virgem às 19h53 LFC Início às 09h39 LFC Fim às 19h53

Enquanto a Lua estiver em Virgem, organize-se, cuide das miudezas, ajuste-se a uma rotina de bem-estar e saúde, coloque em dia as pendências. Bom período para fazer manutenção, limpezas, check-ups. Energia de Virgem é perfeita para se permitir viver o lado simples da vida.

Lua oposição Saturno – 07h41 às 11h34 (exato 09h39)

Momento desafiador, sentimento de escassez, de falta, em que as expectativas podem ser diminuídas ou frustradas e o contato com a realidade nua e crua se torna inadiável.

DIA 10 DE MAIO – TERÇA-FEIRA
☾ Crescente ☾ em Virgem

Início Mercúrio Retrógrado

Lua quadratura Mercúrio – 03h15 às 07h03 (exato 05h11)

A comunicação pode ser imprecisa, vaga e confusa. Certifique-se de que o outro entendeu o que você quis dizer. Se for necessário, escreva, retifique-se. Busque o consenso.

Lua trígono Urano – 22h35 às 02h18 de 11/05 (exato 00h28 de 11/05)

Momento de inovação, de boas surpresas, de ter aquela ideia irreverente. A energia dessa noite é de acolher as diferenças. Tempo de perceber as diferenças sem intolerância, com disponibilidade para olhar, ouvir, sentir que é possível caminhar por estradas diferentes, sem que haja divergência.

DIA 11 DE MAIO – QUARTA-FEIRA
☽ *Crescente* ☽ *em Virgem*

Mercúrio Retrógrado

Lua oposição Marte – 07h20 às 11h13 (exato 09h18)

Cuidado para não rivalizar desnecessariamente. Ações que indicam ideias contrárias à sua não indicam inimigos, mas, sim, discordância. Esforce-se para usar a diplomacia e a prudência ao colocar seu ponto de vista.

Lua trígono Sol – 09h02 às 13h00 (exato 11h03)

Excelente período para expor alguma ideia, reuniões de trabalho, calls, meetings etc. Momento em que ao mesmo tempo em que se tem receptividade, se tem razão, pragmatismo, direcionamento e clareza. Ocorre uma boa química entre a energia do sentir e a energia do realizar, tornando as nossas ações mais integrais, mais inteiras.

Lua oposição Netuno – 16h27 às 20h05 (exato 18h18)

Nesse período, é de bom alvitre andar com um pote de sal imaginário, no qual a gente coloque pitadas em ideias, pensamento, sentimentos, que fogem muito da realidade e exorbitam o possível. Cuidado com a sensação de que a grama do vizinho é sempre mais verde, pois o vizinho não posta foto quando o solo dá erosão. Seja grato, traga um pouco de espiritualidade para o seu dia.

Lua trígono Plutão – 23h11 às 02h47 de 12/05 (exato 01h00 de 12/05)

Noite de recuperação e reparação do corpo sutil. Aspecto auspicioso para lidar com feridas emocionais não cicatrizadas, pois nossa capacidade de regeneração estará ativada. Permita-se sentir o passado de forma diferente curando-se dele. Momento de reiniciar, reprogramar, reconsiderar. Bom período para rituais, os portais entre os mundos estão abertos. A energia da fênix está no ar.

DIA 12 DE MAIO – QUINTA-FEIRA
☾ Crescente ☾ em Libra às 03h34 LFC Início à 01h00 LFC Fim 03h34

Mercúrio Retrógrado

Enquanto a Lua estiver em Libra, use a diplomacia, a elegância e o equilíbrio para lidar com suas próprias emoções e com seus afetos. Excelente para realizar as atividades que precisem de harmonia, paridade, conciliação, acordo e aliança. Bom para todos os tipos de tratamento de beleza, há uma métrica no ar que traz um resultado proporcional e, consequentemente, de naturalidade.

Lua oposição Júpiter – 02h12 às 05h50 (exato 04h03)

Carência, idealizações e excessos. Período em que o sentimento é de falta, porém falta do mundo ideal, de idealizações, um mundo que não é concreto, que não existe de fato. Cuidado! Não desconte a frustração por esse mundo ser real nos excessos, como comida e consumo, por exemplo.

Lua trígono Mercúrio – 10h08 às 12h38 (exato 11h55)

Período bom para ter aquele diálogo que estava difícil de acontecer. Há possibilidade de acordo, de concordância. Pontos de vista diferentes apontam para uma multiplicidade de direções que não necessariamente são divergentes. Use da flexibilidade energética desse aspecto para avançar por novas direções e explorar novidades.

Lua oposição Vênus – 22h55 às 02h43 de 13/05 (exato 00h51 de 13/05)

Noite em que há um descompasso nos relacionamentos, carências, desejos não atendidos, sentimento de estar desassistido. Às vezes, um bom livro e uma taça de vinho (sem exageros) são a melhor companhia.

DIA 13 DE MAIO – SEXTA-FEIRA
☾ *Crescente* ☾ *em Libra*

Mercúrio Retrógrado

Lua trígono Saturno – 21h11 à 00h35 de 14/05 (exato 22h55)

Período em que as vontades surgem dentro dos limites da realidade. Excelente para fazer compras, pois você ganha precisão e só compra aquilo que precisa e num preço justo. Bom para criar estratégias a longo prazo. Favorável a cortes do que é dispensável, sem cortar o mínimo de conforto.

DIA 14 DE MAIO – SÁBADO
☾ *Crescente* ☾ *em Escorpião às 07h33 LFC Início às 05h08 LFC Fim às 07h33*

Mercúrio Retrógrado

Enquanto a Lua estiver em Escorpião, período adequado para estar mais introspectivo, para fazer um mergulho profundo na sombra e voltar dela metamorfoseado, assim como a borboleta, a cobra, a fênix e o escorpião, que são animais que renascem de si mesmos. Rituais são processos de passagem de uma fase para outra e ajudam a materializar essa percepção de que os ciclos começam e terminam num círculo incessante, eles ganham um poder extraordinário nessa Lua. Desapegue-se, desidentifique-se, permita-se renascer.

Lua quadratura Plutão – 03h26 às 06h48 (exato 05h08)

Angústia, medo e tensão estão no ar. Não entre nessa energia psíquica do terror. A espiritualidade vem como um portal de saída da angústia desse aspecto que nos faz desejar o controle. Desconfie dos instintos que o levam a ações mais agressivas e agudas.

DIA 15 DE MAIO – DOMINGO
☾ *Crescente* ☾ *em Escorpião*

Mercúrio Retrógrado

Lua oposição Urano – 07h25 às 10h42 (exato 09h06)

Intolerância, divergência, ansiedade e rebeldia. Período em que o desejo é pelo excêntrico, pelo novo, moderno, desejo de sair da rotina. Cuidado com rompantes. Transforme a ansiedade em criatividade e a intolerância em flexibilidade.

Lua trígono Marte – 20h18 às 23h43 (exato 22h03)

Quando a intuição se une à coragem, o resultado são ações estratégicas, ousadas e, ao mesmo tempo, seguras. Aproveite para tomar aquela decisão difícil que você estava adiando.

Lua quadratura Saturno – 23h00 às 02h15 de 16/05 (exato 00h40 de 16/05)

Sensação de escassez emocional, de solidão. Há dificuldade em relaxar e deixar fluir. Tudo parece um pouco mais rígido, mais frio, mais distante. Não leve críticas tão a sério, não leve para o lado pessoal. Se for possível, adie conversas difíceis.

Lua trígono Netuno – 23h02 às 02h17 de 16/05 (exato 00h41 de 16/05)

Um alívio nessa noite tensa! É possível lidar com desilusões sem deixar de ter sonhos novamente. Confiança na espiritualidade e que existe uma ordem que está além da nossa racionalidade atenuam as quadraturas da noite.

Lua oposição Sol – 23h29 às 02h57 de 16/05 (exato 01h14 de 16/05)

Este é um aspecto que faz um portal entre mundos. Uma das Luas mais energéticas, ritualísticas e poderosas do ano. Uma noite que é celebrada no mundo inteiro com o nascimento de Buda, a noite Wesak. Um momento em que nos conectamos com nossa essência e percebemos aquilo de que precisamos desapegar neste momento. O que precisa morrer dentro de você para que abrir espaço para renascer de forma iluminada?

DIA 16 DE MAIO – SEGUNDA-FEIRA
○ *Cheia à 01h14 em 25º18' de Escorpião* ○ *em Sagitário às 08h50*
LFC Início às 06h29 LFC Fim às 08h50

Mercúrio Retrógrado

Eclipse Lunar total à 01h14 em 25º18' de Escorpião

Enquanto a Lua estiver em Sagitário, metas, objetivos, estudos superiores, idealismo, filosofia, aventura, viagens e religião são assuntos que estão rondando nosso inconsciente. Sagitário nos ensina que o caminho da evolução passa por estudos, pela cultura e pela sabedoria.

Lua sextil Plutão – 04h51 às 08h05 (exato 06h29)

O portal do inconsciente está aberto. Cérbero, o cão de três cabeças, descansa e nos permite a passagem. A intuição e o faro para o oculto estão aguçados nesse período, podemos, assim, enxergar e curar os fantasmas sem sofrimento.

Lua trígono Júpiter – 08h55 às 12h11 (exato 10h35)

Prosperidade, espontaneidade, crescimento e confiança nas próprias emoções. Perceba que os relacionamentos íntimos são uma grande ferramenta para a evolução pessoal.

Lua oposição Mercúrio – 12h44 às 15h52 (exato 14h20)

Cuidado com o que você diz e para quem. Fique atento ao diálogo e tente se expressar da forma mais clara possível, repita se for necessário, pois esse aspecto traz um tom emocional e pessoal à comunicação. Uma crítica pode ser levada para o lado pessoal equivocadamente. Fofocas, desentendimentos e conflitos podem ser trazidos à tona pela distorção da informação que alcança pessoas que não participaram do diálogo.

DIA 17 DE MAIO – TERÇA-FEIRA
○ *Cheia* ○ *em Sagitário*

Mercúrio Retrógrado

Lua trígono Vênus – 10h46 às 14h14 (exato 12h32)

Lua em Sagitário e Vênus em Áries unidas em bom aspecto nos dão energia para correr atrás do que precisamos para ser livres e felizes. A espontaneidade, a diferenciação e o bom humor são os comportamentos adequados para usar nesta manhã.

Lua quadratura Marte – 23h09 às 02h32 de 18/05 (exato 00h52 de 18/05)

Desproporcionalidade entre ação e emoção. Impulsividade, raiva, intolerância. Sensibilidade exagerada, em que qualquer coisa se torna uma ameaça, e para se proteger ocorre um excesso em que a pessoa sai muito ferida emocionalmente. Fisicamente, pode sentir dor de cabeça e ansiedade.

Lua quadratura Netuno – 23h22 às 02h35 de 18/05 (exato 01h00 de 18/05)

As situações estão muito longe do ideal, do que você gostaria. A sensação é de que você está longe das suas metas, de que tem algo que desconhece que influencia a sua vida, tornando mais difícil chegar aonde você deseja. O Universo é inteligente, tudo está no seu devido lugar, tenha fé.

Lua sextil Saturno – 23h22 às 02h35 de 18/05 (exato 01h01 de 18/05)

O tempo, o planejamento e a aceitação dos imprevistos da vida são aliados para essa noite desafiadora. Tenha comprometimento com o que você precisa, faça um cronograma, amadureça o propósito e busque experiência com pessoas mais velhas, que já tenham feito uma busca semelhante.

DIA 18 DE MAIO – QUARTA-FEIRA
○ *Cheia* ○ *em Capricórnio às 09h01 LFC Início à 01h00 LFC Fim às 09h01*

Mercúrio Retrógrado

Enquanto a Lua estiver em Capricórnio, serão momentos de estratégias, planejamento, compromisso, seriedade e amadurecimento. Aproveite esse período para lidar com as situações que exijam essas qualidades de você. É possível agir com rigor e eliminar os excessos com empatia.

Lua quadratura Júpiter – 09h43 às 12h58 (exato 11h22)

Cuidado com a arrogância e a falta de sensibilidade para lidar com o sentimento do outro. Não leve as limitações para o lado pessoal. É possível sentir frustração por falta de reconhecimento. Foque na sua missão, e não nos louros que você recebe ou não por cumpri-la.

DIA 19 DE MAIO – QUINTA-FEIRA
○ *Cheia (disseminadora)* ○ *em Capricórnio*

Mercúrio Retrógrado

Lua trígono Urano – 08h38 às 11h54 (exato 10h17)

É possível encontrar segurança afetiva e liberdade, amar o novo sem deixar de dar valor para o que já faz parte da sua história. A tecnologia é um meio de matar a saudade dos que estão distantes e daqueles com quem já não temos contato há um bom tempo.

Lua quadratura Vênus – 15h14 às 18h47 (exato 17h03)

Conflito entre a necessidade de segurança, a espontaneidade e a ingenuidade da paixão. Cuidado para não agir com impulsividade e magoar quem se ama.

DIA 20 DE MAIO – SEXTA-FEIRA
○ *Cheia (disseminadora)* ○ *em Aquário às 09h52 LFC Início às 09h00 LFC Fim às 09h52*

Mercúrio Retrógrado

Entrada do Sol no Signo de Gêmeos às 22h22min24s

Enquanto a Lua estiver em Aquário, liberdade, individualidade, excentricidade, renovação, rebeldia, inventividade, integração, cooperação, solidariedade, humanismo, imprevisibilidade e sociabilidade são palavras que estão em alta. A conexão com essa Lua pode nos dar um distanciamento e frieza para tomar decisões na contramão do que estava sendo proposto, a ideia é estar livre para o novo. Cuidado com a intolerância.

Lua sextil Netuno – 00h01 às 03h19 (exato 01h42)

Os sonhos ficam palpáveis, realizáveis, quando a Lua em Capricórnio faz um bom aspecto com Netuno. Há uma dança entre o mundo dos sonhos, dos desejos idílicos e das boas estratégias e planejamento para alcançá-los.

Lua sextil Marte – 02h22 às 05h50 (exato 04h08)

Nossas ações perdem a brutalidade e ganham um pouco mais de sutileza e delicadeza. É possível chegar ao seu alvo ou objetivo sem ferir ninguém em volta. Com atenção, sensibilidade, coragem e intuição, chegamos no mesmo lugar de forma mais equilibrada.

Lua conjunção Plutão – 05h44 às 09h02 (exato 07h25)

Falta de controle emocional, compulsão, obsessão e insegurança. Esse aspecto é perigoso para os que não andam conscientes de si, uma vez que traz do inconsciente emoções não elaboradas. Se não estiver atento, é fácil reagir de forma agressiva, seja com você, seja com o outro. Cuidado!

Lua trígono Sol – 07h13 às 10h45 (exato 09h01)

A flexibilidade, a curiosidade, a adaptabilidade e a leveza nos permitem olhar para caminhos antes não vistos. Encontro com amigos, pessoas diferentes, com ideias diferentes, geram estímulo para multiplicar ideias.

Lua trígono Mercúrio – 10h35 às 13h46 (exato 12h12)

Assuntos não assimilados, que passaram despercebidos, voltam com chance de harmonia e de conciliação. A capacidade de olhar o lado do outro sem julgamento é uma boa ferramenta para esse período.

Lua sextil Júpiter – 11h12 às 14h34 (exato 12h55)

Confiança para lidar com as próprias emoções e sentimentos, para buscar novas metas, para ir em direção do que se deseja. Sorte nas relações e nos encontros, favorável para estar com os amigos e planejar a próxima viagem ou aventura.

DIA 21 DE MAIO - SÁBADO
○ *Cheia (disseminadora)* ○ *em Aquário*

Mercúrio Retrógrado

Lua quadratura Urano – 10h33 às 13h58 (exato 12h17)

Imprevistos, incertezas e intolerância emocional. É aquele dia em que você não tem paciência para a carência de ninguém. Cuidado com rompantes, não permita que sua impaciência afete pessoas queridas.

Lua sextil Vênus – 21h47 à 01h32 de 22/05 (exato 23h41)

A noite de sábado termina com esse encontro favorável ao amor, afeto, carinho e amizade. A conexão entre as pessoas está facilitada. A atmosfera é de acolhimento e harmonia.

DIA 22 DE MAIO - DOMINGO

☽ *Minguante às 15h43 em 01º39 de Peixes* ☽ *em Peixes às 12h49*
LFC Início às 04h20 LFC Fim às 12h49

Mercúrio Retrógrado

Enquanto a Lua estiver em Peixes, conecte-se com a sua essência divina, com a parte espiritual de si mesmo, com o que há de invisível no Universo. Seja uno como uma onda é uma ao oceano. A prática da espiritualidade, da comunhão e da conexão é facilitada, por isso faça boas escolhas com o que vai se misturar e confie!

Lua conjunto Saturno – 02h35 às 06h02 (exato 04h20)

Não é preciso frieza e distanciamento emocional para ter segurança. Pode haver certa dificuldade de relaxar e deixar fluir naturalmente as emoções. Não se isole, busque os amigos e mude o cenário das situações que estão deixando você aflito ou ansioso. Tome as providências necessárias para se sentir seguro. Seja competente.

Lua quadratura Mercúrio – 11h31 às 14h52 (exato 13h13)

Muita atenção na hora do diálogo, pode haver mal-entendido. Planeje para onde está indo, cuidado para não se perder.

Lua quadratura Sol – 13h50 às 17h35 (exato 15h43)

Muitas opções geram muitas dúvidas. Dificuldade de foco e precisão. Ideias se diluem, ficam vagas diante das inúmeras possibilidades. Dia desafiador para os mais concretizadores.

DIA 23 DE MAIO - SEGUNDA-FEIRA

☽ *Minguante* ☽ *em Peixes*

Mercúrio Retrógrado
Lua sextil Urano – 15h05 às 18h41 (exato 16h55)

Situações inusitadas podem trazer, de forma repentina, novos laços de amizade. Empolgação e vontade de ir por novos caminhos ainda não trilhados iniciam essa semana.

DIA 24 DE MAIO – TERÇA-FEIRA

☽ *Minguante* ☽ *em Áries às 18h39 LFC Início às 18h34 LFC Fim às 18h39*

Mercúrio Retrógrado

Enquanto a Lua estiver em Áries, a coragem, a espontaneidade, o entusiasmo, a empolgação, a iniciativa, a assertividade, a ação e a urgência estão energeticamente disponíveis. Esteja atento e afine-se ao que precisa. As ações rápidas, impulsivas e instintivas são beneficiadas nesse ciclo. Momento de agir.

Lua conjunção Netuno – 07h51 às 11h31 (exato 09h43)

Esteja conectado com a parte sutil e invisível. A intuição está trabalhando com as emoções. Fique atento aos símbolos, ao que o Universo quer falar com você. A linguagem é simbólica, e tudo tem influência.

Lua sextil Plutão – 13h58 às 17h38 (exato 15h50)

As emoções são vividas de forma intensa e profunda. Há sabedoria para enfrentar momentos de perda. Quanto mais íntima a relação, quanto menos controle você precisar ter, mais você estará seguro e confortável emocionalmente.

Lua sextil Mercúrio – 15h03 às 18h35 (exato 16h51)

Raciocínio e intuição se combinam para tirar com precisão as palavras da boca do outro. Há uma conexão sensível, um entendimento mais dinâmico do que está acontecendo, menos fragmentado, mais sistêmico.

Lua conjunção Marte – 16h36 às 20h30 (exato 18h34)

Estamos com as emoções à flor da pele e qualquer pequeno estímulo pode ser um gatilho para uma grande reação, portanto, cuidado! Tanto a euforia quanto a raiva podem estar desproporcionais. Rompantes dizem muito mais de algum sentimento (carência, frustração ou medo) que estava escondido do que sobre o fato que o gerou.

Lua conjunção Júpiter – 21h34 à 01h20 de 25/05 (exato 23h29)

Boa dose de sal é necessária para a euforia e o entusiasmo que essa união provoca. Ficar deslumbrado com alguma coisa pode ser sinal tanto de vitalidade e alegria quanto de fuga, ingenuidade e escapismo.

DIA 25 DE MAIO – QUARTA-FEIRA
☽ *Minguante (balsâmica)* ☽ *em Áries*

Mercúrio Retrógrado

Lua sextil Sol – 00h02 às 04h03 (exato 02h04)

Durma com papel e caneta ao lado da cama, pois os sonhos dessa noite podem ser elucidadores de muitas questões que estão sendo elaboradas, digeridas e metabolizadas no inconsciente e já estão prontas para provocar mudanças nas ações no mundo concreto.

DIA 26 DE MAIO – QUINTA-FEIRA
☽ *Minguante (balsâmica)* ☽ *em Áries*

Mercúrio Retrógrado

Lua sextil Saturno – 16h10 às 20h01 (exato 18h07)

Cuide-se! Tarde bacana para cumprir todos aqueles compromissos que adiamos, como exames, ir a médicos e fazer fisioterapia, pois estamos pacientes com os processos mais chatos e demorados.

Lua conjunção Vênus – 21h52 às 02h08 de 27/05 (exato 00h02 de 27/05)

Noite dedicada aos prazeres da vida, à manutenção da relação com aqueles que amamos. Há sensibilidade e envolvimento para atender aos desejos do outro. Há boa vontade e intenção de resolver discórdia familiar com harmonia e gentileza. Busque sossego. A casa deve ser um lar.

Lua quadratura Plutão – 22h24 às 02h15 de 27/05 (exato 00h21 de 27/05)

Atenção aos excessos e às exaltações desnecessárias. Haja com diplomacia e empatia. Evite tumultos e situações com multidões nas quais é difícil manter qualquer ordem e controle. Tais situações tendem a se desdobrar para a violência.

DIA 27 DE MAIO – SEXTA-FEIRA
☽ *Minguante (balsâmica)* ☽ *em Touro às 03h22 LFC Fim às 03h22*

Mercúrio Retrógrado

Enquanto a Lua estiver em Touro, estabilidade, segurança, apego, paciência, carinho e cuidado com as pessoas que se ama. Com a Lua nesse Signo estamos mais aptos a aumentar o grau de intimidade das relações, a dar estrutura ao corpo emocional. Há uma dificuldade em desapegar do que se gosta.

Hoje a Lua não faz aspecto com outros planetas no céu. Devemos observar recomendações para a fase e o Signo em que a Lua se encontra.

DIA 28 DE MAIO – SÁBADO
☽ *Minguante (balsâmica)* ☽ *em Touro*

Mercúrio Retrógrado

Lua conjunção Urano – 08h51 às 12h48 (exato 10h51)

Sentimento de não pertencimento, de ser diferente, de ovelha negra, de buscar o caminho contrário. Por outro lado, liberdade e inovação, período adequado para ir em novas direções, para testar o diferente, para radicalizar nas ideias. Cuidado com a intolerância, os rompantes e a rebeldia com quem se ama.

DIA 29 DE MAIO – DOMINGO
☽ *Minguante (balsâmica)* ☽ *em Gêmeos às 14h22 LFC Início às 11h11*
LFC Fim às 14h22

Mercúrio Retrógrado

Enquanto a Lua estiver em Gêmeos, conversa, troca, leveza, socialização, mistura, aprendizado. Momento de transitar na superficialidade e a liberdade que ela traz. A falta de critérios rígidos e estáticos ajudam a simplificar a vida. Signo do comércio e da fala, esse é um bom período para fazer como os antigos: pechinchar.

Lua sextil Netuno – 02h49 às 06h48 (exato 04h50)

Noite para dormir com um papel ao lado da cama, pois a linguagem de Netuno é simbólica. Habilidade de captar facilmente conteúdo psíquico, espiritual e subjetivo. Entregue-se!

Lua quadratura Saturno – 02h51 às 06h50 (exato 04h52)

Aventurar-se por novos rumos pode ser tentador. Ao mesmo tempo que o novo é estimulante e empolgante, é inseguro e duvidoso. Cuidado com o radicalismo gerado pelo medo da escassez.

Lua conjunção Mercúrio – 06h18 às 10h10 (exato 08h16)

Clima de cooperação. O intelecto está afiado durante este período,, cheio de ideias criativas para curtir o domingo entre as pessoas próximas, amigos, irmãos e vizinhos. Momento de sentir a simplicidade de estar no meio ambiente de origem.

Lua trígono Plutão – 09h11 às 13h09 (exato 11h11)

Aproveite esse período para fazer aquela faxina. Pode eliminar roupas antigas, papéis, além de tudo aquilo que você quer e sabe que precisa eliminar, mas não sabe por onde começar, você estará com precisão cirúrgica. Elimine excessos, desapegue!

Lua sextil Júpiter – 19h10 às 23h14 (exato 21h14)

Momento de descontração, de otimismo. Excelente para estar reunido com amigos, com aquelas pessoas mais queridas com quem você perde as limitações e formalidades do dia a dia.

Lua sextil Marte – 19h46 à 00h02 de 30/05 (exato 21h56)

Bom para decidir o que precisa realizar durante a semana. Período que favorece a fazer escolhas, tomadas de decisões e coisas que procrastinamos por falta de coragem e indecisão.

DIA 30 DE MAIO – SEGUNDA-FEIRA
● *Nova às 08h30 em 09º03' de Gêmeos* ● *em Gêmeos*

Mercúrio Retrógrado

Lua conjunção Sol – 06h19 às 10h41 (exato 08h30)

Ponto de partida, início de um novo ciclo. Momento de percepção e criação do próximo estágio. Conecte-se com seu lado instintivo, intuitivo e perceba que você precisa é de um momento fértil. Coloque uma intenção e siga a vontade da sua alma.

DIA 31 DE MAIO – SEGUNDA-FEIRA
● *Nova Gêmeos* ● *em Gêmeos LFC Início às 17h11*

Mercúrio Retrógrado

Lua quadratura Netuno – 15h08 às 19h11 (exato 17h11)

Período nebuloso, em que temos certa dificuldade de enxergar com precisão. Se for possível, adie a tomada de decisões definitivas em que você pode estar analisando uma situação sem todos os dados. A mente pode estar, preguiçosa para análises mais criteriosas e profundas.

Lua trígono Saturno – 15h08 às 19h11 (exato 17h11)

Nossa mente está multifocal. Temos soluções inusitadas, flexíveis e criativas para lidar com problemas de trabalho e organização dos projetos.

Junho 2022

Domingo	Segunda-feira	Terça-feira	Quarta-feira	Quinta-feira	Sexta-feira	Sábado
			1 ♋ Lua Nova em Câncer às 02:48 LFC Fim às 02:48 Mercúrio Retrógrado	**2** Lua Nova em Câncer Mercúrio Retrógrado	**3** ♌ Lua Nova em Leão às 15:37 LFC Fim de Mercúrio Retrógrado às 05:01	**4** Lua Nova em Leão 12:16 às 15:37
5 Lua Nova em Leão LFC Início às 20:13	**6** ♍ Lua Nova em Virgem às 03:21 LFC Fim às 03:21	**7** ☾ 16°50' ♍ Lua Crescente às 11:48 em Virgem	**8** ♎ Lua Crescente em Libra às 12:22 LFC 09:09 às 12:22	**9** Lua Crescente em Libra	**10** Lua Crescente em Escorpião às 17:40 LFC 14:37 às 17:40	**11** ♏ Lua Crescente em Escorpião
12 ♐ Lua Crescente em Sagitário às 19:31 LFC 18:40 às 19:31	**13** Lua Crescente em Sagitário	**14** ○ 23°25' ♐ ♑ Lua Cheia às 08:51 em Sagitário Lua em Capricórnio às 19:13 LFC 11:59 às 19:13	**15** Lua Cheia em Capricórnio	**16** Lua Cheia em Aquário às 18:43 LFC 15:42 às 18:43	**17** Lua Cheia em Aquário	**18** ♓ Lua Cheia em Peixes às 20:01 LFC 15:51 às 20:01
19 Lua Cheia em Peixes	**20** Lua Cheia em Peixes	**21** ☽ 29°45' ♓ ♈ Lua Minguante à 00:10 em Peixes Lua Minguante em Áries às 00:36 LFC 00:11 às 00:36 Entrada do Sol no Signo de Câncer às 06h13	**22** Lua Minguante em Áries	**23** ♉ Lua Minguante em Touro às 08:57 LFC 05:03 às 08:57	**24** Lua Minguante em Touro	**25** Lua Minguante em Gêmeos às 20:13 LFC 16:03 às 20:13
26 Lua Minguante em Gêmeos	**27** Lua Minguante em Gêmeos LFC Início às 23:39	**28** ● 07°22' ♋ Lua Nova às 23:52 em Câncer Lua em Câncer às 08:53 LFC Fim às 08:53	**29** ♋ Lua Nova em Câncer	**30** ♌ Lua Nova em Leão às 21:39 LFC 17:15 às 21:39		

Mandala Lua Cheia Junho

Lua Cheia
14.06.2022
Às 08:51 em
23°25' de
sagitário

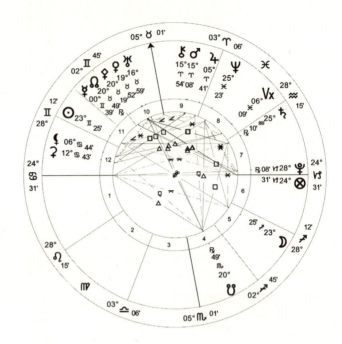

Mandala Lua Nova Junho

Lua Nova
28.06.2022
Às 23:52 em
07°22' de
Câncer

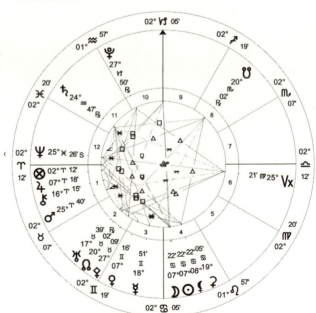

Céu do mês de junho

Maio começa com os personagens do Eclipse Solar ainda no palco, começando a se movimentar, em alguns casos ainda para alcançar o grau exato, como a harmonia de Vênus e Júpiter em Peixes com Plutão em Capricórnio, entre os dias 01 e 03, aspecto este que favorece muito o setor econômico e de negócios e todo tipo de interação, como os relacionamentos diplomáticos ou interpessoais. O encontro oficial Sol/ Urano se dá no dia 05, prometendo muitas inovações, conforme enfatizado pelo mapa do eclipse.

Vênus prossegue sua trajetória pelo zodíaco, chegando em Áries no dia 02. No dia 06, se harmoniza com Mercúrio em Gêmeos, deixando os relacionamentos mais fogosos, independentes e descompromissados.

No dia 10, temos dois movimentos importantes no céu: Júpiter faz sua primeira entrada no Signo de Áries (ainda retorna a Peixes no final de outubro) e Mercúrio, que já vinha desacelerando desde que entrou em Gêmeos, faz sua manobra e passa ao movimento retrógrado. É aquela conhecida "pausa para reflexão". A esperteza mercuriana agora está a serviço de processos de revisão, avaliação e correção e, até o dia 03/06, todos os assuntos sob sua regência se complicam, com mais chance de extravios, mal-entendidos, erros de avaliação etc. O ideal é respeitar a pausa e, se possível, adiar todo compromisso que envolva comunicação, manuseio de dados, papelada ou todo tipo de documento para o mês que vem.

No início de Áries, Júpiter inaugura um tempo de mais pioneirismo, lança sementes que possibilitam ousar ir mais longe ainda.

A Lua Cheia é um eclipse total da Lua em Escorpião, o que indica a tendência de estarmos lidando com situações que nos deixam tristes e desanimados, seja lá o que for, vai dar para remediar. Marte aliado a Netuno em Peixes e Plutão em Capricórnio (graus exatos no dia 18) fazem um "tour de force" e escoram a situação. A superação conta, inclusive, com a mãozinha favorável do destino que anda a toda, desde o encontro Júpiter/Netuno em Peixes e, no momento, bem energizada pela passagem de Marte neste grau. Mercúrio em Gêmeos não poderia se ausentar desta empreitada e, no dia 19, andando de ré, se harmoniza com Júpiter em Áries para garantir que o resultado seja realmente positivo. O Sol ingressa no Signo de Gêmeos, no dia 20, sendo recepcionado por Mercúrio, regente do Signo, ainda no grau zero. São tempos de inquietude, mentalidade muito aguçada e interesse pelos assuntos mais diversos.

No dia 23, Sol e Júpiter se harmonizam gerando um tempo de bem-estar e otimismo. Mercúrio em passo muito lento retorna para Touro e, até o dia 25, repassa pelos pontos de harmonia com Marte e Plutão, fornecendo energia e profundidade para o período de revisões indicado por sua retrogradação.

Entre os dias 24 e 28, peças importantes se mexem no tabuleiro celeste e passam a ocupar posições bem mais adequadas. Marte entra em Áries e Vênus em Touro. Antes de sua despedida de Áries, entre os dias 24 e 27, Vênus se harmoniza com Saturno e se desentende com Plutão. Nos relacionamentos e nas finanças, é tempo de respeitar limites ou teremos de lidar com situações acima de nossa capacidade. Ingressando em Touro no dia 28, Vênus fica muito mais à vontade, trata-se do amor sensual, doce, íntimo e fiel, de apreciação da natureza e de valores sólidos e confiáveis.

Lua e Júpiter acompanham Marte em sua entrada em Áries, o que significa um ingresso triunfante. Em vez de agressividade, é tempo de muita energia, atitudes vigorosas e assertivas para resolver qualquer parada. Não vai faltar ânimo.

A Lua Nova de Gêmeos, no dia 30, vem com uma mensagem ambígua, bem dentro do que se espera da natureza do Signo. Mercúrio e Saturno em desarmonia tendem a indicar um período de entraves, enfatizando a dificuldade atual nas questões ligadas a todo tipo de comunicação, e poderíamos concluir se tratar de um período menos ágil. No entanto, a força e a vitalidade da conjunção Marte/Júpiter em Áries garantem uma energia revigorada e entusiasmo para fazer e acontecer. Um pequeno triângulo entre Mercúrio, Netuno e Plutão ajuda mais ainda a desembaraçar as questões.

Posição diária da Lua em junho

DIA 01 DE JUNHO – QUARTA-FEIRA
Nova em Câncer às 02:48 LFC Fim às 02:48

Mercúrio Retrógrado

Enquanto a Lua estiver em Câncer, é um bom momento para cuidarmos das nossas raízes, para nutrirmos o que nos sustenta e nos dedicarmos à nossa intimidade e a todos que a ela pertencem.

Lua quadratura Júpiter – 08:31 às 12:38 (exato 10:36)
A melhor dica para aproveitar esta manhã é conter as expectativas. Não superestime resultados, potenciais e possibilidades. Mantenha as coisas em seu devido tamanho.

Lua sextil Vênus – 10:08 às 14:38 (exato 12:26)
Suavidade e uma sintonia fina com o que o momento pede de nós pode nos ajudar bastante nessa manhã. Escolha a companhia que lhe agrade para realizar as tarefas desta manhã ou, se isso não for possível, procure selecionar as tarefas que mais lhe dão prazer.

Lua quadratura Marte – 12:20 às 16:40 (exato 14:32)
A tarde está sujeita a aborrecimentos e inquietações por um desalinhamento entre o que a situação demanda e o que somos capazes de oferecer. Evite pressões desnecessárias, como, por exemplo, deixar algo importante para a última hora. Planejar bem é o caminho para lidar melhor com essas horas.

DIA 02 DE JUNHO – QUINTA-FEIRA
Nova em Câncer

Mercúrio Retrógrado

Lua sextil Urano – 10:02 às 14:06 (exato 12:06)
Um encontro positivo entre Urano e a Lua sugere uma predisposição leve e despreocupada. Aproveite que a Lua está em sua fase nova para experimentar um caminho diferente, um lugar diferente ou uma maneira diferente de fazer algo da sua rotina.

DIA 03 DE JUNHO – SEXTA-FEIRA
⬤ *Nova* ⬤ *em Leão às 15:37 LFC Início às 12:16 LFC Fim às 15:37*

Fim Mercúrio Retrógrado

Enquanto a Lua estiver em Leão, é hora de polir a autoestima e identificar o que nos faz únicos e o que temos para doar, generosamente, ao mundo quando a Lua voltar a crescer.

Lua trígono Netuno – 04:03 às 08:06 (exato 06:06)
Um início de manhã propício para o sono e para o sonho. Ótimo também para aumentar a imunidade com um excelente e saudável café da manhã.

Lua sextil Mercúrio – 05:42 às 09:44 (exato 07:45)
Se começar uma reeducação alimentar estava difícil, esta manhã se anuncia bem mais propícia. Mudanças para aumentar o bem-estar são muito bem-vindas.

Lua oposição Plutão – 10:13 às 14:15 (exato 12:16)
Sem perceber, podemos provocar ou sermos provocados e termos reações muito intensas. Evite dramas desnecessários, contornando áreas de conflito potencial. Respeite os limites, sejam eles visíveis ou não.

Lua trígono Júpiter – 22:06 às 02:11 de 04/06 (exato 00:10 de 04/06)
Uma noite excelente para aproveitar com quem queremos bem. Generosidade, reconhecimento e muito carinho trazem alegria e bem-estar para a noite de sexta.

DIA 04 DE JUNHO – SÁBADO
⬤ *Nova* ⬤ *em Leão*

Lua trígono Marte – 05:06 às 09:23 (exato 07:16)
Tudo bem que é sábado, mas seria bom poder aproveitar toda essa energia e colocar o corpo para funcionar. Espontaneidade, encorajamento e incentivo podem fazer muito por quem está se esforçando para mudar velhos hábitos.

Lua quadratura Vênus – 05:32 às 10:00 (exato 07:48)

É possível que tenhamos que lutar com uma boa dose de preguiça e carência para fazer valer a nossa vontade de mudar hábitos nocivos. Talvez fosse uma boa ideia colocar uma recompensa como estímulo para a realização da nossa meta. Que tal um café da manhã reforçado depois do exercício?

Lua sextil Sol – 18:12 às 22:32 (exato 20:24)

Vitalidade e disposição estão presentes para aproveitarmos este final de tarde de sábado. Aproveite para relaxar e deixar fluir as boas energias dessa tarde.

Lua quadratura Urano – 22:46 às 02:46 de 05/06 (exato 00:48 de 05/06)

O final da noite de sábado e a madrugada de domingo trazem tensões e intolerância. É possível que estejamos cansados ou que imprevistos nos deixem mais irritadiços. É melhor não seguirmos pelo caminho da intolerância e da pressão. Pelo contrário, dê espaço para que todos possam se expressar com liberdade e que tudo possa transcorrer com mais tranquilidade.

DIA 05 DE JUNHO – DOMINGO
Nova ● em Leão LFC Início às 20:13

Lua oposição Saturno – 16:04 às 20:00 (exato 18:04)

Um sentimento de melancolia e tristeza pode estar presente no final desse domingo. Talvez não encontremos aconchego ou fantasmas de carestia e solidão queiram nos assombrar. No entanto, o melhor a fazer é não focarmos nisso. Deixe a tristeza chegar, mas não a deixe fazer morada.

Lua quadratura Mercúrio – 18:12 às 22:11 (exato 20:13)

Não conte com a comunicação para dissipar o mal-estar. As palavras só acentuarão o descompasso e o desencontro. Mantenha a serenidade, esqueça análise crítica. A instabilidade emocional só complicará a atmosfera.

DIA 06 DE JUNHO – SEGUNDA-FEIRA

🌑 *Nova* 🌑 *em Virgem às 03:21 LFC Fim às 03:21*

Enquanto a Lua estiver em Virgem, dê atenção aos últimos detalhes do seu plano, ajuste o que ficou faltando, identifique e organize as próximas etapas para assegurar que tudo estará funcionando perfeitamente quando o momento chegar.

Lua trígono Vênus – 22:58 às 03:12 (exato 01:07 de 07/06)

Esta noite é a antítese da noite anterior. A Lua Nova em Virgem escolhe com bastante cuidado e precisão as emoções que são mais adequadas para o momento. O contato fluido da Lua com Vênus vai assegurar que os bons sentimentos serão recompensados sem muito esforço.

DIA 07 DE JUNHO – TERÇA-FEIRA
☾ *Crescente às 11:48 em 16°50' de Virgem* ☾ *em Virgem*

Lua trígono Urano – 09:31 às 13:19 (exato 11:27)

Queremos o novo nesta manhã. Leveza e descompromisso, distanciamento e despreocupação. Experimentar novas perspectivas e ouvir novos pontos de vista são boas atitudes para aproveitar ao máximo essas horas.

Lua quadratura Sol – 09:45 às 13:51 (exato 11:48)

O começo da fase Crescente marca o momento em que os conflitos se tornam mais evidentes. Eles são necessários e é agora, quando as intenções sonhadas na fase Nova encontram a realidade, que descobrimos quais delas poderão vingar. Dê boas-vindas aos contratempos e aprenda com a energia lunar virginiana a selecionar o que vale ou não a pena.

DIA 08 DE JUNHO – QUARTA-FEIRA
☾ *Crescente* ☾ *em Libra às 12:22 LFC Início às 09:09 LFC Fim às 12:22*

Enquanto a Lua estiver em Libra, em sua fase crescente, é interessante lembrar que há outras pessoas a seu redor que podem lhe ajudar, caso você também esteja disposto a colaborar. Diplomacia e charme podem ajudá-lo a ir bem mais longe.

Lua oposição Netuno – 01:52 às 05:35 (exato 03:46)

Alergias, resfriados e uma baixa na nossa imunidade podem atrapalhar o sono. Leve isso em consideração e programe um tempo maior para o descanso.

Lua trígono Mercúrio – 05:00 às 08:49 (exato 06:57)
Acordamos bem-dispostos para organizar as ideias e os caminhos para chegar a tempo dos compromissos agendados para essa manhã.

Lua trígono Plutão – 07:17 às 10:59 (exato 09:09)
Sabe aquela ideia que parecia não ter mais vez? Aquele projeto do qual já estávamos quase desistindo? Se ainda há alguma dúvida, revisite-os agora. Estamos mais concentrados e capazes de ver o que passou batido antes.

Lua oposição Júpiter – 19:35 às 23:15 (exato 21:27)
Antes de decidir ir adiante com seus programas, avalie se não estamos esperando demais de um evento, de uma pessoa ou de uma situação. Evite superestimar as situações e exagerar no desejo de aventura para não desvalorizar o que temos aqui e agora.

DIA 09 DE JUNHO – QUINTA-FEIRA
☽ *Crescente* ☽ *em Libra*

Lua oposição Marte – 07:21 às 11:09 (exato 09:17)
Organize-se para não deixar nada para a última hora nesta manhã. Tudo parece ficar mais urgente neste momento e rivalidades ficam mais acirradas. Se for possível, dedique-se às atividades que possam ser realizadas de maneira mais independente e com maior autonomia.

Lua trígono Sol – 21:02 à 00:49 de 10/06 (exato 22:58)
Mais harmonia, maior alinhamento entre nossas emoções e nossos pensamentos. É mais fácil perceber o que somos e sentimos. Uma noite agradável e de contentamento.

DIA 10 DE JUNHO – SEXTA-FEIRA
☽ *Crescente* ☽ *em Escorpião às 17:40 LFC Início às 14:37 LFC Fim às 17:40*

Enquanto a Lua estiver em Escorpião, as disputas são intensas e viscerais. Nada é gratuito e nada é esquecido. Se for necessário confrontar algo ou alguém, faça-o de forma discreta, leal e íntegra. Não é hora de ser leve e inconsequente.

Lua trígono Saturno – 07:43 às 11:11 (exato 09:29)

Disposição, disciplina e autocontrole. Bom período para se dedicar a atividades que tenham resultados a longo prazo e com efeitos duradouros.

Lua quadratura Plutão – 12:53 às 16:19 (exato 14:37)

Evite disputas de poder e situações de risco, sejam pessoais ou de negócios. Revise a segurança de seus bens e suas informações. É sempre melhor prevenir.

DIA 11 DE JUNHO – SÁBADO
☽ *Crescente* ☽ *em Escorpião*

Lua oposição Urano – 20:25 às 23:44 (exato 22:06)

Rupturas e crises abruptas devido a uma maior necessidade de liberdade e de espaço. O segredo aqui é não pressionar. Deixe espaço e evite cobranças.

Lua oposição Vênus – 20:27 à 00:03 de 12/06 (exato 22:17)

Bem, essa não é uma boa combinação. O aspecto anterior fala de uma necessidade de espaço e esse aspecto aponta para uma possível carência e a frustração de expectativas. Ciúme, possessividade nunca são aconselháveis, agora menos ainda.

DIA 12 DE JUNHO – DOMINGO
☽ *Crescente* ☽ *em Sagitário às 19:31 LFC Início às 18:40 LFC Fim 19:31*

Enquanto a Lua estiver em Sagitário, o clima é de aventura, otimismo, diversão e também inquietude. Estamos prontos para transformar o mundo em nosso lar. Nossa casa, pelos próximos dias, é lá fora, literal e metaforicamente.

Lua quadratura Saturno – 10:06 às 13:22 (exato 11:46)

É possível que ainda reste uma ressaca da noite anterior. Uma tendência ao pessimismo e à insegurança tornam a manhã de domingo mais pesada. Melhor não dar muita atenção ao que passou.

Lua trígono Netuno – 10:23 às 13:38 (exato 12:03)

Há uma luz aqui que ajuda a aliviar o aspecto anterior. Que tal alimentar a alma um pouco com o que faz você sonhar? Se hoje não parece possível, talvez o seja no futuro. Relaxe.

Lua sextil Plutão – 14:56 às 18:10 (exato 16:35)

A recuperação é possível, sim. O melhor a fazer é perdoar, limpar o terreno e se dedicar a consertar o que quebrou. Com um pouco de esforço, tudo se acerta.

Lua oposição Mercúrio – 16:57 às 20:21 (exato 18:40)

Preste atenção ao poder das palavras. Evite expor opiniões que sejam difíceis de conciliar. O importante é afinar as antenas e atentar para não ferir suscetibilidades e sensibilidades.

DIA 13 DE JUNHO – SEGUNDA-FEIRA
☾ *Crescente* ☾ *em Sagitário*

Lua trígono Júpiter – 02:48 às 06:02 (exato 04:27)

Com as emoções em dia, é mais possível descansar e amanhecer com uma melhor disposição. Cultive e use o bom humor para começar o dia.

Lua Trígono Marte – 17:25 às 20:45 (exato 19:07)

O final do dia traz uma dose de energia e disposição. Pode ser uma boa oportunidade para se dedicar aos esportes e às atividades ao ar livre.

DIA 14 DE JUNHO – TERÇA-FEIRA
○ *Cheia às 08:51 em 23º25' de sagitário* ○ *em Capricórnio às 19:13*
LFC Início às 11:59 LFC Fim às 19:13

Enquanto a Lua estiver em Capricórnio, podemos colher os frutos de tudo o que foi plantado na fase da Lua Nova e batalhado na fase Crescente. A colheita se dá nos primeiros dias da Lua Cheia, com sobriedade, parcimônia e cautela.

Lua oposição Sol – 07:10 às 10:32 (exato 08:51)

A Lua chega à sua plenitude nesta manhã de terça. O ideal é trabalhar a colaboração e buscar atividades que possam ser realizadas aos pares. Reconhecer a ajuda recebida e agradecer trarão recompensas.

Lua sextil Saturno – 10:03 às 13:12 (exato 11:39)

Com um pouco de esforço, a manhã promete ser produtiva. Use a objetividade para identificar as realizações que merecem maior destaque e atenção nesta manhã.

Lua quadratura Netuno – 10:23 às 13:32 (exato 11:59)

Cuidado apenas para não permitir que as circunstâncias, a falta de informações ou do reconhecimento esperado o façam desistir. Nada se resolverá milagrosamente, é preciso trabalhar duro para obter o resultado almejado. Se não for da maneira que sonhou, analise o que ficou faltando para tentar novamente na próxima lunação.

DIA 15 DE JUNHO – QUARTA-FEIRA
○ *Cheia* ○ *em Capricórnio*

Lua quadratura Júpiter – 02:45 às 05:56 (exato 04:23)

Possíveis exageros cometidos anteriormente podem vir a cobrar seu preço nessa madrugada. Cuidado com o fígado!

Lua quadratura Marte – 19:09 às 22:29 (exato 20:51)

Brigas, desentendimentos, imposições, secura e agressividade são comuns nesta noite. Atenção para não usar de chantagem emocional e para não se irritar demasiadamente com a carência alheia.

Lua trígono Urano – 20:34 às 23:44 (exato 22:11)

É melhor seguir o caminho da criatividade e não sucumbir à irritação. Procure novas pessoas, novos programas, novas oportunidades.

DIA 16 DE JUNHO – QUINTA-FEIRA
○ *Cheia* ○ *em Aquário às 18:43 LFC Início às 15:42 LFC Fim às 18:43*

Enquanto a Lua estiver em Aquário, devemos buscar os grupos com os quais compartilhamos ideias e ideais. Dividir nossa singularidade com o coletivo é uma boa atitude para os próximos dias.

Lua trígono Vênus – 04:25 às 07:52 (exato 06:10)

Uma madrugada gostosa nos ajuda a despertar com o astral lá em cima! Aproveite para cuidar de si com carinho neste começo de dia.

Lua sextil Netuno – 09:47 às 12:58 (exato 11:25)

A manhã permanece suave e é bom aproveitar esse período para trabalhar com os assuntos, projetos e pessoas que nos inspiram.

Lua conjunção Plutão – 14:05 às 17:17 (exato 15:42)

Intensidade e disposição para transformar e regenerar projetos e situações que considerávamos irrecuperáveis. Mergulhe e não tema a originalidade.

Lua trígono Mercúrio – 21:46 à 01:13 de 17/06 (exato 23:21)

A conversa rola solta e fluida, assim como os caminhos. Essa é uma boa noite para dar uma esticada depois do trabalho e relaxar com conversas estimulantes.

DIA 17 DE JUNHO – SEXTA-FEIRA
○ *Cheia (disseminadora)* ○ *em Aquário*

Lua sextil Júpiter – 02:49 às 06:05 (exato 22:38)

Um boa noite de sono favorece um despertar bem-humorado. Aproveite para se levantar cedo e começar o dia com bastante energia e disposição.

Lua quadratura Urano – 20:57 à 00:15 de 18/06 (exato 22:38)

Não dê nada como certo. Imprevistos de toda ordem são possíveis nesta noite de sexta. O melhor a fazer é não acumular muitas atividades. Deixe bastante espaço e tenha alternativas para o caso de algo não seguir o combinado.

Lua sextil Marte – 21:51 à 01:19 de 18/06 (exato 23:37)

Este aspecto indica que, com um pouco de boa vontade, sinceridade e espontaneidade, é possível transformar um imprevisto em algo bacana.

Não tenha medo de dar sua opinião e ser transparente em relação às suas intenções.

DIA 18 DE JUNHO – SÁBADO
○ *Cheia (disseminadora)* ○ *em Peixes às 20:01 LFC Início às 15:51*
LFC Fim 20:01

Enquanto a Lua estiver em Peixes, estamos sintonizados com as correntes mais subterrâneas do coletivo. A Lua Cheia em Peixes acentua a magia e as reações regidas pela intuição e pela sensibilidade apurada.

Lua quadratura Vênus – 09:19 às 12:58 (exato 11:11)
Não é uma boa manhã para chamegos nem para tratamentos estéticos. As circunstâncias podem não favorecer os nossos desejos. Uma preguiça infinita pode emergir e tornar muito difícil deixar a cama.

Lua conjunção Saturno – 10:06 às 13:26 (exato 11:48)
Se conseguirmos vencer a preguiça e não sucumbirmos a indulgências, é bem possível dar alguma utilidade a essa manhã de sábado. Faça esse esforço, se puder. A disciplina e a dedicação prometem bons resultados.

Lua trígono Sol – 14:01 às 17:38 (exato 15:51)
Uma tarde gostosa e fluida para aproveitar com quem gostamos ou com atividades que estimulam a imaginação e acendem a nossa inspiração.

DIA 19 DE JUNHO – DOMINGO
○ *Cheia (disseminadora)* ○ *em Peixes*

Lua quadratura Mercúrio – 03:08 às 06:52 (exato 05:02)
Um pouco de insônia e outro tanto de ansiedade podem atrapalhar essa madrugada e complicar o nosso descanso. Procure relaxar criando um ambiente tranquilo e sem estímulos extras ao seu redor.

DIA 20 DE JUNHO – SEGUNDA-FEIRA
○ *Cheia (disseminadora)* ○ *em Peixes*

Lua sextil Urano – 00:04 às 03:36 (exato 01:52)
Possibilidade de insights surgidos nos sonhos ou em momentos acor-

dados nessa noite insone. Não deixe de registrar as ideias que surgirem nessas horas.

Lua conjunção Netuno – 14:33 às 18:09 (exato 16:22)
O momento está propício para encontrarmos um ponto em comum que favoreça o grupo. Evite trabalhos que demande atenção a detalhes. O melhor é usar essas horas para o desenho geral e buscar novas inspirações.

Lua sextil Vênus – 18:11 às 22:10 (exato 20:12)
Um final de dia e uma noite agradáveis, com potencial para demonstrações de carinho e harmonia emocional.

Lua sextil Plutão – 19:12 às 22:49 (exato 21:02)
Intensidade e regeneração, ótimo para os amores mais antigos e para momentos mais quentes a dois.

Lua quadratura Sol – 22:13 às 02:08 de 21/06 (exato 00:10 de 21/06)
Não permita que comportamentos infantis atrapalhem a noite com conflitos e desentendimentos. Procure manter a lucidez.

DIA 21 DE JUNHO – TERÇA-FEIRA
☽ *Minguante à 00:10 em 29°45' de Peixes* ☽ *em Áries à 00:36 LFC Início à 00:11 LFC Fim 00:36*

Entrada do Sol no Signo de Câncer às 06h13min40seg
Solstício de Verão H. Norte – Solstício de Inverno H. Sul
Enquanto a Lua estiver em Áries, temos o impulso para atuar sobre o que precisa ser eliminado e cortado. Aproveite a fase Minguante da Lua em Áries para colocar em prática aquela dieta sempre adiada.

Lua conjunção Júpiter – 10:45 às 14:28 (exato 12:38)
Otimismo e alegria fazem com que as tarefas sejam realizadas mais facilmente. Veja quais são as atividades que precisam ser concluídas e que demandam boa vontade e dedique-se a elas.

Lua sextil Mercúrio – 13:31 às 17:37 (exato 15:35)

A tarde está propícia para a avaliação dos resultados obtidos durante a fase da Lua Cheia. Conversas fluem com mais facilidade e os acordos ficam mais viáveis.

DIA 22 DE JUNHO – QUARTA-FEIRA
☽ Minguante ☽ em Áries

Lua conjunção Marte – 13:57 às 17:59 (exato 16:00)

Faça o que precisa ser feito, com decisão e de forma direta. Limpe o terreno, corte o supérfluo e ajuste a realidade.

Lua sextil Saturno – 21:23 à 01:13 de 23/06 (exato 23:20)

Seriedade e introspecção dão o tom desta noite. Procure recolher-se e hidratar-se para ter uma boa noite de sono.

DIA 23 DE JUNHO – QUINTA-FEIRA
☽ Minguante ☽ em Touro às 08:57 LFC Início às 05:03 LFC Fim às 08:57

Enquanto a Lua estiver em Touro, procuramos o conforto e a estabilidade. Aproveite os próximos dias para interiorizar-se e identificar o que realmente lhe agrada. Cuidado com a tendência ao apego e à teimosia.

Lua quadratura Plutão – 03:06 às 06:57 (exato 05:03)

Não subemestime subestimar situações de saúde. Nessa madrugada, os efeitos podem se intensificar e demandar maior atenção.

Lua sextil Sol – 11:05 às 15:18 (exato 13:13)

Bom aspecto que aponta para uma maior facilidade de conciliação entre as emoções e os propósitos. Use essas horas para avaliar pontos positivos dos projetos realizados e que devem permanecer em novos esforços.

DIA 24 DE JUNHO – SEXTA-FEIRA
☽ Minguante (balsâmica) ☽ em Touro

Lua conjunção Urano – 17:15 às 21:13 (exato 19:16)

Experimente novas ideias e lugares. Deixe que o instante guie a ação, evitando planejar muito, o acaso pode trazer boas surpresas.

DIA 25 DE JUNHO – SÁBADO
☽ *Minguante (balsâmica)* ☽ *em Gêmeos às 20:13 LFC Início às 16:03*
LFC Fim às 20:13

Enquanto a Lua estiver em Gêmeos, nossas emoções oscilam com mais facilidade, mas também temos mais facilidade em nos adaptar às circunstâncias e aos outros. É interessante aproveitarmos essa influência, sob os efeitos da fase Minguante, para entendermos melhor o que se passou nessa lunação que se encerra agora.

Lua quadratura Saturno – 08:02 às 12:01 (exato 10:03)
Há uma tendência a sermos severos demais conosco e com quem nos cerca. As circunstâncias parecem tornar essa manhã um pouco mais árida do que precisaria ser.

Lua sextil Netuno – 09:05 às 13:04 (exato 11:06)
Ao mesmo tempo, se a realidade é dura, podemos contar com a imaginação para suavizar um pouco a situação. Use a intuição para perceber qual a melhor reação, baseada numa emoção mais afinada com o momento.

Lua trígono Plutão – 14:02 às 18:02 (exato 16:03)
Apesar de intensas, as emoções estão sob controle e focadas. Esse encontro revira o fundo e traz à tona emoções das quais temos medo. Nesta tarde, porém, essa revelação não é tão assustadora e temos a possibilidade de olhar para elas com mais racionalidade.

DIA 26 DE JUNHO – DOMINGO
☽ *Minguante (balsâmica)* ☽ *em Gêmeos*

Lua conjunção Vênus – 01:48 às 06:17 (exato 04:04)
Se a noite se estendeu, é sinal de que o papo estava bom. E, cá entre nós, isso é sempre bem-vindo, não? Essas horas são bem propícias para encontros significativos, sejam eles com pessoas que nos entendem, sejam eles conosco.

Lua sextil Júpiter – 08:24 às 12:28 (exato 10:28)
Que manhã gostosa! Há boa vontade, confiança e oportunidade de evo-

luirmos emocionalmente. Apesar de ser uma fase mais introspectiva, esse contato favorece a expansão e dá espaço para a sorte se apresentar.

DIA 27 DE JUNHO – SEGUNDA-FEIRA
☽ Minguante (balsâmica) ☽ em Gêmeos LFC Início às 23:39

Lua conjunção Mercúrio – 02:01 às 06:41 (exato 04:23)
É possível que essa seja uma madrugada inquieta. Evite a presença de estímulos mentais ao seu redor para facilitar o repouso e começar melhor a semana. Acalme a mente antes de se deitar.

Lua trígono Saturno – 20:21 à 00:24 de 28/06 (exato 22:24)
Serenidade, foco e percepção alinhada com a realidade, estão disponíveis para nós nesta noite de segunda. Que tal aproveitar para organizar a semana?

Lua sextil Marte – 20:25 à 00:44 de 28/06 (exato 22:36)
Disposição e energia para tirar do caminho o que nos atrapalha. Aliado ao aspecto anterior, temos uma excelente oportunidade de abandonarmos hábitos e pensamentos que dificultam a realização dos nossos planos.

Lua quadratura Netuno – 21:36 à 01:39 de 28/06 (exato 23:39)
Tendemos a nos perder em fantasias, algumas, possivelmente, destrutivas. Não permita que as emoções descarrilhem e atrapalhem o desapego necessário para seguirmos adiante.

DIA 28 DE JUNHO – TERÇA-FEIRA
● Nova às 23:52 em 07°22' de Câncer ● em Câncer às 08:53 LFC Fim às 08:53

Enquanto a Lua estiver em Câncer, estamos em casa. A lunação começa no Signo onde a Lua está mais à vontade. Intimidade, familiaridade, acolhimento, tudo de que precisamos para começarmos bem essa nova fase.

Lua quadratura Júpiter – 21:41 à 01:46 de 29/06 (exato 23:45)
Exageros de todas as formas só atrapalham esse momento de transição de fases lunares. Tendemos a ter sensações infladas e a desrespeitarmos limites. Cuidado, menos é mais, nesse caso.

Lua conjunção Sol – 21:39 às 02:04 de 29/06 (exato 23:52)

Essa são horas excelentes para observarmos e ficarmos atentos ao potencial das coisas que nos cercam e com as quais sonhamos. No início da Lua Nova, não podemos saber o que irá florescer. O momento é de plantio, não é de inquisição.

DIA 29 DE JUNHO – QUARTA-FEIRA
Nova em Câncer

Lua sextil Urano – 18:46 às 22:50 (exato 20:49)

Criatividade, experimentação podem casar-se sim com intimidade e familiaridade. Que tal surpreender quem se quer bem com algo inusitado? Ou que tal mudar algum hábito que você repete, mas que não combina mais com você?

DIA 30 DE JUNHO – QUINTA-FEIRA
Nova em Leão às 21:39 LFC Início às 17:15 LFC Fim às 21:39

Enquanto a Lua estiver em Leão, podemos conhecer um pouco mais o que deseja o nosso coração. A Lua Nova é o ponto de partida, saber o que desejamos é um ótimo lugar para começar.

Lua trígono Netuno – 10:26 às 14:28 (exato 12:29)

A intuição e a sensibilidade aumentam nosso entusiasmo e estamos dispostos a acreditar em nossos sonhos.

Lua quadratura Marte – 13:07 às 17:25 (exato 15:18)

Rivalidades, oposições e animosidades podem ter origem em emoções voltadas somente para si mesmo e para os próprios interesses. É melhor seguir a tendência anterior e olhar para o que pode beneficiar o grupo ao invés de fechar-se em si mesmo.

Lua oposição Plutão – 15:12 às 19:14 (exato 17:15)

Se o clima esquentar, é melhor se resguardar e evitar o conflito ao máximo. Rancor e outras emoções tóxicas podem se acumular, envenenando o ambiente. Não absorva o que faz mal para você. Perceba o espinho e elimine-o o mais rápido possível sem aumentar a tensão.

Julho 2022

Domingo	Segunda-feira	Terça-feira	Quarta-feira	Quinta-feira	Sexta-feira	Sábado
					1 Lua Nova em Leão	**2** Lua Nova em Leão
3 Lua Nova em Virgem às 09:31 LFC 06:59 às 09:31	**4** Lua Nova em Virgem	**5** Lua Nova em Libra às 19:24 LFC 15:04 às 19:24 ♎	**6** ☽ 14°59' ♎ — Lua Crescente às 23:14 em Libra	**7** Lua Crescente em Libra LFC Início às 22:05	**8** Lua Crescente em Escorpião às 02:14 LFC Fim 02:14 ♏	**9** Lua Crescente em Escorpião ♏
10 Lua Crescente em Sagitário às 05:34 LFC 01:35 às 05:34 ♐	**11** Lua Crescente em Sagitário LFC Início às 22:43	**12** Lua Crescente em Capricórnio às 06:00 LFC Fim às 06:00 ♑	**13** ○ 21°21' ♑ — Lua Cheia às 15:37 em Capricórnio	**14** Lua Cheia em Aquário às 05:13 LFC 01:18 às 05:13 ♒	**15** Lua Cheia em Aquário	**16** Lua Cheia em Peixes às 05:17 LFC 01:37 às 05:17 ♓
17 Lua Cheia em Peixes	**18** Lua Cheia em Áries às 08:17 LFC 03:44 às 08:17	**19** Lua Cheia em Áries ♈	**20** 27°51' ♈ ♉ — Lua Minguante às 11:18 em Áries Lua em Touro às 15:22 LFC 11:20 às 15:22	**21** Lua Minguante em Touro	**22** Lua Minguante em Touro LFC Início às 20:46 Entrada do Sol no Signo de Leão às 17h06	**23** Lua Minguante em Gêmeos às 02:10 LFC Fim às 02:10 ♊
24 Lua Minguante em Gêmeos	**25** Lua Minguante em Câncer às 14:53 LFC 05:15 às 14:53 ♋	**26** Lua Minguante em Câncer	**27** Lua Minguante em Câncer LFC Início às 21:55	**28** ● 05°38 ♌ — Lua Nova às 14:54 em Leão Lua em Leão às 03:35 LFC Fim 03:35	**29** Lua Nova em Leão	**30** Lua Nova em Virgem às 15:10 LFC 01:30 às 15:10 ♍
31 Lua Nova em Virgem						

Mandala Lua Cheia Julho

Lua Cheia
13.07.2022
Às 15:37 em
21°21' de
Capricórnio

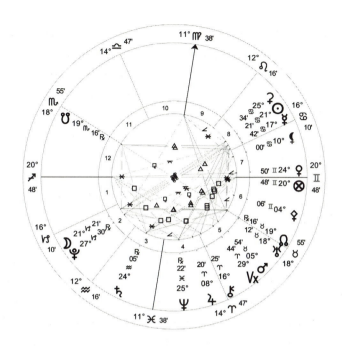

Mandala Lua Nova Julho

Lua Nova
28.07.2022
Às 14:54 em
05°38 de Leão

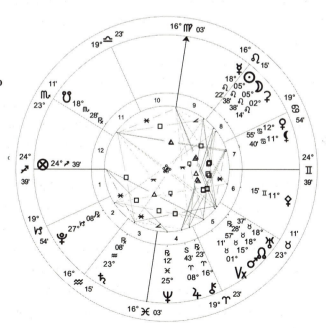

Céu do mês de julho

Como vimos, a natureza mais afável e tímida do Signo de Câncer tem sido provocada, forçada pela vibe ariana do momento a sair da concha e se aventurar. Este clima, no entanto, tende a se amenizar, embora uma forte ativação de Júpiter em Áries ainda se faça presente no mapa da Lua Crescente no dia 07.

Já no final de seu trajeto em Áries, dotado de sua força total, Marte enfrenta uma tensão com Plutão em Capricórnio no dia 1º, e o clima esquenta muito, é necessário ter cautela, raivas e rancores reprimidos tendem a aflorar. Neste mesmo dia 1º, Mercúrio em Gêmeos recebe influências antagônicas; por um lado um bom papo com Saturno possibilitando certezas e planejamentos, por outro, uma indisposição com Netuno, levando a dúvidas e decepções. É bom procurar se certificar para entender bem o que é o quê.

No dia 05, mexidas importantes no tabuleiro celeste propiciam mais calma e serenidade aos eventos, o que combina muito mais com estes tempos cancerianos. Marte e Mercúrio na boa sintonia de um sextil e, praticamente ao mesmo tempo, mudam de Signo. Marte passa a transitar em Touro e Mercúrio, em Câncer. A ação a partir de agora é mais consistente e muitas vezes ganha pela persistência, enquanto o mental passa a ser mais imaginativo e psíquico.

Empoderado pelo mapa da Lua Crescente no dia 07, Júpiter em Áries provoca o emocional Mercúrio em Câncer no dia 09, ainda dentro do clima de dualidade, entre a necessidade de se proteger e o impulso de expandir, gerando desconforto e inquietude. No dia 10, o Sol em Câncer se harmoniza com Urano em Touro, possibilitando conciliar tradição com inovação e progresso.

A Lua Cheia de Capricórnio, no dia 13, traz Plutão como ator principal. No momento do plenilúnio, Sol em oposição e Lua conjunta a Plutão geram um clima pesado, em que tudo é muito carregado e intenso. A Lua em Capricórnio, que já tem um viés mais pragmático e menos emotivo, esfria mais ainda, colocando os deveres à frente do emocional.

Por sorte, outros aspectos benéficos amenizam a lunação. Urano em Touro e Netuno em Peixes se harmonizam, não só com os luminares, mas também com Mercúrio (sendo o aspecto exato com Urano no dia 13 e com Netuno, no dia 17). Uma mente aberta e sensível faz toda a diferença em tempos de emocional tão denso.

Entre os dias 16 e 17, o céu ganha um colorido particularmente românico e amoroso; Mercúrio alcança o Sol e, juntinhos em Câncer, recebem as bênçãos de Netuno em Peixes no mesmo dia em que Vênus faz seu ingresso em Câncer. A Lua, ao que parece, faz questão de participar deste evento, pois cola em Netuno bem na hora e "tatua" no ingresso de Vênus um lindíssimo trígono Lua/Netuno em Peixes com Sol/Mercúrio em Câncer. Vênus agradecida, como dona da festa, se posiciona no Fundo do Céu, o grau natural para 0º de Câncer no zodíaco. Muito lindo!

Sol e Mercúrio evoluem juntos no final de Câncer e, entre os dias 18 e 20, enfrentam Plutão por oposição, gerando um clima de desavenças, desentendimentos graves e disputas de poder. A dica é deixar quieto, pois, já no dia 19, Mercúrio entra em Leão e logo nos primeiros graus se harmoniza com Júpiter no dia 23, mudando o cenário para um clima de compreensão e bom entendimento, mas é bom aproveitar logo, pois nosso Mensageiro ainda encontrará mais desafios pela frente.

Melhor de tudo é o ingresso do nosso astro-rei em seu Signo de domicílio, Leão, no dia 22, deixando tudo mais brilhante e animado. O brilho aumenta mais com a chegada da Lua no dia 28, formando a Lua Nova de Leão.

Desta vez, a exuberância leonina será ressaltada, sublinhada pelo trígono de Júpiter aos luminares. Júpiter já estacionário. para entrar em movimento retrógrado, potencializa suas benesses como se fixasse a posição. Também "cutuca" a tímida Vênus em Câncer, tirando sua quietude, forçando a barra para que ela participe da festa.

Mercúrio também participa do mapa da Lua Nova enfrentando uma tensão com a quase já formada conjunção Marte/Urano, a mente fica empolgada, precipitada, não é momento de decidir nada, leva-se em conta elementos que podem mudar a qualquer momento. No dia 31, um confronto com Saturno obriga a desacelerar e focar.

Posição diária da Lua em julho

DIA 01 DE JULHO – SEXTA-FEIRA
● *Nova* ● *em Leão*

Lua trígono Júpiter – 10:47 às 14:50 (exato 12:50)
Bom momento para buscar mercados mais distantes ou ampliar o público-alvo, pois há receptividade. A boa vontade está presente nos trabalhos em equipe. Estarão em alta os investimentos em treinamento, workshops, seminários e tudo o que contribua para a formação intelectual.

Lua sextil Vênus – 16:45 às 21:12 (exato 18:58)
O clima é de bom humor, harmonia e romance! Muito provável que os bares e shows sejam procurados. Prepare-se para uma noite agradável, não perca esta oportunidade que favorece a aproximação entre pessoas.

DIA 02 DE JULHO – SÁBADO
● *Nova* ● *em Leão*

Lua quadratura Urano – 07:21 às 11:21 (exato 09:23)
Os partos podem ser antecipados, fique atento! Evite alta velocidade. Provável flutuação das taxas relativas ao mercado de imóveis. Então, para quem pretende fazer um negócio imobiliário, não é um período aconselhável. Tarefas repetitivas se tornam estressantes.

Lua oposição Saturno – 20:56 à 00:52 de 03/07 (exato 22:56)
O setor imobiliário continua em baixa! Evite aluguel, aquisição, negócios envolvendo imóveis. É possível que os artigos de que necessitamos falhem, quebrem ou estejam em falta. Se puder evitar, não marque casamento para esta noite. Procure não julgar pessoas queridas.

Lua sextil Mercúrio – 23:22 às 04:02 de 03/07 (exato 01:44 de 03/07)
Período em que a expressão das emoções está facilitada, na qual buscamos as palavras que tocam os corações. Há melhor entendimento e diálogo. Os assuntos mais delicados são abordados e esclarecidos com mais facilidade. As palavras ditas são bem acolhidas.

DIA 03 DE JULHO – DOMINGO
● *Nova* ● *em Virgem às 09:31 LFC Início às 06:59 LFC Fim às 09:31*

Enquanto a Lua estiver em Virgem, temos pouca tolerância para a desordem, displicência, falta de higiene e de eficiência. Aproveitemos para limpar armários, organizar papéis, organizar a vida financeira, cuidar do corpo, da mente e do coração. Adotar hábitos mais saudáveis surtirá um efeito que nos motivará à mudança. Evite cirurgias no aparelho gastrointestinal, intestino delgado e nos pés.

Lua trígono Marte – 04:52 às 09:04 (exato 06:59)
Produtos e serviços absolutamente novos lançados aqui encontrarão aceitação de clientes impulsivos e atraídos por novidades. Presença certa de pessoas em eventos de curta duração.

Tendência a preferir estar em lugares abertos e amplos. Estarão presentes a alta disposição e o bom ânimo!

DIA 04 DE JULHO – SEGUNDA-FEIRA
● *Nova* ● *em Virgem*

Lua sextil Sol – 07:56 às 12:08 (exato 10:04)
O dia começa com bastante vitalidade e boa energia. Vemos tudo de forma clara e conseguimos aceitá-las como são. Há boa fluidez, uma sensação de equilíbrio, de integração no funcionamento da vida. Fertilizações, gestações e nascimentos encontram um momento particularmente benéfico.

Lua quadratura Vênus – 10:28 às 14:45 (exato 12:39)
O público e consumidores estão indecisos, sentindo-se insatisfeitos. A maior dificuldade de escolha aliada a um desejo de autogratificação leva a gastos desnecessários. O mais sensato nesse período é evitar mudanças estéticas e compras de artigos caros, já que corremos o risco de nos arrepender.

Lua trígono Urano – 18:26 às 22:18 (exato 20:24)
Estamos dispostos a fazer coisas novas e também a conhecer pessoas. Se faz algum tratamento, é hora de tentar um menos convencional. Atu-

alizar-se de um modo geral e antecipar-se quanto as tendências podem ser ações promissoras. Bom para apresentar um projeto mais avançado.

DIA 05 DE JULHO – TERÇA-FEIRA
● Nova ● em Libra às 19:24 LFC Início às 15:04 LFC Fim 19:24

Enquanto a Lua estiver em Libra, é tempo de cortesia, charme e diplomacia. Apreciamos mais a beleza, a elegância, as artes, a estética e o refinamento. Preferimos estar na companhia dos outros, estando mais predispostos a fazer concessões. É hora de partilhar projetos. Os trabalhos em equipe fluem muito bem. Tratamentos estéticos trazem bons resultados. Evite cirurgias nos rins e na cabeça.

Lua oposição Netuno – 08:51 às 12:39 (exato 10:47)
Estamos enxergando as coisas de forma nebulosa, o que leva a uma visão equivocada da realidade, resultando em decisões imprecisas e frustração. Convém checar as informações emitidas e recebidas para evitar ruídos na comunicação. Um sentimento de indolência nos faz procrastinar.

Lua trígono Plutão – 13:09 às 16:56 (exato 15:04)
Aqui, estamos dispostos a lidar com assuntos densos ou que promovam uma transformação em nossa vida. Bom momento para reparos e reformas em casa. Estarão em alta as atividades ligadas à reforma, restauração e reparação, assim como as negociações imobiliárias.

Lua quadratura Mercúrio – 20:06 à 00:33 de 06/07 (exato 22:21)
As emoções do passado voltam e perturbam, originando decisões equivocadas. No trabalho, muita conversa, prejudicando a produtividade. A publicação de dados e de informações demandam atenção para não incorrer em erros. Evite negociações com veículos e eletrônicos.

DIA 06 DE JULHO – QUARTA-FEIRA
☾ Crescente às 23:14 em 14°59' de Libra ☾ em Libra

Lua oposição Júpiter – 08:20 às 12:04 (exato 10:14)
O dia começa e estamos avessos a atividades que requeiram maior esforço. Estamos torcendo para que as coisas sejam mais fáceis do que pare-

cem. Os resultados não correspondem ao otimismo e precisamos avançar e conquistar etapas para restabelecer a confiança.

Lua quadratura Sol – 21:15 à 01:12 07/07 (exato 23:14)
Aspectos emocionais ou infantis podem interferir nas decisões, prejudicando o bom discernimento. Estamos divididos entre nossas necessidades primárias e a necessidade de realizar nossas ambições. Se possível, descanse e aja depois. É preciso pesar tudo muito bem.

DIA 07 DE JULHO – QUINTA-FEIRA
☾ *Crescente* ☾ *em Libra LFC Início às 22:05*

Lua trígono Vênus – 00:53 às 04:53 (exato 02:55)
Para os casais, o clima é de charme e sedução. Os relacionamentos estão rodeados de ternura. Um clima de disponibilidade geral facilita a produtividade no trabalho. Capriche na apresentação visual de trabalhos ou até mesmo na apresentação pessoal.

Lua trígono Saturno – 14:30 às 18:04 (exato 16:19)
Se precisa de algum serviço, busque um profissional qualificado. Há preferência para o que é sólido, estruturado, estável e seguro. Se trabalha com o público, e se ele for conquistado neste período, terá mais chances de se tornar fiel. Estão em alta os investimentos a longo prazo.

Lua quadratura Plutão – 20:17 às 23:50 (exato 22:05)
Aqui podemos ter prejuízos e alterações de valor no mercado imobiliário. Para quem está em posição de poder, este período encontra menor aceitação e simpatia. Evite medidas impopulares, tais como aumento de preços, fim de serviços ou criação de taxas.

DIA 08 DE JULHO – SEXTA-FEIRA
☾ *Crescente* ☾ *em Escorpião às 02:14 LFC Fim 02:14*

Enquanto a Lua estiver em Escorpião, estamos mais obsessivos com assuntos mal resolvidos, o que pode estimular confrontos e desfechos. As questões pendentes nos visitam e devem ser resolvidas de vez. As atividades, como reabilitação, reforma, reciclagem e restauração estão em alta.

Evite cirurgia nos órgãos genitais, bexiga, uretra, próstata, intestino, reto, garganta, tireoide e cordas vocais.

Lua oposição Marte – 04:14 às 07:57 (exato 06:07)
Ansiedade no ar! Podemos ter dificuldades digestivas, dores de cabeça, sobretudo para quem sofre de gastrite. Antes de dormir, evitemos refrigerantes, café e cigarro, pois podem aumentar a ansiedade. Maior risco de inflamações em cortes ou pontos, cuidado!

Lua trígono Mercúrio – 12:28 às 16:33 (exato 14:32)
Período em que o intelecto funciona particularmente bem, o que torna o trabalho e atividades mais fluentes. Melhor privilegiarmos os trabalhos que exigem mais atenção aos detalhes. Se tiver alguma reunião, ela será produtiva devido à facilidade com a troca de ideias.

DIA 09 DE JULHO – SÁBADO
☾ *Crescente* ☾ *em Escorpião*

Lua trígono Sol – 06:20 às 09:59 (exato 08:11)
Se pretende engravidar, aproveite estes momentos. Fertilidade em alta, abrangendo todos os aspectos da vida em que possa haver a criação de algo, facilitando sua germinação e desenvolvimento. Os partos também encontram, aqui, um momento mais facilitado.

Lua oposição Urano – 07:51 às 11:15 (exato 09:35)
Momento em que os imprevistos podem acontecer com mais frequência. Para quem tem problemas circulatórios ou pressão alta, convém evitar aborrecimentos e estresse. Se vai tomar medicamentos, observe se o corpo reage de forma diferente e inesperada.

Lua quadratura Saturno – 18:23 às 21:44 (exato 20:06)
Evite marcar casamento nesse período, pois o clima está pesado. Se precisamos do apoio das pessoas com que sempre contamos, aqui teremos dificuldades em acessá-las. Não é um bom momento para abordar alguém mais calorosamente. Neste período, está mais difícil expressar as emoções.

Lua trígono Netuno – 20:15 às 23:35 (exato 21:57)
Essa combinação no céu ameniza a rigidez do aspecto anterior. Se precisa aproximar-se de alguém neste momento, o melhor será criar um clima mágico, idílico, e que realmente seja encantador. Um clima de sedução no ar poderá facilitar o entendimento.

Lua sextil Plutão – 23:54 às 03:13 de 10/07 (exato 01:35 de 10/07)
Período em que vai florescer o que verdadeiramente for genuíno e profundo. Aqui podemos até mesmo recuperar relacionamentos, trazendo de volta às nossas vidas relacionamentos afastados. Os vínculos já existentes tenderão a se aprofundar ainda mais.

DIA 10 DE JULHO – DOMINGO
☾ *Crescente* ☾ *em Sagitário às 05:34 LFC Início à 01:35 LFC Fim 05:34*

Enquanto a Lua estiver em Sagitário, o espírito da aventura nos visita. Queremos ir além do comum, da rotina, nos aventurando com o objetivo de alargar nossos horizontes de vida. Otimistas, ficamos mais generosos, gastando mais e viajando mais. O Turismo e o comércio internacional estarão aquecidos. Evite cirurgias no fígado, coxas, quadris, ciático, vias respiratórias, pernas, braços e mãos.

Lua trígono Júpiter – 17:23 às 20:40 (exato 19:03)
Ajuda especial de pessoas influentes que conhecemos. Bons ventos para o fechamento de negócios. Bom período para um diagnóstico assertivo, para tratamentos em geral e para a minimização de riscos e recuperação em cirurgias.

DIA 11 DE JULHO – SEGUNDA-FEIRA
☾ *Crescente* ☾ *em Sagitário LFC Início às 22:43*

Lua oposição Vênus – 16:27 às 19:55 (exato 18:13)
Os ares aqui se tornam mais letárgicos, o que diminui nossa disposição e também nossa produtividade. Por isso, a vontade é evitar o trabalho mais penoso, adiando-o. A execução das atividades pode ser prejudicada em consequência de antipatias ou ainda decepções com as pessoas. Fique atento!

Lua sextil Saturno – 19:12 às 22:22 (exato 20:49)

Encontramos aqui pontualidade, produtividade e disciplina. Bom momento para todas as atividades que lidem com a área administrativa. Se precisa ir ao dentista, aproveite o momento que favorece os tratamentos dentários. Quer tornar oficial sua união? Aproveite este período!

Lua quadratura Netuno – 21:06 à 00:17 (exato 22:44)

Somos tomados por um sentimento de melancolia. O aumento da sonolência e uma certa passividade nos traz a desconcentração e a distração. É preciso maior atenção ao dirigir. Também falta-nos objetividade, tornando o trabalho menos produtivo.

DIA 12 DE JULHO – TERÇA-FEIRA
☾ *Crescente* ☾ *em Capricórnio às 06:00 LFC Fim às 06:00*

Enquanto a Lua estiver em Capricórnio, existe o medo da escassez, o que nos leva a restringir os gastos. Estamos muito sensíveis às críticas, ao que os outros vão pensar de nós. Pode ser um momento muito produtivo, benéfico para planejamentos, desde que tenhamos comprometimento. Evite cirurgias na coluna, articulações, joelhos, pele, dentes, vistas, vesícula, útero, mamas e abdômen.

Lua trígono Marte – 12:33 às 15:51 (exato 14:14)

Disposição muito boa! Julgamos que somos capazes de realizar coisas. Que tal aproveitar para decidir, ter atitudes sobre assuntos que estavam pendentes? Este é um bom momento. Se procura um novo trabalho ou um novo desafio, aja e invista; ventos sopram a favor.

Lua quadratura Júpiter – 17:32 às 20:41 (exato 19:09)

Tenha atenção, porque nos invade, aqui, a vontade de mudanças, de expansão, o que pode ocasionar atitudes apressadas no trabalho. Há, também, uma tendência a nos garantirmos com a proteção de pessoas em posição privilegiada, pondo em risco uma negociação. Devagar com o otimismo.

DIA 13 DE JULHO – QUARTA-FEIRA
○ *Cheia às 15:37 em 21°21' de Capricórnio* ○ *em Capricórnio*

Lua oposição Mercúrio – 07:08 às 10:47 (exato 09:00)

O dia começa tenso em relação à comunicação. Devemos estar atentos às palavras que usamos ou, então, à falta de diálogo nos nossos relacionamentos íntimos. Podemos ser mal interpretados. Evite falar sobre assuntos pessoais próprios e, sobretudo, dos outros.

Lua trígono Urano – 09:06 às 12:15 (exato 10:42)

Independentemente do cuidado que devemos ter na comunicação nesta manhã, o céu traz uma vontade de fazermos coisas novas, e até mesmo de conhecer pessoas novas. Especialmente, procure a opinião, a orientação de pessoas que pensem diferente de você. Isso pode ocasionar uma vantagem.

Lua oposição Sol – 13:56 às 17:17 (exato 15:37)

Período em que a complementaridade está em alta! Busque colaborações, fazendo as coisas em duplas. Os ventos anunciam encontros, facilitando interações. Igualmente, ajude e expresse gratidão pelo apoio que receber. A demanda é de reciprocidade. Podendo intensificar a tensão para relações em crise.

Lua sextil Netuno – 20:22 às 23:30 (exato 21:58)

A solidariedade, a compreensão e a tolerância nos visitam, fazendo com que a cortesia esteja presente nos tratamentos pessoais. Esta sensibilidade afinada vem acompanhada de romantismo, sedução e encantamento. Aproveite a oportunidade para encantar e se deixar seduzir.

Lua conjunção Plutão – 23:42 às 02:50 (exato 01:18 de 14/07)

O erotismo e o estreitamento dos laços já existentes estão favorecidos neste período. Devemos valorizar e nos aprofundar nas relações com pessoas que nos valorizam. Se havia uma relação importante da qual tinha se afastado, é um bom momento para recuperar o vínculo.

DIA 14 DE JULHO – QUINTA-FEIRA
○ *Cheia* ○ *em Aquário às 05:13 LFC Início à 01:18 LFC Fim às 05:13*

Enquanto a Lua estiver em Aquário, a criatividade está no ar! O sentimento é de liberdade, portanto, reserve parte do tempo para realizar algo novo. A necessidade de algo surpreendente pode desestabilizar os relacionamentos que caíram na acomodação. Evite cirurgias nas veias, vasos, sistema circulatório, sistema vascular cerebral, artérias, capilares, tornozelo, coração e região lombar.

Lua quadratura Marte – 13:58 às 17:17 (exato 15:40)

A impaciência nos assola e queremos nos livrar das tarefas chatas e longas. No entanto, tome cuidado com ações precipitadas, pois estas tenderão a ocasionar problemas e frustrações. Melhor executá-las logo do que deixar para o fim da tarde, tendo tempo para consertar algo que não saiu bem, inesperadamente. Cuidado com o trânsito.

Lua sextil Júpiter – 16:54 às 20:05 (exato 18:31)

As coisas ficarão melhores se enxergarmos as oportunidades de outras pessoas colaborarem conosco, num trabalho em equipe, com boa vontade. Planejar algo diferente do habitual será motivador. Bom momento para fertilização e partos.

DIA 15 DE JULHO – SEXTA-FEIRA
○ Cheia ○ em Aquário

Lua quadratura Urano – 08:38 às 11:52 (exato 10:17)

O dia começa acelerado e cheio de imprevistos. Não se deve confiar em nada como certo, por isso é bom ter flexibilidade de horário e evitar marcar compromissos muito próximos. Não se surpreenda se contratos e apoios forem cancelados. Tarefas repetitivas trarão irritação.

Lua conjunção Saturno – 17:50 às 21:04 (exato 19:29)

Se pretende fazer um check-up, um tratamento dentário ou iniciar tratamentos longos que requeiram disciplina, este é um bom momento. Mudar hábitos alimentares, de comportamento ou até mesmo se libertar de dependências encontra, aqui, um céu que ajuda!

Lua trígono Vênus – 23:49 às 03:23 de 16/07 (exato 01:37 de 16/07)

Um clima de charme, romance e sedução aproxima as pessoas. Locais, como bares, cinemas e shows estarão em alta. Se está num relacionamento, pode usufruir de momentos de mais intimidade ocasionados pela boa vontade amorosa e o romantismo de ambos.

DIA 16 DE JULHO – SÁBADO
○ *Cheia (disseminadora)* ○ *em Peixes às 05:17 LFC Início à 01:37*
LFC Fim 05:17

Enquanto a Lua estiver em Peixes, o clima idílico enaltece a paixão. Se está só, procure algo para se apaixonar. Há uma tendência a ver como sobrenatural algumas coisas que não se pode racionalmente explicar. Acreditamos em sonhos e intuições. Evite cirurgias nos pés. Convém cuidar do sistema imunológico, verificar a taxa de glóbulos brancos, o sistema linfático e a medula, caso não se sinta bem.

Lua sextil Marte – 16:51 às 20:22 (exato 18:36)
A intuição vai ajudar a identificar as oportunidades e devemos aproveitá-las. Portanto, se receber um convite de forma inesperada, não hesite em aceitar! Para os casais, o aumento da proximidade será decorrente de palavras e atitudes de apoio e estímulo. Ações proativas em alta!

DIA 17 DE JULHO – DOMINGO
○ *Cheia (disseminadora)* ○ *em Peixes*

Lua sextil Urano – 10:17 às 13:43 (exato 12:02)
Momento com presença de insights. Fique atento, pois novidades poderão surgir, sendo importante não negligenciar as oportunidades. Aproveite o momento para se atualizar, fazer um upgrade no conhecimento pessoal ou profissional. Mudanças de casa ou na casa encontram um bom momento.

Lua conjunção Netuno – 22:22 à 01:51 de 18/07 (exato 00:08 de 18/07)
Lançar ou divulgar uma arte que estimule a fantasia do público tem a ajuda deste período que beneficia, também, a eclosão e propagação de uma "mania". Aumento de coincidências em geral.

Lua trígono Sol – 22:33 às 02:18 (exato 00:27 de 18/07)

Razão e emoção em paz e equilíbrio. Os tímidos e inseguros podem mostrar seu potencial reprimido. Tudo o que estava escondido, sejam projetos, situações ou relacionamentos, pode revelar possibilidades de crescimento e brilho.

DIA 18 DE JULHO – SEGUNDA-FEIRA
○ *Cheia (disseminadora)* ○ *em Áries às 08:17 LFC Início às 03:44*
LFC Fim às 08:17

Enquanto a Lua estiver em Áries, a impulsividade prevalece sobre a razão. No ar, há um sentimento de agir e resolver assuntos até então adiados. Estamos mais espontâneos, francos, verdadeiros, objetivos e motivados a dar solução a situações. Para as dietas iniciadas durante este período, os resultados aparecerão mais rápido. Evite cirurgias na região da cabeça e nos rins.

Lua trígono Mercúrio – 01:35 às 05:44 (exato 03:41)

Momento em que a mente funciona melhor e a imaginação está fértil. Bom momento para argumentar, trabalhar e trocar ideias. Período auspicioso para estabelecer contatos, relações, realizar negociações e vendas. Para quem trabalha se deslocando, esse é um momento de fluência.

Lua sextil Plutão – 01:57 às 05:27 (exato 03:44)

Aqui o sono é reparador para o organismo, promovendo a boa saúde. Se precisa trabalhar o perdão ou mágoas existentes terá mais facilidade. Há uma maior fluência para lidarmos com assuntos mais profundos ou que ocupem um lugar importante na nossa vida.

Lua quadratura Vênus – 07:18 às 11:10 (exato 09:16)

Sentimo-nos carentes e desabastecidos emocionalmente, o que faz com que comecemos a semana de trabalho sem coragem e sem empenho. Com esta manhã desagradável, que tal oferecer aos funcionários uma pausa com música de relaxamento para agradar?

Lua conjunção Júpiter – 21:45 à 01:23 DE 19/07 (exato 23:36)

Para quem trabalha em equipe, haverá boa vontade e colaboração por parte dos colegas. Os vínculos afetivos íntimos tendem à maior generosidade, gerando confiança e maior proximidade e acolhimento emocional. Boa disposição física.

DIA 19 DE JULHO – TERÇA-FEIRA
○ *Cheia (disseminadora)* ○ *em Áries*

Hoje a Lua não faz aspecto com outros planetas no céu. Devemos observar recomendações para a fase e o Signo em que a Lua se encontra.

DIA 20 DE JULHO – QUARTA-FEIRA
☽ *Minguante às 11:18 em 27º51' de Áries* ☽ *em Touro às 15:22*
LFC Início às 11:20 LFC Fim às 15:22

Enquanto a Lua estiver em Touro, queremos segurança material, afetiva, emocional e psicológica. A instabilidade, o risco, o novo e o impulso não nos atraem, fazendo com que as ações sejam mais conservadoras e práticas. Não queremos situações de estresse. Hora de recolhimento e reflexão. Evite cirurgias na garganta, tireoide, cordas vocais, órgãos genitais, próstata, uretra, bexiga, reto e intestino.

Lua sextil Saturno – 01:36 às 05:20 (exato 03:29)
Boa resistência física, estabilizando a saúde. Os relacionamentos solidificados no tempo ganham vantagem sobre os relacionamentos ocasionais. Se não estiver num relacionamento e conhecer alguém aqui, é grande a chance desta nova relação se estruturar e permanecer.

Lua quadratura Plutão – 08:26 às 12:13 (exato 10:21)
O mercado imobiliário está sujeito a flutuações. O clima está explosivo, sujeito a manifestações de radicalização, reatividade e conflitos. No trabalho, pode haver situações de disputa de poder, o que compromete a produtividade. É bom ter calma, evitando confrontos.

Lua quadratura Sol – 09:15 às 13:21 (exato 11:18)
Diante de um clima hostil e de disputa, realizar o trabalho ou relacionar-se demandará maior desgaste. Evite conversas difíceis e reuniões

cujos temas são delicados. Já que por esses serem sujeitos a discordâncias, poderá se encontrar dificuldade de conciliação.

Lua quadratura Mercúrio – 19:01 às 23:36 (exato 21:20)
Instabilidade emocional leva a atitudes não habituais. Discordar pode parecer falta de afeto. O diálogo e o entendimento ficam prejudicados pela visita de mágoas do passado. Procure se alimentar de coisas muito leves, pois a tendência é haver problemas digestivos.

Lua sextil Vênus – 20:09 à 00:24 de 21/07 (exato 22:18)
Aproveite esta oportunidade que favorece a apresentação visual de trabalhos, apresentações e a apresentação pessoal. Se pretende adquirir itens decorativos para a casa, este é um bom momento. As relações contam com disponibilidade afetiva.

DIA 21 DE JULHO – QUINTA-FEIRA
☽ Minguante ☽ em Touro

Lua conjunção Marte – 11:02 às 15:09 (exato 13:07)
Se existe uma situação que foi adiada devido a algum impasse ou ainda incerteza sobre o que deve ser feito, este é um momento auspicioso para as ações, ganhando, agora, desembaraço e agilidade. Autonomia estará em alta!

DIA 22 DE JULHO – SEXTA-FEIRA
☽ Minguante ☽ em Touro LFC Início às 20:46

Entrada do Sol no Signo de Leão às 17h06min48seg
Lua conjunção Urano – 01:14 às 05:12 (exato 03:15)
Os encontros ao acaso proliferam. As chances de conhecer novas pessoas aumentam se frequentar locais não habituais. O conselho é: não crie expectativas, simplesmente vá para algum local novo e despreocupe-se. Os astros estão dando uma força.

Lua quadratura Saturno – 11:19 às 15:16 (exato 13:19)
Talvez sejam necessário consertos em casa ou no escritório. Os clientes podem diminuir, cancelando as marcações de agenda ou podem chegar

atrasados para os atendimentos, o que gera a diminuição do tempo dedicado à execução dos serviços, reuniões e atendimentos.

Lua sextil Netuno – 14:45 às 18:44 (exato 16:46)

Boa receptividade para campanhas de vacinação, combate às drogas, combate às discriminações. Atenção ao lançamento de produtos ou serviços para um público generalizado. O momento é favorável.

Lua trígono Plutão – 18:45 às 22:44 (exato 20:46)

Se o relacionamento sofreu abalos, peça perdão, volte atrás, reconsidere, corrija seus erros, pois tudo o que for verdadeiramente sincero originará bons frutos. Um bom momento para recuperar o relacionamento ou reatar relações rompidas.

DIA 23 DE JULHO – SÁBADO
☽ Minguante (balsâmica) ☽ em Gêmeos às 02:10 LFC Fim às 02:10

Enquanto a Lua estiver em Gêmeos, queremos circular, interagir com pessoas, expor planos e ideias. A tendência é falar coisas momentaneamente verdadeiras. A curiosidade também está no ar. Buscamos informação nas livrarias, nas bancas de jornal. Evite cirurgias nas vias respiratórias, pulmões, sistema de locomoção, como pernas, braços, coxa, bacia e ciático, sistema neurológico, fala e audição, mãos, dedos e fígado.

Lua sextil Sol – 00:47 às 05:08 (exato 02:59)

Emoção, sentimento; razão, inteligência. Ambos se alinham amenizando os conflitos internos, pois há maior clareza, maior percepção destes fatores, o que nos possibilita sermos mais claros com os outros em relação ao que sentimos. Aproveite bem o momento.

Lua sextil Júpiter – 17:36 às 21:39 (exato 19:40)

Alegria, otimismo e bom humor! Período auspicioso para viagens de longas distâncias e atividades de suporte para este setor, como, por exemplo, o turismo. Fique alerta, não deixe passar as oportunidades que este aspecto nos proporciona. As atividades ligadas ao setor imobiliário estão ativas.

Lua sextil Mercúrio – 18:10 às 23:01 (exato 20:37)

Boa oportunidade para a promoção de eventos de caráter cultural. Particularmente favorável para lançar produtos e serviços de preços mais baixos. Oportunidade favorável à conversa, ao entendimento e às elucidações relacionadas a assuntos de natureza delicada.

DIA 24 DE JULHO – DOMINGO
☽ Minguante (balsâmica) ☽ em Gêmeos

Lua trígono Saturno – 23:25 às 03:28 de 25/07 (exato 01:28 de 25/07)

Se quer estruturar um projeto para longa duração, comece neste período, que está auspicioso. Atividades ligadas à área administrativa estão favorecidas. Para quem está pensando no futuro, busque um plano de previdência.

DIA 25 DE JULHO – SEGUNDA-FEIRA
*☽ Minguante (balsâmica) ☽ em Câncer às 14:53 LFC Início às 05:15
LFC Fim 14:53*

Enquanto a Lua estiver em Câncer, é tempo de ficar mais em casa, cozinhando para a família e recebendo os amigos. Podemos nos emocionar com facilidade e estamos nostálgicos. Atividades ligadas às gestantes, bebês, crianças ou ligadas a serviços e produtos para o lar estão num período promissor. Evite cirurgias no abdômen, estômago, mamas, útero, ossos, articulações, vesícula, pele e vista.

Lua quadratura Netuno – 03:12 às 07:16 (exato 05:16)

Paira no ar certa melancolia. Tendência à distração; portanto, cuidado ao dirigir. Atente para os prazos de validade de produtos, assim como para os seus corretos armazenamentos. Estamos com o poder de concentração diminuído, o que prejudica a produtividade.

DIA 26 DE JULHO – TERÇA-FEIRA
☽ Minguante (balsâmica) ☽ em Câncer

Lua quadratura Júpiter – 06:33 às 10:36 (exato 08:36)

Período em que trabalhamos e achamos que o resultado não é valorizado, gerando em nós uma sensação de desconforto. Aliado a isso, estamos vendo tudo de forma exageradamente otimista, o que origina erros de avaliação de algumas realizações sem condições de acontecerem.

Lua conjunção Vênus – 09:38 às 14:09 (exato 11:56)

A manhã recebe a visita do equilíbrio, da harmonia, beneficiando alianças, acordos e afastando divergências. Estaremos mais vaidosos, aumentando a busca por cabeleireiros, tratamentos estéticos, massagens e procedimentos de embelezamento. Aproveite a hora do almoço para cuidar-se.

Lua sextil Marte – 18:48 às 23:05 (exato 20:58)

Alta disposição! Que tal um exercício físico mais intenso após o trabalho? Há uma sensibilidade para as oportunidades, portanto, fique atento! Momentos de maior autonomia; aproveite para decidir, executar, expandir seus territórios, sua área de ação. Concepção e fertilização em alta.

DIA 27 DE JULHO – QUARTA-FEIRA
☽ Minguante (balsâmica) ☽ em Câncer LFC Início às 21:55

Lua sextil Urano – 02:34 às 06:37 (exato 04:38)

Se você está solteiro, aceite as oportunidades que surgirem para conhecer gente nova, o que deve ser em locais não usuais. Que tal aplicativos de relacionamento? Os encontros ao acaso estão no ar, aguardando voluntários. Dica valiosa: menos expectativas, maiores chances de sucesso.

Lua trígono Netuno – 15:57 às 19:58 (exato 18:00)

Nos visitam a solidariedade e a tolerância. Momentos ideais para lançar produtos que instiguem os consumidores à fantasia e ao lado lúdico da vida. Estarão em alta filmes, músicas, shows, filmes publicitários ou peças publicitárias que sejam visuais ou ligadas ao bem-estar público.

Lua oposição Plutão – 19:53 às 23:54 (exato 21:55)

Propensão a mal-estar físico, que pode ser consequência de emoções do passado que não foram trabalhadas, tais como mágoas, ressentimentos e rancores. É tempo de mergulhar neles e eliminá-los. Desaconselhável para concepção e fertilização.

DIA 28 DE JULHO – QUINTA-FEIRA
🌑 *Nova às 14:54 em 05º38 de Leão* 🌑 *em Leão às 03:35 LFC Fim 03:35*

Enquanto a Lua estiver em Leão, o comportamento fica mais exagerado, desinibido, o que facilita a aproximação de pessoas. Não queremos anonimato. Queremos lazer, festas, viagens a passeio, exuberância e brilho. Tratamentos de beleza são bem-vindos e estão favorecidos. Auspicioso momento para casamentos. Evite cirurgias no coração, na região lombar, veias, varizes, capilares e tornozelos.

Lua conjunção Sol – 12:44 às 17:05 (exato 14:54)
Pouca certeza e algumas possibilidades, mas estas estão em forma inacabada ou imatura. Devemos aguardar alguns dias, pois o tempo vai depurar, lançar luz aos fatos. Os impulsos devem ser contidos para evitarmos desacertos.

Lua trígono Júpiter – 19:03 às 23:02 (exato 21:05)
A abundância nos visita e propicia a conclusão de bons negócios, o que nos faz pensar em uma promoção. Aqui as chances de diagnósticos assertivos são grandes, bem como boa recuperação cirúrgica e de tratamentos de saúde. A emoção está equilibrada e o corpo, bem disposto.

DIA 29 DE JULHO – SEXTA-FEIRA
🌑 *Nova* 🌑 *em Leão*

Lua quadratura Marte – 10:32 às 14:43 (exato 12:39)
Evite o egoísmo no ambiente profissional já que o risco de vingança estará aumentado neste período. Atividades que demandem períodos longos de dedicação promovem a impaciência. Evite pressionar os colaboradores ou demonstrar autoridade. Isso será desestabilizador, reduzindo a produtividade.

Lua quadratura Urano – 14:48 às 18:46 (exato 16:49)
A tarde segue tensa. Os imprevistos nos rondam e nos obrigam a alterar rotinas, deixando todos mais estressados. Evite pressionar as pessoas cobrando decisões, pois pode ser um desacerto e até mesmo ocasionar a precipitação de desligamentos e cortes.

Lua conjunção Mercúrio – 18:28 às 21:08 (exato 20:50)

Período em que estamos comunicativos. Se puder, faça uma pequena viagem aproveitando o fim da semana ou, então, vá a eventos culturais ou informativos e comunique-se, troque informações. Momento bom para lançar campanhas publicitárias, divulgações e publicações.

Lua oposição Saturno – 23:31 às 03:26 de 30/07 (exato 01:30 de 30/07)

Pode ocorrer de sermos incomodados por problemas de saúde de natureza crônica, sobretudo coluna, articulações e pele. Evite procedimentos cirúrgicos, a resistência física está baixa. O cansaço é sentido. O conselho para este dia é dormir cedo, sem hora para levantar no dia seguinte.

DIA 30 DE JULHO – SÁBADO
● *Nova* ● *em Virgem às 15:10 LFC Início à 01:30 LFC Fim 15:10*

Enquanto a Lua estiver em Virgem, estamos mais tímidos, exigentes, seletivos, críticos e criteriosos. Focamos no possível, sonhando menos. Vestidos de lógica e de razão, com o sentimento contido, as emoções exuberantes perdem força. Período bom para cuidarmos da alimentação, sobretudo à noite, e da saúde em geral. Evite cirurgias do aparelho gastrointestinal, intestino delgado e nos pés.

Hoje a Lua não faz aspecto com outros planetas no céu. Devemos observar recomendações para a fase e o Signo em que a Lua se encontra.

DIA 31 DE JULHO – DOMINGO
● *Nova* ● *em Virgem*

Lua sextil Vênus – 22:10 às 02:26 de 01/08 (exato 00:20 de 01/08)

Romance, charme, sedução no ar, aproximando pessoas. Estamos abertos aos afetos. Termine a semana aproveitando a oportunidade de desfrutar deste clima suave que contribui, inclusive, para dissolver os problemas psicossomáticos. Vá aonde gosta, na companhia de quem gosta.

Agosto 2022

Domingo	Segunda-feira	Terça-feira	Quarta-feira	Quinta-feira	Sexta-feira	Sábado
	1	2　♎ 3	4　♏ 5	☾ 13°01' ♏ 6		♐
	Lua Nova em Virgem LFC Início às 19:30	Lua Nova em Libra à 01:05 LFC Fim à 01:05	Lua Nova em Libra	Lua Nova em Escorpião às 08:46 LFC 03:20 às 08:46	Lua Crescente às 08:06 em Escorpião	Lua Crescente em Sagitário às 13:38 LFC 08:25 às 13:38
7	8　♑ 9	10　♒ 11	○ 19°21' ♒ 12		13	
Lua Crescente em Sagitário	Lua Crescente em Capricórnio às 15:38 LFC 07:31 às 15:38	Lua Crescente em Capricórnio	Lua Crescente em Aquário às 15:44 LFC 13:40 às 15:44	Lua Cheia às 22:35 em Aquário	Lua Cheia em Peixes às 15:44 LFC 08:08 às 15:44	Lua Cheia em Peixes
14　♈ 15	16　♉ 17	18	☽ 26°12' ♉ ♊ 19	20		
Lua Cheia em Áries às 17:42 LFC 12:11 às 17:42	Lua Cheia em Áries	Lua Cheia em Touro às 23:22 LFC 17:19 às 23:22	Lua Cheia em Touro	Lua Cheia em Touro	Lua Minguante à 01:36 em Touro Lua Gêmeos às 09:06 LFC 08:06 às 09:06	Lua Minguante em Gêmeos
21　♋ 22	23	24　♌ 25	26　♍ 27	● 04°03' ♍		
Lua Minguante em Câncer às 21:28 LFC 19:07 às 21:28	Lua Minguante em Câncer	Lua Minguante em Câncer Entrada do Sol no Signo de Virgem à 00:15	Lua Minguante em Leão às 10:09 LFC 06:41 às 10:09	Lua Minguante em Leão	Lua Minguante em Virgem às 21:24 LFC 03:55 às 21:24	Lua Nova às 05:16 em Virgem
28　♊ 29	♎ 30	31　♏				
Lua Nova às 05:16 em Virgem	Lua Nova em Libra às 06:44 LFC 00:09 às 06:44	Lua Nova em Libra	Lua Nova em Escorpião às 14:10 LFC 07:44 às 14:10			

Mandala Lua Cheia Agosto

Lua Cheia
11.08.2022
Às 22:35
em 9º21' de
Aquário

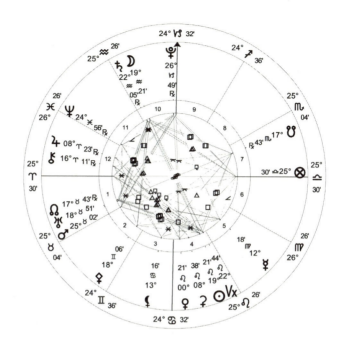

Mandala Lua Nova Agosto

Lua Nova
27.08.2022
Às 05:16 em
04º03' de
Virgem

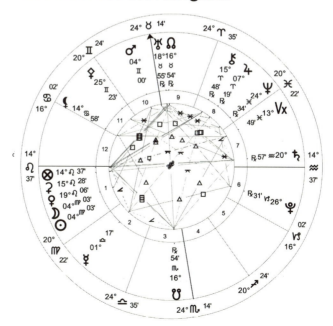

Céu do mês de agosto

Agosto começa animado com a exuberância do Sol em Leão. A conjunção de Marte com Urano em Touro, no dia 1º, agrega agitação e efervescência ao momento. No dia 02, Vênus em Câncer alia-se à dupla num aspecto favorável, o que pode acalmar um pouco os ânimos, mas não o suficiente para baixar a eletricidade.

No dia 04, Mercúrio, num ritmo bem acelerado, ingressa no Signo de Virgem — um dos seus prediletos — onde pode exercer ao máximo sua capacidade de análise, detalhamento e discriminação. Encontra um caminho livre à frente e vai evoluindo sem maiores contratempos na maior parte do mês.

Já se despedindo do Signo de Câncer, Vênus se harmoniza com Netuno, no dia 07, e, logo em seguida, no dia 09, encara Plutão por oposição. Romances ou situações idealizadas são submetidos a uma prova de fogo, testando sua veracidade e profundidade. Questões de investimentos e finanças pedem cautela, lucros idealizados podem se transformar em prejuízo. Desta vez, não é tão transitório assim, este aspecto e outras tensões a Vênus ainda crescem no decorrer deste mês.

A partir do dia 11, mais brilho no céu. Vênus entra em Leão e tem Lua Cheia em Aquário.

A passagem de Vênus em Leão (até 05/09) é sempre um tempo especial para demonstrarmos nossos afetos, nossa admiração por pessoas ou situações que prezamos, respeitamos e até veneramos. Dá vontade de se manifestar, aplaudir, presentear, mandar flores, bombons...

A Lua Cheia de Aquário acontece poucas horas depois da entrada de Vênus em Leão, trazendo o pesado aspecto da conjunção Lua/Saturno oposta ao Sol. Vênus estará presente no fundo do mapa em oposição a Plutão no Meio do Céu, ou seja, romances e finanças, de certa forma, continuam sob teste.

O dominante do mapa, no entanto, é a reedição do duelo Saturno/Urano, como vimos no último janeiro. A Lua Cheia do lado de Saturno tensionada com Marte conjunto a Urano gera o efeito "panela de pressão". Mais uma vez, o embate do "velho" e tradicional tentando resistir e o "novo" chegando com força para mudar. A fricção é forte, mas pode gerar resultados construtivos pela harmonia de Marte com Netuno e Plutão. Mercúrio se harmoniza com Urano no dia 16 e também colabora para criar soluções inovadoras para sair do impasse. Vênus e Júpiter, numa boa conversa no dia 18, favorecem o bom entendimento, contribuindo para desanuviar o astral, pelo menos um pouco.

O único desafio de Mercúrio este mês é uma oposição a Netuno no dia 21, que, por sorte, será praticamente concomitante com um bom entendimento com Plutão no dia 22. Fakenews, informações dúbias ou inconsistentes serão prontamente investigadas e esclarecidas.

Marte, Sol e Mercúrio mudam de Signo entre os dias 20 e 25 e o cenário celeste se modifica inteiramente. Marte passa a transitar Gêmeos (dia 20) onde a ação se baseia mais em esperteza mental do que em esforço físico. O Sol (dia 23) passa a iluminar Virgem e fica mais pragmático, meticuloso e preciso. Mercúrio (dia 25) entra em Libra e permite ponderar e avaliar de maneira mais justa e equilibrada.

Nas primeiras horas do dia 27, forma-se a Lua Nova de Virgem, trazendo um clima de hostilidade e inquietude. Marte em Gêmeos pressiona os luminares numa quadratura em grau partil (significando que é mais forte ainda) e podemos esperar um tempo de mau humor, impaciência e atos de imprudência que podem, inclusive, levar a acidentes. Menos mal que Mercúrio está em Libra — regente do signo de Virgem — em um excelente posicionamento com Marte e Plutão, que pode ajudar a baixar a temperatura, desde que nos mantenhamos ponderados e racionais.

Vênus, que já vinha pressionada desde a última Lua Cheia, ainda enfrenta tensões no mapa da Lua Nova. O aumento das tensões entre Saturno e Urano, desta vez, atinge Vênus, dificultando não só os relacionamentos que se tornam frios e instáveis, mas também os mercados financeiros. No momento, é tudo oscilante, desequilibrado e imprevisível.

Posição diária da Lua em agosto

DIA 01 DE AGOSTO – SEGUNDA-FEIRA
● *Nova* ● *em Virgem LFC Início às 19:30*

Lua trígono Marte – 00:32 às 04:36 (exato 02:36)

Iniciamos a semana cheios de disposição e força para dar conta dos compromissos agendados. Estaremos mais ágeis e dispostos, resolvendo rapidamente pendências que em outras circunstâncias tenderíamos a nos atrapalhar. Não nos faltará coragem para enfrentar os desafios desse início de semana.

Lua trígono Urano – 01:33 às 05:25 (exato 03:31)

Inicie o dia se desfazendo daquilo que não tem serventia. Desentulhe o armário, a vida e as emoções. Vai sentir uma necessidade maior de se sentir livre, para inovar seja no modo de agir, reagir ou se vestir. Emocionalmente, nos sentiremos dispostos e abertos a novidades.

Lua oposição Netuno – 13:55 às 17:44 (exato 15:51)

Faremos maior esforço para manter o foco no que interessa. Nos sentiremos mais cansados tanto emocional como fisicamente. Pode ser que alguém não se mostre claro, exigindo maior esforço para não tirar conclusões precipitadas. Cheque as informações. Não é o melhor dia para decisões importantes.

Lua trígono Plutão – 17:34 às 21:23 (exato 19:30)

Final do dia com energia revigorante, facilitando a transformação ou eliminação do que não vem lhe fazendo bem. Excelente momento para desfazer mágoas, curando antigas feridas. Poderão chegar informações que mudarão a emoção que envolveu uma situação. Aproveite para colocar tudo em pratos limpos.

DIA 02 DE AGOSTO – TERÇA-FEIRA
● *Nova* ● *em Libra à 01:05 LFC Fim à 01:05*

Enquanto a Lua estiver em Libra, qualquer negociação que seja conduzida com gentileza e diplomacia tenderá ao êxito. A racionalização das emoções aumenta as chances da conquista de um equilíbrio emocional para conduzir os acontecimentos diários. Programas a dois serão mais prazerosos. Acordos judiciais estarão facilitados.

Lua oposição Júpiter – 15:34 às 19:19 (exato 17:29)

Nem sempre as coisas acontecem como desejamos. Podemos esperar mais, no entanto, é preciso tentar ter uma visão real do que se apresenta. Não é momento para atitudes impensadas ou banhadas de exageros. Controle-se, sabendo o limite de cada ação. Assim, o prejuízo tenderá a ser minimizado.

Lua sextil Sol – 19:10 às 23:13 (21:14)

Faça uma análise do que vem passando. Haverá maior clareza para lidar com situações que antes pareciam indissolúveis. Nossas emoções estarão alinhadas com a realidade dos fatos. Isso é proveitoso para criar novas estratégias.

DIA 03 DE AGOSTO – QUARTA-FEIRA
🌑 *Nova* 🌑 *em Libra*

Lua quadratura Vênus – 12:51 às 16:55 (14:55)

Vai ser mais penoso realizar qualquer tarefa que exija sacrifícios. Assim, se puder, transfira para a segunda metade da tarde os assuntos que exigirão mais determinação. Presenteie-se com algo que amenize o mau humor. Não é o momento adequado para qualquer tipo de tratamento estético.

Lua trígono Saturno – 17:38 às 21:17 (19:29)

Tarde e noite produtivas. Excelente para colocar em dia serviços em atraso. Nada será encarado como um sacrifício difícil de realizar. Ao contrário, estaremos focados e persistentes a cumprir com nossas responsabilidades. Excelente energia para concretização dos anseios emocionais.

DIA 04 DE AGOSTO – QUINTA-FEIRA
🌑 *Nova* 🌑 *em Escorpião às 08:46 LFC Início às 03:20 LFC Fim às 08:46*

Enquanto a Lua estiver em Escorpião, dificilmente algo passará despercebido. A tendência é que enxerguemos além do que é visto. Haverá entrega emocional a tudo o que nos propusermos a realizar. Principalmente ao que ainda não está ao nosso alcance.

Lua quadratura Plutão – 01:30 às 05:08 (03:20)

Madrugada intensa. Emoções à flor da pele poderão resultar em sentimentos oriundos de antigas feridas. Tente não levar tudo tão radicalmente. Racionalize suas emoções, analisando de uma forma que o aprendizado seja sua meta. Não dá para ganhar todas.

Lua sextil Mercúrio – 07:24 às 11:32 (09:30)

Excelente para ter aquela conversa delicada que vem adiando. Estaremos mais abertos ao diálogo, facilitando o entendimento do que verdadeiramente está sendo dito. Nosso raciocínio tenderá a estar ágil, e a memorização, rápida. Excelente para falar em público.

DIA 05 DE AGOSTO – SEXTA-FEIRA
☾ *Crescente às 08:06 em 13°01' de Escorpião* ☾ *em Escorpião*

Lua quadratura Sol – 06:12 às 10:00 (exato 08:06)

Vamos ter que fazer maior esforço para não deixar que a instabilidade emocional atrapalhe a conclusão de assuntos assumidos. A vontade é fazer pouco, pois o desânimo pode impedir grandes passos. Esforce-se mais para se manter produtivo. Não deixe que o emocional domine sua razão.

Lua oposição Urano – 16:27 às 19:57 (18:14)

Preparem-se para surpresas – elas virão modificar tudo o que foi programado. Jogo de cintura será fundamental para não cair na ansiedade e no estresse. Desista de tentar se manter no controle. Entenda a energia e faça o que conseguir, sem se cobrar tanto.

Lua oposição Marte – 20:48 à 00:27 de 06/08 (exato 22:39)

Pode ser que tentem lhe tirar do sério. Assim, tente se manter calmo e não caia em provocações. Se puder, intensifique seus exercícios à noite para que consiga dormir melhor. Cultive a paz interna para amenizar qualquer tipo de debate que venha surgir. Contemporize.

Lua quadratura Saturno – 23:02 às 02:29 de 06/08 (exato 00:48 de 06/08)

A sensação será de estar carregando o mundo nas costas. Uma vulnerabilidade poderá lhe abater, resultando num descontentamento generalizado. É importante lembrar que os obstáculos surgem para serem vencidos. Afugente o desânimo. Você tem que aprender a contar com você mesmo.

DIA 06 DE AGOSTO – SÁBADO
☾ *Crescente* ☾ *em Sagitário às 13:38 LFC Início às 08:25 LFC Fim às 13:38*

Enquanto a Lua estiver em Sagitário, nos enchemos de otimismo para ousar ir além do que é conhecido. Estará favorável para ampliar o conhecimento, seja intensificando seus estudos, aprendendo um novo idioma. Excelente para viajar e explorar locais novos. Anime-se e pé na estrada.

Lua trígono Vênus – 00:02 às 03:50 (exato 01:58)
Invista em momentos amorosos, pois estaremos mais abertos a expor nossos sentimentos com intuito de uma entrega a quem nos deseja. Se tiver sozinha, se agrade, seja comprando uns ramos de flores, uma roupa nova ou apenas curtindo um programa que lhe faça feliz.

Lua trígono Netuno – 03:24 às 06:51 (exato 05:09)
Nem tudo precisa ser tão árido. Tente colocar uma pitada de encanto na sua vida. Inspire-se e deixe sua intuição criativa fluir. Estaremos suscetíveis a tudo o que se passa no entorno. Medite, alinhe-se com o universo e faça seus pedidos. Haverá grandes chances de ser atendido.

Lua sextil Plutão – 06:40 às 10:06 (08:25)
Manhã muito fértil, com vários aspectos positivos. Invista no seu lado criativo, colocando para fora ideias adormecidas. Liberte-se de antigos preceitos e inove seu repertório emocional. A hora é de largar o que intoxica a alma.

Lua quadratura Mercúrio – 17:22 às 23:12 (exato 21:19)
Não deixe para o final do dia para tentar entender um assunto que ficou

mal compreendido. A comunicação tenderá a não fluir, pois as palavras serão mal interpretadas. É melhor descansar do que tentar se explicar. Tente acalmar sua mente meditando. Isso fará com que tenha um sono melhor.

DIA 07 DE AGOSTO – DOMINGO
☾ *Crescente* ☾ *em Sagitário*

Lua trígono Júpiter – 02:30 às 04:49 (exato 04:13)

O bom humor dominará seu dia. Aproveite para convidar amigos e vivenciar momentos felizes. Que tal um programa novo, que traga a sensação de expansão? Isso aumentará as chances de ocorrerem novas oportunidades. Otimismo.

Lua trígono Sol – 13:34 às 17:08 (exato 15:23)

Há um alinhamento entre seus objetivos e suas emoções, nos deixando mais receptivos e sensíveis quanto a novas experiências. Nos sentimos à vontade com o que está a nossa volta. Há clareza de como as coisas realmente são, resultando num sentimento de segurança, mesmo que os resultados não sejam satisfatórios.

DIA 08 DE AGOSTO – SEGUNDA-FEIRA
☾ *Crescente* ☾ *em Capricórnio às 15:38 LFC Início às 07:31 LFC Fim às 15:38*

Enquanto a Lua estiver em Capricórnio, a produtividade estará em alta. Prevalecerá a responsabilidade no cumprimento dos compromissos que nos comprometemos a realizar. Sacrifícios serão feitos naturalmente, já que estaremos mais dispostos a abrir mão dos excessos, encarando qualquer situação de escassez.

Lua sextil Saturno – 01:32 às 04:49 (exato 03:12)

Maior objetividade para realizar o que está ao seu alcance. Não teremos tempo para ficar sonhando com o que poderia ser. Excelente para um choque de gestão. Procurando realizar mais com menos recursos. O que se conquista sob essa energia tem grande chance de perdurar.

Lua quadratura Netuno – 05:51 às 09:08 (07:31)

Tente seguir um roteiro de atividades, para não se perder ao dar conta de tantos assuntos ao mesmo tempo. Se puder, já deixe tudo separado para não se atrasar. A tendência é de esquecer objetos e compromissos. Anote tudo e tente seguir o cronograma, isso fará o seu dia mais produtivo.

DIA 09 DE AGOSTO – TERÇA-FEIRA
☾ *Crescente* ☾ *em Capricórnio*

Lua trígono Mercúrio – 03:02 às 06:38 (exato 04:52)
Estaremos mais abertos ao diálogo, favorecendo todos os tipos de comunicação. Excelente para divulgar negócios e produtos, realizar viagens curtas, demonstração de produtos e negociar contratos. Aproveite!

Lua quadratura Júpiter – 03:47 às 07:00 (exato 05:25)
Cuidado para não exagerar na forma que sente determinada questão. Pode ser que maximize uma situação que poderia passar despercebida. Vá com calma e faça o que está ao seu alcance, isso evitará frustrações.

Lua trígono Urano – 20:21 às 23:33 (exato 21:59)
Estaremos mais abertos a novidades. Insira uma nova forma de enxergar um velho assunto, pode ser que você se surpreenda com a solução encontrada. Nos relacionamentos, inove com atitudes originais que saiam do trivial. Isso fará toda diferença.

DIA 10 DE AGOSTO – QUARTA-FEIRA
☾ *Crescente* ☾ *em Aquário às 15:44 LFC Início às 13:40 LFC Fim às 15:44*

Enquanto a Lua estiver em Aquário, estaremos mais propensos a nos libertar de antigos hábitos. A novidade é o combustível para nos manter abastecidos emocionalmente. Não se prenda a antigos preceitos. Estão favorecidas atividades em grupo de cunho social. Exerça a solidariedade.

Lua trígono Marte – 04:32 às 07:51 (06:14)
Estaremos animados para tomar iniciativa e agir conforme nossos sentimentos. Encoraje sua equipe, estimulando a iniciativa de buscar melhores resultados. Não é hora de retroceder. Ao contrário, o importante é seguir adiante. Excelente para dar o pontapé inicial em algo que vinha sendo protelado. Anime-se.

Lua sextil Netuno – 06:09 às 09:20 (exato 07:46)

Use a intuição. O refinamento das suas emoções resultará numa melhor forma de expressar seus sentimentos. Tenderemos mais facilmente a compreender o que se passa com o outro. Isso facilitará o entendimento, buscando, com mais facilidade, um consenso sobre um determinado assunto. Estaremos propensos a fazer concessões.

Lua conjunção Plutão – 09:09 às 12:20 (exato 10:48)

É um momento de energia restauradora, sendo muito importante para quem está em processo de reabilitação de saúde. Também favorece o perdão, a extinção de mágoas e a recuperação de relações estremecidas. Excelente momento para investir em acordos que antes pareciam impossíveis.

Lua oposição Vênus – 11:55 às 15:23 (exato 13:40)

Tenha jogo de cintura diante das contestações do seu ponto de vista. No jogo da vida, temos que saber a hora de ceder e enfrentar momentos de desprazer. Nem tudo são flores e mesmo essas têm espinhos. Assim, acalme-se, mantenha o bom humor e use a sua inteligência emocional para lidar com contratempos.

DIA 11 DE AGOSTO – QUINTA-FEIRA
○ *Cheia às 22:35 em 19°21' de Aquário* ○ *em Aquário*

Lua sextil Júpiter – 03:32 às 06:43 (exato 05:09)

O dia começará favorável para introduzir novos assuntos ou mesmo sair do limite do conhecido. Assuntos relacionados ao comércio exterior, ensino e concursos estarão favorecidos. Invista em acordos judiciais. Aproveite esse momento de sorte e surfe na energia do progresso.

Lua quadratura Urano – 20:11 às 23:23 (exato 21:49)

Não se deixe levar pela intransigência. Tenha jogo de cintura, pois situações emergenciais tenderão a lhe tirar do sério. Tente diminuir o ritmo à noite, fazendo atividades que relaxem e acalmem. Estaremos pouco pacientes diante de atrasos ou contestações. Não é o momento adequado para abordar assuntos polêmicos.

Lua oposição Sol – 20:52 à 00:18 de 12/08 (exato 22:35)
Clima desfavorável para acordos. Não há uma clareza dos seus sentimentos, podendo bloquear a resolutividade de assuntos que vinham sendo trabalhados. Tente relaxar e aguardar o melhor momento para agir.

DIA 12 DE AGOSTO – SEXTA-FEIRA
○ *Cheia* ○ *em Peixes às 15:44 LFC Início às 08:08 LFC Fim às 15:44*

Enquanto a Lua estiver em Peixes, a empatia tende a embalar nossas ações, sendo mais difícil impor a nossa vontade, já que há uma sintonia em relação ao que o outro sente. Estaremos mais passionais, deixando as coisas acontecerem no seu próprio ritmo. Cultive o encanto pela vida, seja admirando uma obra de arte, a natureza ou apenas o sorriso de uma criança.

Lua conjunção Saturno – 01:22 às 04:33 (exato 02:59)
É claro que a vida é feita de responsabilidades, no entanto, não precisa que você leve tudo de forma tão pesada. Tente encarar tudo com mais leveza, do contrário, poderá sofrer uma contratura muscular. A tendência é de haver cobranças de todos os lados. Esteja preparado e tente manter o bom humor.

Lua quadratura Marte – 06:25 às 09:47 (exato 08:08)
Calma, respire e raciocine. Não se deixe levar por sentimentos raivosos, pois acabarão fazendo mal para seu corpo. Vai ser mais difícil cumprir ordens hoje. Assim, se puder, tente realizar suas tarefas de forma mais autônoma possível e até sozinho. Isso o deixará menos irritado.

DIA 13 DE AGOSTO – SÁBADO
○ *Cheia* ○ *em Peixes*

Lua oposição Mercúrio – 14:11 às 17:52 (exato 16:03)
Hoje vai ser difícil relaxar a mente. É como se você não conseguisse calar as palavras que pipocam sem parar na sua cabeça. Redobre a atenção ao expressá-las. Pode ser que elas saiam sem você pensar e acabe provocando situações prejudiciais. Não é uma boa hora para divulgar produto, ter aquela conversa delicada ou apenas organizar seus documentos. É dia

para tentar espairecer, pensar menos, fazendo programas que esvazie a sua mente. Descanse.

Lua sextil Urano – 21:08 à 00:29 de 14/08 (22:50)

Ótimas ideias poderão revelar soluções criativas. Invista nas pesquisas pela internet, abrindo-se a novas formas de abordar um mesmo tema. Isso facilitará a sua visão inovadora de um assunto que vem precisando dar uma repaginada.

DIA 14 DE AGOSTO – DOMINGO

○ Cheia (disseminadora) ○ em Áries às 17:42 LFC Início às 12:11
LFC Fim às 17:42

Enquanto a Lua estiver em Áries, estaremos mais corajosos para tomar iniciativa em direção a novas atividades. Ótima fase para começar a fazer exercício, iniciar um novo negócio e até aprender algo novo. Estaremos com ímpeto de ação e força para a competição. Cuidado ao agir impulsivamente sem medir as consequências que virão.

Lua conjunção Netuno – 07:16 às 10:39 (exato 08:59)

Hoje vai dar aquela preguiça, sendo mais difícil sair da cama. Dê um descanso maior a si mesmo. Alimente-se bem e, se der, faça um exercício ao ar livre, conectando-se com a natureza. Isso trará a paz necessária para discernir melhor seus sentimentos. Não é dia para se tomar grandes decisões. Cuidado, pois haverá tendência a distração.

Lua sextil Marte – 10:05 às 13:39 (exato 11:54)

Disposição e agilidade para resolver qualquer tipo de pendência. Tome a iniciativa e realize sem esforço. Há uma agilidade no agir, facilitando se colocar numa posição de protagonista. Excelente para a prática de exercícios físicos.

Lua sextil Plutão – 10:28 às 13:52 (exato 12:11)

Se houver alguma pendência para resolver, o momento é esse. A tendência é que situações que antes pareciam difíceis se tornem resolutivas. Excelente para regenerar sentimentos e aprofundar relacionamentos.

Lua trígono Vênus – 00:58 às 02:47 (exato 00:54 de 15/08)

Invista na cordialidade, na amizade e no bem querer. É momento para o entendimento e desfrutar de momentos prazerosos, deixando-se levar pelos sentimentos que vêm do coração. Entregue-se ao amor.

DIA 15 DE AGOSTO – SEGUNDA-FEIRA
○ *Cheia (disseminadora)* ○ *em Áries*

Lua conjunção Júpiter – 06:14 às 09:44 (exato 08:00)

Começaremos o dia banhados pelo otimismo. Excelente momento para colocar energia e galgar resultados mais amplos. Facilidades poderão ocorrer com seu público e clientela. Esteja atento às oportunidades que tenderão a surgir trazendo benefícios inesperados. Valorize o que está ao seu alcance. Dia extremamente fértil.

DIA 16 DE AGOSTO – TERÇA-FEIRA
○ *Cheia (disseminadora)* ○ *em Touro às 23:22 LFC Início às 17:19*
LFC Fim às 23:22

Enquanto a Lua estiver em Touro, valorizaremos o que nos traz segurança e estabilidade. Ficamos mais conservadores e precavidos em nossas atitudes. Estamos no auge do ciclo lunar, excelente para colher o que foi plantado. Aproveite para saborear os prazeres da boa mesa com quem aquece seu coração.

Lua sextil Saturno – 06:24 às 10:02 (exato 08:15)

Manhã produtiva. Suas emoções estarão alinhadas com a concretização de suas ações. A tendência é não haver desperdício de energia com nada que não tenha chances reais. Estaremos autoconfiantes e prontos para encarar qualquer sacrifício que se faça necessário. Foco e persistência são palavras de ordem.

Lua trígono Sol – 09:49 às 13:46 (exato 11:49)

As emoções estarão equilibradas e alinhadas com suas ações. Abre-se uma perspectiva diante de situações que antes pareciam estar perdidas. Tenha calma e analise com clareza todas as variáveis que envolvem seus projetos. O momento é de esclarecer qualquer tipo de dúvida.

Lua quadratura Plutão – 15:27 às 19:08 (exato 17:19)

Cuidado na hora de abordar qualquer tipo de contestação. Será preciso redobrar a atenção em relação às reações emocionais. Não é o momento de medir forças. Se sofrer algum tipo de provocação, evite atrito e saia de fininho. A melhor opção é passar despercebido. Não deixe que seus sentimentos dominem sua razão.

DIA 17 DE AGOSTO – QUARTA-FEIRA
○ *Cheia (disseminadora)* ○ *em Touro*

Lua quadratura Vênus – 10:48 às 14:59 (exato 12:55)

Você deverá se esforçar para manter o bom humor. Pode ser que as coisas não saiam como o esperado, fazendo com que você fique decepcionado. Não se deixe abater, obstáculos acontecem para serem superados. Amanhã é outro dia.

DIA 18 DE AGOSTO – QUINTA-FEIRA
○ *Cheia (disseminadora)* ○ *em Touro*

Lua conjunção Urano – 09:23 às 13:16 (exato 11:21)

Manhã agitada podendo ter que dar conta de várias coisas ao mesmo tempo. Se puder, priorize compromissos para não resultar em ansiedade e nervosismo, que tenderá a afetar sua produtividade. Fique alerta quanto a "insights" que poderão trazer soluções inovadoras.

Lua quadratura Saturno – 14:37 às 18:30 (exato 16:35)

Diminua o ritmo, eliminando o que pode transferir para outro dia. Não tente dar conta de tudo, afinal a tendência é que não saia do jeito que você deseja. Conte com você mesmo para não se decepcionar já que, dificilmente, encontrará quem lhe auxilie com boa vontade.

Lua trígono Mercúrio – 14:26 às 18:48 (exato 16:39)

Opte pelo diálogo. Sua mente estará afiada, articulando, de forma inteligente, soluções práticas que tenderão a ser compartilhadas. Discrimine as emoções, a fim de que essas não venham a atrapalhar qualquer tipo de negociação. Seja criterioso e exigente no cumprimento dos seus deveres. Os resultados farão total diferença.

Lua sextil Netuno – 20:50 à 00:46 de 19/08 (exato 22:50)

Noite especial banhada de momentos de inspiração. Excelente para criar uma atmosfera lúdica, com velas e aromas que nos remetam a um relaxamento do corpo e da alma. Evite tratar de assuntos espinhosos. Relaxe!

Lua quadratura Sol – 23:27 às 03:44 (exato 01:36 de 19/08)

Não é momento para tomar nenhuma atitude. Deixe para quando não estiver sob o calor das emoções. Amanhã você decide o que fazer. Evite o mau humor e tente relaxar.

DIA 19 DE AGOSTO – SEXTA-FEIRA
☽ Minguante à 01:36 em 26°12' de Touro ☽ em Gêmeos às 09:06
LFC Início às 08:06 LFC Fim às 09:06

Enquanto a Lua estiver em Gêmeos, estarão facilitados a interação, os encontros e as trocas de informações. Nosso pensamento fica mais ágil, aumentando nosso poder de articulação. A curiosidade estimula nossa assimilação de assuntos novos. Excelente momento para dar continuidade àquela negociação que vem se arrastando.

Lua trígono Plutão – 00:33 às 04:29 (exato 02:33)

Energia revitalizante, se você estava enfrentando problemas de saúde, é possível que tenha uma clareza de diagnóstico. Momento para refazer laços perdidos. Invista no diálogo, a comunicação tenderá a fluir sem mal-entendidos.

Lua conjunção Marte – 06:00 às 10:10 (exato 08:06)

Uma dose extra de coragem e iniciativa nos impulsionará a sair de uma zona de conforto. Chega de postergar uma situação. Aproveite a força e a vitalidade e vire esse jogo. O momento pede atitude.

Lua sextil Júpiter – 22:52 às 02:50 de 20/08 (exato 00:53 de 20/08)

Você estará se sentindo bem e com autoestima bastante elevada. Aproveite para passar o fim de semana fora, num lugar novo e à sua altura. Novidades poderão aquecer seu coração, trazendo uma sensação de crescimento.

DIA 20 DE AGOSTO – SÁBADO
☽ *Minguante* ☽ *em Gêmeos*

Lua sextil Vênus – 03:54 às 08:22 (exato 06:10)

Aproveite o bom humor e curta momentos agradáveis que lhe tragam algum tipo de prazer. O clima de cordialidade tenderá a maior entrosamento. Excelente momento para se aproximar de quem se ama. Aproveite com sorriso no rosto.

DIA 21 DE AGOSTO – DOMINGO
☽ *Minguante* ☽ *em Câncer às 21:28 LFC Início às 19:07 LFC Fim às 21:28*

Enquanto a Lua estiver em Câncer, estaremos mais sensíveis aos assuntos familiares. Haverá maior apego pela casa, pelas suas coisas e o que elas representam na sua vida. Aproveite essa introspecção para reabastecer-se energeticamente no aconchego do lar, junto com quem verdadeiramente você se sente seguro. Valorize seus afetos.

Lua trígono Saturno – 02:02 às 06:04 (exato 04:05)

Se precisar colocar o trabalho em dia, é na parte da manhã que estará mais produtivo. Foco e persistência fluirão mais facilmente que o normal. Vai ser difícil fugir das responsabilidades.

Lua quadratura Netuno – 08:45 às 12:47 (exato 10:48)

Tem hora que o melhor é não fazer nada, principalmente, quando nos falta clareza de uma situação. Descarte grandes saltos, optando por um passo de cada vez. Nada de sair acusando sem ter dados concretos. Questione qualquer tipo de impressão sobre algo. A tendência é que suas conclusões estejam equivocadas.

Lua quadratura Mercúrio – 09:13 às 13:43 (exato 11:30)

Mente agitada pode resultar em oscilação de humores. Se possível, tente tratar um assunto de cada vez. Filtre as informações que chegam até você, revendo o que foi entendido para não tirar conclusões que não se alinham com o que é realmente verdade. Manhã confusa sujeita a atrasos. Se for possível, transfira para o período da tarde assuntos que exigem maior concentração.

Lua sextil Sol – 16:53 às 21:18 (exato 19:07)

Suas emoções estarão mais equilibradas, favorecendo a tomada de decisões. Haverá maior consciência do que realmente está se passando. Bom momento para esclarecer qualquer tipo de mal-entendido, por estar no domínio das suas emoções. Apoio do sexo oposto.

DIA 22 DE AGOSTO – SEGUNDA-FEIRA
☽ Minguante (balsâmica) ☽ em Câncer

Lua quadratura Júpiter – 11:08 às 15:10 (exato 13:11)

O desafio vai ser dosar a forma que reagiremos diante de qualquer situação que mexa com o emocional. Desavenças ou qualquer tipo de contratempo poderão resultar em atitudes compensatórias. Tendência de esperar demais dos outros.

DIA 23 DE AGOSTO – TERÇA-FEIRA
☽ Minguante (balsâmica) ☽ em Câncer

Entrada do Sol no Signo de Virgem à 00h15min59seg
Lua sextil Urano – 09:49 às 13:51 (exato 11:52)

Esteja aberto a qualquer tipo de mudança na programação do seu dia. Esse jogo de cintura e essa abertura poderão resultar em novidades positivas. Não é hora de insistir num ponto só. Abra-se para o novo e ative sua criatividade, encontrando novas soluções para antigos assuntos.

Lua trígono Netuno – 21:25 à 01:26 de 24/08 (exato 23:27)

Há uma sincronicidade entre as emoções e as energias do entorno. Uma afinação cósmica que poderá resultar em "coincidências", que deverão ser vistas como um sinal do universo. Fique atento aos sonhos.

DIA 24 DE AGOSTO – QUARTA-FEIRA
☽ Minguante (balsâmica) ☽ em Leão às 10:09 LFC Início às 06:41
LFC Fim às 10:09

Enquanto a Lua estiver em Leão, é o momento de olhar para você e privilegiar suas qualidades. O magnetismo se dará na consciência do que você faz melhor. Exalte seus feitos e aprimore suas falhas. A generosidade começa por você mesmo.

Lua oposição Plutão – 01:16 às 05:17 (exato 03:18)

O medo da perda deve ser transformado em desapego, e não em obstinação ao controle. Isso só aumentará a ansiedade e atitudes compulsivas. Aprenda a entregar para o universo e acreditar que o melhor se dará. Não caia em provocações. Não é o momento de medir forças.

Lua sextil Mercúrio – 04:27 às 08:52 (exato 06:41)

Manhã produtiva. Agilidade mental nos fará lembrar de cada detalhe. Excelente para estudar, realizar provas e até expor numa reunião que precise defender seus interesses. O nível de convencimento estará elevado pela forma ideal que articulará as palavras. Abuse da comunicação. Qualquer tipo de interação poderá trazer bons frutos. Não é hora de se isolar.

Lua sextil Marte – 13:10 às 17:22 (exato 15:18)

Se você precisa vencer algum tipo de bloqueio, o momento é esse. Aproveite, pois estará se sentindo mais seguro para tomar a iniciativa. O contato com o outro será estimulado pela troca, unindo posições diferentes. A tendência é se colocar de forma franca sem desmerecer o adversário.

Lua trígono Júpiter – 23:11 às 03:08 de 25/08 (exato 01:12 de 25/08)

Fecharemos o dia banhados por sentimentos altruístas que nos deixarão esperançosos diante de qualquer situação desafiante. Excelente período para ampliar a mente e traçar objetivos futuros. Isso poderá ser uma forma de acalmar seu coração diante de obstáculos que se apresentem no momento.

DIA 25 DE AGOSTO – QUINTA-FEIRA
☽ Minguante (balsâmica) ☽ em Leão

Lua conjunção Vênus – 18:38 às 23:01 (exato 20:51)

O bom humor tenderá a atrair uma sensação de nutrição emocional. Tente se poupar fazendo algo prazeroso que leve você a uma sensação de que a vida também é feita de momentos bons. Estará facilitado tudo o que envolva afetos, estando amplificada a receptividade. Se deseja conquistar alguém, aproveite!

Lua quadratura Urano – 21:46 à 01:42 de 26/08 (exato 23:46)

Estaremos mais inquietos, podendo nos deixar abater por uma ansiedade, já que a tendência é querermos ter o controle da situação. À noite, opte por atividades que acalmem. Faça uma refeição leve, tome um banho relaxante e deixe para amanhã as preocupações. Tudo tem sua hora.

DIA 26 DE AGOSTO – SEXTA-FEIRA
☽ Minguante (balsâmica) ☽ em Virgem às 21:24 LFC Início às 03:55
LFC Fim às 21:24

Enquanto a Lua estiver em Virgem, é hora de uma análise minuciosa de tudo o que se passou nesse ciclo lunar. Discriminar cada emoção diante de cada acontecimento é importante para preparar novas ações. A crítica deverá ser encarada como aperfeiçoamento.

Lua oposição Saturno – 01:57 às 05:51 (exato 03:55)

Encare as obrigações de forma mais leve. Esforce-se para estar mais acessível, porque endurecer demais vai acabar resultando numa gastrite. Tente compartilhar, pedir ajuda. Nem sempre é preciso dar conta de tudo sozinha. Acolha suas necessidades emocionais.

DIA 27 DE AGOSTO – SÁBADO
● Nova às 05:16 em 04°03' de Virgem ● em Virgem

Lua quadratura Marte – 03:09 às 07:12 (exato 05:12)

Engolir tudo o que não foi do seu agrado poderá resultar em explosões emocionais incontroláveis. Tente se acalmar, tentando enxergar tanto em você como nos outros, não só os defeitos, mas também as qualidades. É o momento de controlar a impulsividade da crítica.

Lua conjunção Sol – 03:10 às 07:22 (exato 05:16)

A proximidade da Lua com o Sol indica um novo ciclo lunar. É importante ter um projeto discriminando seus próximos passos em relação aos seus objetivos. Isso dará uma sensação de clareza do que vai enfrentar.

DIA 28 DE AGOSTO – DOMINGO
● Nova ● em Virgem

Lua trígono Urano – 07:52 às 11:40 (exato 09:48)

Para quem quer mudar algo na vida, é um excelente momento para colocar em prática. Estaremos emocionalmente mais soltos a deixar ir o que ficou obsoleto em nossa vida. Nos sentiremos mais seguros para enfrentar as consequências de novas escolhas. Arrisque!

Lua oposição Netuno – 18:33 às 22:20 (exato 20:28)

Um sentimento de carência e vulnerabilidade poderá lhe invadir, até afetando sua vitalidade. Averigue se seus sentimentos estão de acordo com a realidade dos fatos. Pode ser que você esteja fantasiando situações e intensificando emoções sem nenhuma necessidade.

Lua trígono Plutão – 22:14 às 02:00 de 29/08 (exato 00:09 de 29/08)

Energia revigorante, excelente para resgatar vínculos desfeitos ou estremecidos. É momento de olhar para dentro de você e descartar ou transformar sentimentos que vêm atravancando o seu progresso emocional. Para que carregar tanto peso? É preciso estar leve para usufruir do que vem pela frente.

DIA 29 DE AGOSTO – SEGUNDA-FEIRA
● Nova ● em Libra às 06:44 LFC Início à 00:09 LFC Fim às 06:44

Enquanto a Lua estiver em Libra, os relacionamentos tenderão a estar em evidência. Para Libra, a vida fica muito melhor quando pode ser compartilhada. Assim, se você não vem dando muita importância para essa área da sua vida, que tal privilegiar um olhar caloroso tentando equilibrar o que não está satisfatório? A tendência é que o outro acolha melhor a discussão de interesses.

Lua conjunção Mercúrio – 11:08 às 15:10 (exato 13:12)

Início de semana bastante agitado, tenderemos a ter que lidar com a multiplicidade de acontecimentos, testando a nossa versatilidade. Excelente período para divulgar produtos, fazer novos contatos, intensificar negociações que permanecem estagnadas. Seu poder de articulação será testado.

Lua trígono Marte – 14:52 às 18:46 (exato 16:51)

Audácia vem da atitude de sair de uma zona de conforto. É o momento de usar a inteligência como ferramenta para conquistar seus objetivos. Insista novamente, evitando deixar-se abater pelas derrotas. Ressalte seu lado competitivo, investindo em novas estratégias.

Lua oposição Júpiter – 18:08 às 21:50 (exato 20:01)

A autoconfiança é positiva quando não atropela o desejo do outro. Importante chegar ao meio-termo. Cuidado para não superavaliar seus sentimentos. Pode ser que a necessidade de estar à frente de qualquer situação resulte em exageros.

DIA 30 DE AGOSTO – TERÇA-FEIRA
Nova *em Libra*

Lua trígono Saturno – 19:22 às 23:02 (exato 21:14)

A racionalização dos sentimentos trará maior equilíbrio emocional. Excelente energia para tomar decisões concretas, pois nos sentiremos prontos e amadurecidos para enfrentar as consequências das nossas atitudes. Favorece planejamento e organização emocional. Acredite no seu potencial de realização.

DIA 31 DE AGOSTO – QUARTA-FEIRA
Nova *em Escorpião às 14:10 LFC Início às 07:44 LFC Fim às 14:10*

Enquanto a Lua estiver em Escorpião, vai ser difícil encarar superficialmente qualquer situação. Tudo tenderá a ser vivenciado até o esgotamento, como se tentássemos, de todas as formas, a possibilidade de que algo possa se transformar em vez de morrer. Invista na sua capacidade de regeneração.

Lua sextil Vênus – 01:05 às 05:08 (exato 03:08)

Situações serão amenizadas se você souber usar sua capacidade sedutora para conseguir o que tanto deseja. Ponha afeto nas suas ações, tratando o adversário com respeito, não desprezando suas habilidades. A percepção do que o outro necessita ou de seus pontos fracos estará bastante ativada.

Lua quadratura Plutão – 05:53 às 09:32 (exato 07:44)

O "fantasma" da perda pode resultar em ações precipitadas, diante da vulnerabilidade que enfrentamos quando nos vemos sem controle. Poderemos ficar diante de sentimentos que pareciam ter sido superados. Não é o momento para reagir, e sim passar despercebido. É melhor fingir que nada aconteceu.

Setembro 2022

Domingo	Segunda-feira	Terça-feira	Quarta-feira	Quinta-feira	Sexta-feira	Sábado
				1 Lua Nova em Escorpião	**2** ♐ Lua Nova em Sagitário às 19:39 LFC 14:22 às 19:39	(11°13' ♐ **3** ♐ Lua Crescente às 15:07 em Sagitário
4 ♑ Lua Crescente em Capricórnio às 23:02 LFC 22:52 às 23:02	**5** ♑ Lua Crescente em Capricórnio	**6** Lua Crescente em Capricórnio LFC Início às 18:43	**7** ♒ Lua Crescente em Aquário às 00:41 LFC Fim à 00:41	**8** Lua Crescente em Aquário LFC Início às 09:34	**9** ♓ Lua Crescente em Peixes à 01:42 LFC Fim 01:42	○ 17°41' ♓ **10** ♓ Lua Cheia às 06:58 em Peixes LFC Início às 21:30 Início Mercúrio Retrógrado à 00:39
11 ♈ Lua Cheia em Áries às 03:46 LFC Fim 03:46 Mercúrio Retrógrado	**12** ♈ Lua Cheia em Áries Mercúrio Retrógrado	**13** ♉ Lua Cheia em Touro às 08:39 LFC 01:54 às 08:39 Mercúrio Retrógrado	**14** Lua Cheia em Touro Mercúrio Retrógrado	**15** ♊ Lua Cheia em Gêmeos às 17:15 LFC 09:59 às 17:15 Mercúrio Retrógrado	**16** Lua Cheia em Gêmeos Mercúrio Retrógrado	☽ 24°58' ♊ **17** Lua Minguante às 18:51 em Gêmeos LFC Início às 18:53 Mercúrio Retrógrado
18 ♋ Lua Minguante em Câncer às 04:59 LFC Fim 04:59 Mercúrio Retrógrado	**19** ♋ Lua Minguante em Câncer Mercúrio Retrógrado	**20** ♌ Lua Minguante em Leão às 17:37 LFC 12:58 às 17:37 Mercúrio Retrógrado	**21** Lua Minguante em Leão Mercúrio Retrógrado	**22** Lua Minguante em Leão LFC Início às 08:08 Entrada do sol no Signo de Libra às 22h03min31seg Mercúrio Retrógrado	**23** ♍ Lua Minguante em Virgem às 04:53 LFC Fim 04:53 Mercúrio Retrógrado	**24** Lua Minguante em Virgem Mercúrio Retrógrado
● 02°48' ♎ **25** Lua Nova às 18:54 em Libra LFC 09:50 às 13:42 Mercúrio Retrógrado	**26** Lua Nova em Libra Mercúrio Retrógrado	**27** ♏ Lua Nova em Escorpião às 20:14 LFC 13:21 às 20:14 Mercúrio Retrógrado	**28** Lua Nova em Escorpião Mercúrio Retrógrado	**29** Lua Nova em Escorpião LFC Início às 18:21 Mercúrio Retrógrado	**30** ♐ Lua Nova em Sagitário à 01:03 LFC Fim à 01:03 Mercúrio Retrógrado	

Mandala Lua Cheia Setembro

Lua Cheia
10.09.2022
Às 06:58 em
17°41' de
Peixes

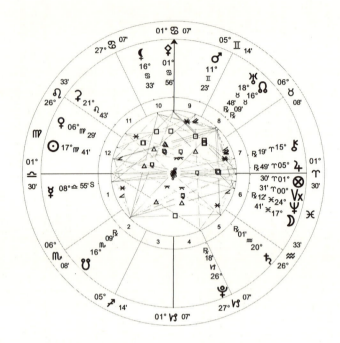

Mandala Lua Nova Setembro

Lua Nova
25.09.2022
Às 18:54 em
02°48' de
Libra

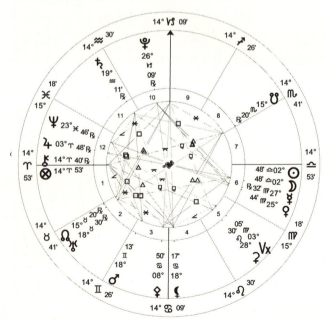

Céu do mês de setembro

Para iniciarmos o mês com o pé direito, temos já no dia 1º um animado diálogo entre Marte em Gêmeos e Júpiter em Áries, que se traduz em energia positiva para nos lançarmos em busca dos nossos objetivos, contando, ainda, com a fase Crescente da Lua no dia 03, bem propícia para abrir caminho.

Vênus entra em Virgem, no dia 04, substituindo a exuberância Leonina por uma atuação mais tímida, sensata e seletiva. O Sol percorre o Signo de Virgem até dia 22 e podemos aproveitar este tempo para obter melhorias e praticidade em nossa vida.

No dia 10, no auge de sua Luz, a Lua chega ao confronto com o Sol e está formada a Lua Cheia no sensível e inspirado Signo de Peixes. Muito próxima a Netuno (a oposição Sol/Netuno será no dia 16), esta Lua Cheia nos presenteia com a visão poética e intuitiva da vida sem perder o juízo e a análise racional dos fatos. Urano bem colocado com os luminares adiciona criatividade e abertura para avanços.

Uma oposição de Mercúrio em Libra a Júpiter em Áries no Ascendente/Descendente no mapa da Lua Cheia chama muita atenção e vale a pena detalhar: o confronto tem início no dia 02 (o próximo no grau exato é dia 18) e deixa rastro não só para setembro, pois se perpetua nos próximos ingressos. Ambos em passo lento (o movimento retrógrado de Mercúrio começa no próprio dia 10, pouco antes da Lua Cheia), se enfrentam cara a cara por um tempo prolongado. No entanto, tem tudo para ser interessante; Mercúrio e Júpiter se afinam na busca de conhecimentos, esclarecimentos e adoram trocas (de ideias, de rotas). O cuidado é equilibrar as polêmicas exacerbadas. É tempo de "disse me disse" com muita inquietude e todo tipo de movimentação. Imagine tudo isso com Mercúrio Retrógrado!

No dia 22, temos um dos marcos mais importantes do ano, o equinócio de primavera para o nosso hemisfério, o ingresso do Sol no gentil e refinado signo de Libra.

Aqui vai um dos motivos pelo qual a oposição Mercúrio/Júpiter deixará uma marca tão duradoura como mencionado anteriormente. No momento do ingresso, com o Sol posicionado a zero grau de Libra, Mercúrio vindo de ré, se une ao Sol e ambos recebem a oposição de Júpiter, também retrógrado, em Áries. Não que seja necessariamente um aspecto ruim, o perigo é justamente de se criar falsas expectativas e esperar mais das situações do que elas podem dar.

Corroborando com esta tendência, no mapa do ingresso, Vênus (regente de Libra) em desarmonia com Marte (exato no dia 16) e com Netuno (exato no dia 24), pede cuidado tanto na área dos relacionamentos (amorosos ou contratuais) como nas questões financeiras. Há indicativos de tensões e desenganos. Plutão em excelente aspecto com Vênus ajuda a segurar as pontas e permite recuperação a posteriori.

No dia 23, Mercúrio retorna ao Signo de Virgem, em movimento muito lento (até 10/10) voltando a funcionar de uma maneira mais analítica e discriminativa. Lembrando que o sentido da retrogradação é justamente repensar, reavaliar e, se possível, deixar para decidir depois que ele for em frente. Os transtornos desta fase (papelada, meios de comunicação, transportes etc.) podem ser bem caóticos por conta de uma influência de Netuno, como veremos no mapa da Lua Nova de Libra no dia 25.

A Lua Nova ocorre bem no início de Libra, muito próxima de uma conjunção Mercúrio e Vênus (exata no dia 26) no final de Virgem formando um alinhamento de Sol/ Lua/Mercúrio/Vênus se opondo a Netuno no final de Peixes e a Júpiter no início de Áries. Resulta, daí, um misto de situações confusas e exageradas. Para salvar a pátria, dois excelentes aspectos; Marte em harmonia com Saturno e a conjunção Mercúrio/Vênus recebendo uma força de Plutão, garantem a competência e assertividade para recuperar qualquer estrago, inclusive no âmbito dos negócios.

Vênus ingressa felicíssima em Libra, um de seus domicílios, no dia 29, propiciando um tempo de mais equilíbrio, harmonia e diplomacia. Uniões, acordos e alianças ficam favorecidos.

Posição diária da Lua em setembro

DIA 01 DE SETEMBRO – QUINTA-FEIRA
Nova em Escorpião

Lua sextil Sol – 04:23 às 08:15 (exato 06:21)
Ter um olhar perspicaz e profundo resolve muitos problemas e aproxima as pessoas que fazem parte do convívio ou trabalho. As atividades desta manhã tendem a funcionar bem e o otimismo é sentido em toda volta.

Lua oposição Urano – 22:19 à 01:51 de 02/09 (exato 00:07 de 02/09)
Fazer algo diferente dando um intervalo para relaxar pode ajudar a baixar o nível de ansiedade. Ter pessoas desmarcando compromissos e o surgimento de coisas aleatórias fará com que a melhor opção seja cancelar ou adiar compromissos.

DIA 02 DE SETEMBRO – SEXTA-FEIRA
Nova em Sagitário às 19:39 LFC Início às 14:22 LFC Fim às 19:39

Enquanto a Lua estiver em Sagitário, sentimos mais disposição física e somos tomados por alegria, entusiasmo e uma vontade de ir mais longe para alcançar nossos sonhos. O otimismo é a virtude que impulsiona para que a vida seja vivida plenamente. Importante ressaltar quais metas lançadas anteriormente estão se desenvolvendo e, aí, tocar em frente, deixando de colocar energia nas que não têm futuro. Uma boa conversa que envolva filosofia engrandece. Ter metas é importante, pois norteia a vida. As profissões que se destacam são as que envolvem Ensino Superior, línguas e turismo para o exterior.

Lua quadratura Saturno – 01:16 às 04:47 (exato 03:03)
Tudo vai estar travado, desde o computador até a comunicação. Como é madrugada, o melhor é um chá e uma alimentação leve. Serão momentos em que a sensação de responsabilidade pode pesar.

Lua trígono Netuno – 08:06 às 11:37 (exato 09:53)

O começo da manhã é inspirado e a conexão se faz com as pessoas certas. As atividades fluem e os trabalhos que precisam de criatividade desenrolam com facilidade. Excelente para meditação e yoga.

Lua sextil Plutão – 11:37 às 15:07 (exato 13:23)

Um bom momento para ter aquela conversa importante na qual o que se pensa pode ser falado claramente e de forma direta. Aproveite para aprofundar-se nas pesquisas ou nas investigações.

Lua quadratura Vênus – 12:25 às 16:17 (exato 14:22)

Parece que tudo o que você quer não dá certo e as pessoas estão com má vontade. Não é uma boa hora para resolver coisas, nem pessoalmente nem on-line. Pouco indicado para assuntos relacionados a estética, seja consigo ou com a casa, pois a escolha pode ser criticada depois.

DIA 03 DE SETEMBRO – SÁBADO

☽ *Crescente às 15:07 em 11°13' de Sagitário* ☽ *em Sagitário*

Lua trígono Júpiter – 05:27 às 08:53 (exato 07:12)

Às vezes, acordar de bem com a vida e cheio de energia é muito bom. Amplie seus horizontes, pode ser conectando com novos estudos de línguas estrangeiras e filosofia. Ainda bem que as padarias abrem cedo, pois poderá dar aquela vontade de comer algo saboroso.

Lua sextil Mercúrio – 05:48 às 09:24 (exato 07:38)

Pensar e sentir estão em sintonia. É um momento muito positivo para iniciativas empreendedoras. Os bons pensamentos direcionam a ação a fim que seja assertiva. A comunicação é clara, especialmente no começo da manhã.

Lua oposição Marte – 07:34 às 11:10 (exato 09:24)

Parece que o freio de mão está puxado e a vontade é de continuar acelerando. Estar com a agenda cheia, um monte de pessoas e situações que travam, tende a dar dor de cabeça. Insistir no cabo de guerra não leva a nada. Dar uma parada estratégica é uma opção para não colocar todo o trabalho a perder.

Lua quadratura Sol – 13:16 às 16:58 (exato 15:07)

Tarde difícil e o mau humor se manifesta. A tendência é culpar os outros, mas a dica é olhar para as soluções e agir para resolver. Claro que existem pessoas que não ajudam, mas sempre se pode fazer o melhor possível em cada situação.

DIA 04 DE SETEMBRO – DOMINGO
☽ *Crescente* ☽ *em Capricórnio às 23:02 LFC Início às 22:52 LFC Fim às 23:02*

Enquanto a Lua estiver em Capricórnio, tem-se mais confiança diante das situações e maior capacidade de resolução de problemas. O senso de responsabilidade atua de forma a dar resultados de acordo com os esforços. O momento é conservador, prático e disciplinado. Gosto pelo refinado e bons serviços se sobressai nesse período. O lazer tem que valer a pena. Sentir que se é competente em qualquer situação passa muita segurança. O tempo deve ser usado em coisas que valem a pena. Este período favorece o desenvolvimento de assuntos mais pragmáticos e conservadores, também administração de empresas, instituições, universidades e negócios.

Lua sextil Saturno – 05:07 às 08:30 (exato 06:51)

Ser pragmático é algo possível neste momento. Organizar e otimizar são formas de execução de atividades de modo a terem boa finalização. Planeje para obter melhores resultados.

Lua quadratura Netuno – 11:50 às 15:13 (exato 13:34)

Não dá para ficar sonhando nem divagando de como seria "se isso ou aquilo" acontecesse. O princípio da realidade tem que ser levado em conta. É muito provável que as coisas sejam completamente diferentes daquilo que aparentam. É bom prestar bastante atenção aos sinais para não se arrepender depois.

Lua trígono Vênus – 21:00 à 00:41 de 05/09 (exato 22:52)

A noite começa com elegância e beleza. Momento bom para fazer as pazes ou simplesmente estar junto de quem se gosta de uma maneira mais afetuosa. Favorece encontros em lugares requintados.

DIA 05 DE SETEMBRO - SEGUNDA-FEIRA
☾ Crescente ☾ em Capricórnio

Lua quadratura Júpiter – 08:04 às 11:23 (exato 09:45)

Baixo rendimento e pouca produtividade durante esta manhã. Porém, uma atitude realista pode ajudar e não colocar tudo a perder. Diminuir a agenda e o fluxo de pessoas vai suprimir a maior parte dos problemas. Um mentor ou conselheiro pode dar um direcionamento e desenrolar os processos.

Lua quadratura Mercúrio – 10:37 às 14:03 (exato 12:22)

Durante estas horas do dia, não convém falar palavras diretas antes de pensar. Fica fácil responder os e-mails e directs, mas é importante reler antes de enviar para não ter surpresas e receber respostas indesejadas.

Lua trígono Sol – 19:38 às 23:11 (exato 21:26)

Não há nada melhor do que se sentir bem e confiante com qualquer pessoa e qualquer situação. A hora é ótima para fazer o que mais necessita ou solucionar aquilo que já estava rolando com um toque maior de clareza e criatividade. Elogiar é uma forma de mostrar apreço.

DIA 06 DE SETEMBRO - TERÇA-FEIRA
☾ Crescente ☾ em Capricórnio LFC Início às 18:43

Lua trígono Urano – 04:44 às 08:01 (exato 06:24)

Novas ideias para projetos ou produtos. Trazer pessoas novas para a convivência é muito estimulante. Fazer reuniões em lugares inusitados pode ser uma solução criativa para resolver assuntos que estão travados.

Lua sextil Netuno – 13:43 às 16:59 (exato 14:23)

Sentir-se em sintonia com o momento pode significar fazer parte de algo maior que nem sempre se consegue nomear. Excelente para aquela reunião em que as pessoas precisam estar abertas e receptivas. Ótimo para encontros românticos também.

Lua conjunção Plutão – 17:04 às 20:20 (exato 18:43)

A determinação pode ser uma aliada, mas a intensidade emocional pode botar as coisas a perder. Dica: durante essas horas, tome um certo cuidado para não forçar imposições ou deixar que coisas inconscientes venham à tona. A sexualidade e a necessidade de intimidade estão intensificadas.

DIA 07 DE SETEMBRO – QUARTA-FEIRA
☾ *Crescente* ☾ *em Aquário à 00:41 LFC Fim 00:41*

Enquanto a Lua estiver em Aquário, as pessoas estão mais dispostas a serem mais solidárias e fraternas. O novo e não convencional estão à disposição do coletivo. A tecnologia e os avanços com a internet motivam e trazem novas formas de negociar e se comunicar. Sair da rotina pode ser a tônica dessa fase, bem como quebra de padrões. É hora de inovar e ser original. Favorece as profissões autônomas, por ter mais liberdade, sem horário fixo e sem chefe. Para home office, é muito bom. Também é um bom momento para usufruir de ferramentas tecnológicas de ponta. Sentir-se engajado socialmente é muito prazeroso. A ansiedade e os rompimentos podem ser inconvenientes e precisam ser observados.

Lua sextil Júpiter – 09:07 às 12:21 (exato 10:46)
Satisfação e bem-estar rodeiam tudo em que estiver envolvido. Encontramos pessoas alegres fazendo as coisas de boa vontade e ajudando umas às outras. Ótimo para viajar e aprofundar estudos filosóficos.

Lua trígono Mercúrio – 13:08 às 16:27 (exato 14:49)
O momento é muito favorável para as interações pessoais e profissionais. A utilização dos meios de comunicação para divulgação tenderá a trazer bons resultados. Favorece a interação através das redes sociais e a produção de conteúdos digitais.

Lua trígono Marte – 15:31 às 18:53 (exato 17:14)
Quando é preciso agir com o coração, muitas vezes é necessário dar o primeiro passo. Uma atitude sincera demonstrará firmeza de caráter. Ótimo período para resolver assuntos de relacionamento e de parcerias.

DIA 08 DE SETEMBRO – QUINTA-FEIRA
☾ *Crescente* ☾ *em Aquário LFC Início às 09:34*

Lua quadratura Urano – 05:47 às 09:03 (exato 07:27)

A ansiedade pode tomar conta da manhã e muitas atividades tenderão a ocorrer ao mesmo tempo ou simplesmente serem canceladas. Prestar atenção na respiração pode ser útil de duas maneiras: uma é ver se está respirando normalmente, a outra é usar a respiração para gerar tranquilidade.

Lua conjunção Saturno – 07:55 às 11:11 (exato 09:34)

A cobrança interna e externa é grande e a solução é só cumprir o programado. Não dá para se aventurar. O importante é seguir a agenda. A busca pela segurança será grande. Será importante aumentar os cuidados com dentes e coluna.

DIA 09 DE SETEMBRO - SEXTA-FEIRA
☾ *Crescente* ☾ *em Peixes à 01:42 LFC Fim 01:42*

Enquanto a Lua estiver em Peixes, favorece as atividades, como Medicina e saúde pública, priorizando atividades que servem ao coletivo, visando no todo sem distinção. O modo como sentimos tanto as pessoas como as situações tenderá a ser mais empático. Somos levados a acreditar que o todo está, de algum modo, conectado. Bom momento para iniciar processos de meditação e aprofundar o autoconhecimento. Também estarão favorecidas atividades terapêuticas, já que os processos inconscientes estão muito mais fáceis de serem explorados.

Lua oposição Vênus – 08:51 às 12:27 (exato 10:41)

Ficar na zona de conforto somente atrasa e impede o andamento dos relacionamentos. Saber o que as pessoas estão querendo pode evitar a insatisfação. O mergulho nas emoções pode dar respostas ao que não estava sendo consciente. Pedir ajuda a uma pessoa preparada vai garantir a expressão verdadeira do que se está sentindo.

Lua quadratura Marte – 18:24 às 21:50 (exato 20:09)

O começo da noite está com uma atmosfera um pouco tensa e com desafios. Medir as palavras se torna necessário principalmente se as decisões a serem tomadas forem importantes. Fazer uma atividade física mais vigorosa ajudará a distensionar.

DIA 10 DE SETEMBRO – SÁBADO
○ *Cheia às 06:58 em 17°41' de Peixes* ○ *em Peixes LFC Início às 21:30*

Início Mercúrio Retrógrado
Lua oposição Sol – 05:11 às 08:46 (exato 06:58)

A produtividade pode estar em baixa, assim como a disposição e a energia. Não há consenso e nenhum consentimento para o andamento das atividades. O cenário melhora se conseguir identificar onde está o ponto cego das situações.

Lua sextil Urano – 07:10 às 10:31 (exato 08:52)

Manhã empolgada e cheia de agitos. É bom para conhecer novas pessoas e lugares. Coisas inesperadas trazem novas ideias e possibilidades. Criatividade a todo vapor.

Lua conjunção Netuno – 16:14 às 19:36 (exato 17:57)

A confusão é iminente, então adiar aquele compromisso importante é uma opção sensata. O senso artístico e musical é sentido fortemente, sendo recomendado investir em atividades que despertem a criatividade.

Lua sextil Plutão – 19:47 às 23:10 (exato 21:30)

Arriscar, às vezes, pode ser bem estimulante, desde que tenha um objetivo em mente. Há um despertar de fortes emoções que apimenta as relações. Ótimo momento para abandonar hábitos pouco saudáveis.

DIA 11 DE SETEMBRO – DOMINGO
○ *Cheia* ○ *em Áries às 03:46 LFC Fim 03:46*

Mercúrio Retrógrado

Enquanto a Lua estiver em Áries, nos sentimos finalmente corajosos para dar início àquelas atividades que estão esperando o momento certo para começar. Facilidades para encerrar e cortar o que não está funcionando bem. O excesso de energia pode atropelar pessoas e situações. Momentos bons para atividades mais independentes e ao ar livre. Fazer exercícios, como corridas, natação e crossfit, são excelentes para revigorar. Cirurgia médica, odontologia e profissões que lidam com ferramentas ou instrumentos de corte estarão favorecidas.

Lua conjunção Júpiter – 11:47 às 15:13 (exato 13:32)

Às vezes, chegamos ao fim da manhã com uma ansiedade elevada, e isso pode levar a um consumo de comida ou bebida fora dos padrões normais. O exagero pode atrapalhar o curso de qualquer atividade.

Lua oposição Mercúrio – 17:09 às 20:35 (exato 18:53)

A palavra não pode ser leviana nem impensada. Palavras não medidas podem comprometer toda uma trajetória de negociações ou acordos. Ficar na dispersão, só no celular, pode ser um fator que complique os relacionamentos e trabalho.

Lua sextil Marte – 23:07 às 02:44 DE 12/09 (exato 00:57 de 12/09)

Noite muito legal, gente animada e com muita disposição. É hora de agir na conquista com atitudes afinadas com o valor pessoal. É fácil criar momentos intensos e prazerosos.

DIA 12 DE SETEMBRO – SEGUNDA-FEIRA
○ *Cheia* ○ *em Áries*

Mercúrio Retrógrado

Lua sextil Saturno – 12:38 às 16:11 (exato 14:26)

Entrar em alinhamento com as pessoas pode funcionar e dar resultados. Excelente para aquela reunião, já que as pessoas estarão mais abertas e receptivas para a organização. Você merece um almoço num lugar refinado e com um bom cardápio.

DIA 13 DE SETEMBRO – TERÇA-FEIRA
○ *Cheia* ○ *em Touro às 08:39 LFC Início à 01:54 LFC Fim 08:39*

Mercúrio Retrógrado

Enquanto a Lua estiver em Touro, é hora de cuidar da parte material e pensar de forma prática e simples. Segurança e estabilidade são valores a serem conquistados. Momento em que as situações tendem a permanecer sem grandes alterações. Atividades estéticas, por exemplo, perfumes para o corpo e para a casa caem muito bem. Boa comida e ambiente confortável é o que se almeja nessa fase. Excelente para lidar com números e finanças.

Lua quadratura Plutão – 00:04 às 03:41 (exato 01:54)

Agora não é uma boa hora para agir, já que nem seus pontos fortes poderão ajudar. A energia de confronto tende a surgir e, com isso, as situações ficam em um impasse difícil. Preservar-se é a solução.

DIA 14 DE SETEMBRO – QUARTA-FEIRA
○ *Cheia* ○ *em Touro*

Mercúrio Retrógrado

Lua trígono Vênus – 03:36 às 07:45 (exato 05:43)

Acordar de bem com o "espelho" é muito especial. Melhor ainda quando tornamos nosso espaço de casa mais aconchegante. Momento muito bom para aquisição de utensílios ou coisas que tornem a vida mais confortável e agradável.

Lua conjunção Urano – 17:39 às 21:28 (exato 19:35)

Tomadas de decisões apressadas tenderão a não dar certo. Invista numa atividade física leve, para ajudar a passar o tempo e a encontrar um caminho mais construtivo. O pensamento ansioso poderá resultar numa ação arriscada, e isso não será bom.

Lua quadratura Saturno – 19:35 às 23:23 (exato 21:31)

Apesar de ter iniciativas, muitas vezes, existem forças que são contrárias ou simplesmente dificultam o que tem de ser feito. O mau humor também não ajuda a fazer um levantamento do que está faltando. Encontro importante? Melhor remarcar.

DIA 15 DE SETEMBRO – QUINTA-FEIRA
○ *Cheia* ○ *em Gêmeos às 17:15 LFC Início às 09:59 LFC Fim 17:15*

Mercúrio Retrógrado

Enquanto a Lua estiver em Gêmeos, é hora de entrosamento com pessoas, conversar assuntos interessantes, ler, estudar e realizar muitas atividades alegres. Hora de diversificar e pegar leve, mas também fazer um pouco de tudo. Passear em lugares mais próximos e aproveitar para conhecer pessoas novas. Trabalhos com comunicação e distribuição de informação são a tônica deste momento. Grande capacidade de realizar várias atividades ao mesmo tempo e ter uma atividade paralela para aumentar a renda. Bom para atividades com as mãos e a voz.

Lua trígono Sol – 00:26 às 04:35 (exato 02:32)
Colocar os dons e talentos em movimento é muito auspicioso. Posicionar-se nas redes sociais é uma ótima opção durante a madrugada e pode render uma boa conversa, e até um network que será útil durante o dia.

Lua sextil Netuno – 03:51 às 07:42 (exato 05:48)
A hora é de sonhos e imaginação, sendo propícia àqueles que trabalham com criatividade, escrevem, pintam ou estudam. Com inspiração, é possível iniciar um projeto solidário on-line.

Lua trígono Plutão – 08:02 às 11:54 (exato 09:59)
Bom momento para resolver situações difíceis e não deixar passar. É sentir a força e o poder pessoal atuar, resolvendo situações estagnadas. Uma atitude diferente frente aos problemas dará novos resultados.

DIA 16 DE SETEMBRO – SEXTA-FEIRA
○ *Cheia* ○ *em Gêmeos*

Mercúrio Retrógrado
Lua sextil Júpiter – 01:16 às 05:10 (exato 03:15)
Expandir ou multiplicar é a onda nesse momento. Graças a um sentimento de que as coisas podem melhorar e que nosso otimismo está mais forte agora, favorecerá retomarmos aqueles projetos que estavam um pouco desmotivados.

Lua trígono Mercúrio – 04:43 às 08:27 (exato 06:37)
Ótimo momento para terminar aquelas conversas, atividades pendentes e finalizar listas de tarefas que incluam pessoas. Os deslocamentos ficam favoráveis e é possível resolver assuntos em call center.

Lua conjunção Marte – 19:47 às 23:55 (exato 21:53)
As coisas podem esquentar um pouco e é preciso perceber quando se está passando dos limites. Se o andamento da situação não está agradando,

não seja o primeiro a atacar. Radicalizar ou tentar alternativas de ser diferente podem acarretar muitos aborrecimentos, afinal, algumas decisões podem durar um bom tempo antes que possamos revertê-las.

Lua quadratura Vênus – 20:04 à 00:31 DE 17/09 (exato 22:19)
Procedimentos estéticos ou que mexam com a aparência devem ser evitados. Não experimentar novas formas de expressão visual pessoal ou na decoração é uma atitude prudente. Se prestarmos atenção, mesmo em rotinas simples, pode evitar frustrações.

DIA 17 DE SETEMBRO – SÁBADO
☽ *Minguante às 18:51 em 24°58' de Gêmeos* ☽ *em Gêmeos LFC Início às 18:53*

Mercúrio Retrógrado
Lua trígono Saturno – 06:04 às 10:03 (exato 08:05)
Produtividade em alta e sucesso nos empreendimentos. Tempo ótimo para planejar e executar. Equipe alinhada com as estratégias e uma nota de elegância fazem a diferença nas finalizações.

Lua quadratura Netuno – 14:52 às 18:53 (exato 16:55)
Ficar no mundo dos sonhos pode ser energia jogada fora em algo que não tem chance de prosperar. Um bom banho pode ajudar a dar uma pausa e não desperdiçar tempo naquilo que não vale a pena. Na dúvida, é bom procurar um especialista.

Lua quadratura Sol – 16:40 às 21:03 (exato 18:51)
Muitas exigências podem afastar pessoas e trazer dificuldade na resolução dos conflitos que, porventura, estejam acontecendo. Dizer para os outros o que deve ou não fazer, muitas vezes, causa mal-entendidos.

DIA 18 DE SETEMBRO – DOMINGO
☽ *Minguante* ☽ *em Câncer às 04:59 LFC Fim 04:59*

Mercúrio Retrógrado
Enquanto a Lua estiver em Câncer, estamos mais propensos a intimidade e a sermos mais nostálgicos. Uma decoração, look mais retrô ou vintage combina bem com o momento. Estar em família e com amigos pró-

ximos em torno de uma saborosa refeição é tudo de bom. Trabalhar com negócios mais conhecidos e familiares é uma ótima opção. Situações que possam estabelecer laços e vínculos são fundamentais. Às vezes, há uma tendência a se querer conduzir os outros, porém essa manipulação não trará bons resultados. Oportunidade para negócios de família, nutrição e cuidar de crianças.

Lua quadratura Júpiter – 12:37 às 16:37 (exato 14:39)

Não deixar o mau humor tomar conta de tudo já garante metade do trabalho. Pessoas em volta parecem insatisfeitas e frustradas. Enfim, negocie prazos e acalme as pessoas com um adiamento estratégico.

Lua quadratura Mercúrio – 13:03 às 16:48 (exato 14:57)

Mente e coração não se entendem. O começo da tarde pede aprofundamento de ideias e as emoções precisam de espaço e mais liberdade. É o momento para encarar os desafios e prestar atenção nas palavras.

DIA 19 DE SETEMBRO – SEGUNDA-FEIRA
☽ Minguante ☽ em Câncer

Mercúrio Retrógrado

Lua sextil Vênus – 15:37 às 20:08 (exato 17:54)

Atrair coisas boas e prazerosas fica fácil com esta configuração. Quanto aos cuidados com o corpo, saúde e a beleza, o que cai bem é o mais natural possível. Energia de prosperidade, sendo excelente momento para começar algo que agregue valor, principalmente, para o coletivo.

Lua sextil Urano – 16:41 às 20:44 (exato 18:44)

As mudanças surgem, aparentemente, de forma sutil, mas, na verdade, são os ventos que mudam de direção para algo muito legal. Momento muito favorável para conhecer coisas e pessoas novas ou simplesmente deixar aparecerem por sincronicidade.

DIA 20 DE SETEMBRO – TERÇA-FEIRA
☽ Minguante ☽ em Leão às 17:37 LFC Início às 12:58 LFC Fim 17:37

Mercúrio Retrógrado

Enquanto a Lua estiver em Leão, é muito importante estar conectado com quem e o que se gosta. Ter satisfação e alegria na vida irradia e transforma o ambiente. Ir a lugares bonitos com bom atendimento e serviços gera satisfação e contentamento. Dramatizar quando as coisas não saem como o esperado não adianta nada. O extraordinário é importante. Momento para dar atenção às coisas e atividades que dão prazer e estar em conexão com quem se ama. Há risco de sair em busca de elogios, então a generosidade precisa ser genuína. Profissões que destacam são as que lidam com a teatralidade e também com crianças. É muito bom quando fica divertido trabalhar.

Lua trígono Netuno – 03:23 às 07:25 (exato 05:26)

Compaixão é a palavra especial deste dia. A esperança inunda o coração, tornando este dia melhor ao aproximar as pessoas e ao elevar a alma. Gentileza é sentida por toda a parte. Lembrar com carinho dos entes queridos trará um alento ao coração. A troca de fotos e uma chamada em vídeo quebrarão a barreira da distância.

Lua oposição Plutão – 07:57 às 11:59 (exato 09:59)

Desventuras em série, pois o dia pode chegar com contratempos e conflitos desnecessários e isso pode deixar o ânimo exaltado. Vale lembrar que todo mundo tem uma opinião, e ela pode ser diferente, mas não significa que só um tem razão.

Lua sextil Sol – 10:45 às 15:08 (exato 12:58)

A motivação está em alta. Bom momento para realizar atividades de que se gosta. Lugares abertos com natureza e ar puro ativam as energias corporais e espirituais. Empreender fica muito fácil.

Lua sextil Mercúrio – 21:01 à 00:42 DE 21/09 (exato 22:53)

Bom para fazer perguntas e conseguir respostas mesmo que difíceis. Encontrar pessoas de modo casual e manter um diálogo interessante é proveitoso. Trocas, sugestões e esclarecimentos fazem parte dos encontros de qualquer natureza. Terminar o dia com companhias amigáveis e agradáveis é muito bom.

DIA 21 DE SETEMBRO – QUARTA-FEIRA
☽ *Minguante* ☽ *em Leão*

Mercúrio Retrógrado
Lua trígono Júpiter – 00:32 às 04:30 (exato 02:33)
Ser generoso e altruísta é muito fácil, já que tudo em volta está favorável. Juntar pessoas e passar conhecimento é muito gratificante. Projetos de expansão nos negócios dão muito certo.

DIA 22 DE SETEMBRO – QUINTA-FEIRA
☽ *Minguante* ☽ *em Leão LFC Início às 08:08*

Mercúrio Retrógrado
Entrada do sol no Signo de Libra às 22h23min31seg
Equinócio de Outono H. Norte Equinócio de Primavera H. Sul
Lua sextil Marte – 00:57 às 05:02 (exato 03:01)
A atitude diante dos fatos é quase automática, provocando ações coerentes. As práticas físicas que caem bem são as mais intensas, não esquecendo outras atividades, como yoga e alongamentos para equilibrar.

Lua quadratura Urano – 04:38 às 08:33 (exato 06:37)
Um bom filme ajuda a atravessar a madrugada e fazer o tempo passar. A agenda da manhã pode ficar tumultuada e cheia de imprevistos, assim, é estratégico diminuir as atividades. Como todos podem estar agitados, respirar fundo antes de começar algo será ótimo.

Lua oposição Saturno – 06:09 às 10:04 (exato 08:08)
O planejado pode não se realizar exatamente como o esperado. Que tal procurar um profissional da área para ajudar ou pessoas com mais experiência no assunto? Só ficar na cobrança não resolve.

DIA 23 DE SETEMBRO – SEXTA-FEIRA
☽ *Minguante* ☽ *em Virgem às 04:53 LFC Fim 04:53*

Mercúrio Retrógrado
Enquanto a Lua estiver em Virgem, aumenta nossa preocupação com a eficiência e produtividade. Aproveite para colocar sua vida em ordem, já que o caos trará irritação e nervosismo. Se encontrar tempo, faça uma

faxina no armário e na alma, eliminando o que não serve mais. Isso o fará se sentir mais leve e cheio de disposição para produzir.

Hoje a Lua não faz aspecto com outros planetas no céu. Devemos observar recomendações para a fase e o Signo em que a Lua se encontra.

DIA 24 DE SETEMBRO – SÁBADO
☽ *Minguante* ☽ *em Virgem*

Mercúrio Retrógrado
Lua quadratura Marte – 12:53 às 16:47 (exato 14:52)
Soluções extremas geram, muitas vezes, complicações. Procurar agir de modo mais racional em situações em que a primeira vontade seja virar a página e deixar para trás pode ajudar muito. Dar preferência a alimentos mais leves ajudará a ter uma boa digestão.

Lua trígono Urano – 14:23 às 18:09 (exato 16:18)
Tarde proveitosa para sair da rotina e executar tarefas incomuns. Atitudes arrojadas poderão surpreender as pessoas mais próximas. As inovações tecnológicas, bem como a utilização de técnicas modernas, poderão tornar seu trabalho mais ágil e divertido. Inove. Liberdade é fundamental.

DIA 25 DE SETEMBRO – DOMINGO
● *Nova às 18:54 em 02°48' de Libra* ● *em Libra às 13:42 LFC Início às 09:50 LFC Fim às 13:42*

Mercúrio Retrógrado
Enquanto a Lua estiver em Libra, a palavra de ordem é conciliar e equilibrar as atividades. Suavizar a rotina com leveza e beleza traz para o dia a sensação de bem-estar e a possibilidade de uma convivência harmônica. O alimento emocional, aqui, são os encontros e as relações. As coisas fazem sentido quando se está junto. A construção de uma sociedade mais harmoniosa e equilibrada depende de cada um fazer uma ponte de diálogo e compreensão entre si mesmo e com os outros. Quando há conversa e respeito partindo de cada um, com o intuito de se encontrar um ponto de conciliação, as coisas andam e se consolidam. A dúvida aparece quando se busca o que é melhor em todos os ângulos e nem sempre dá para achar o ponto. Em alta profissões que envolvam arte, beleza, ritmo e estética.

Lua oposição Netuno – 00:18 às 04:02 (exato 02:12)

Conseguir falar sem magoar ou passar dos limites da cordialidade é algo que precisará ser feito de forma mais consciente. Redobre a sua atenção nos trajetos e observe melhor as sinalizações. Péssimo momento para interagir nas redes sociais, algo dito ou imagens podem passar uma ideia errada.

Lua conjunção Vênus – 02:19 às 06:27 (exato 04:25)

Momento em que a beleza, tanto pessoal quanto dos ambientes, pode ser levada a sério. O bom gosto toma conta de tudo que se vai fazer. A boa vontade das pessoas à volta favorece a colaboração.

Lua trígono Plutão – 04:42 às 08:26 (exato 06:35)

Enfim, um momento para começar atividades que sejam alinhadas com as pessoas a sua volta. Mesmo que as coisas não tenham tido um início favorável, agora é o momento para acertá-las. Aprofundar é muito importante em todas as situações.

Lua conjunção Mercúrio – 08:05 às 11:32 (exato 09:50)

Manhã agitada, sendo necessário grande habilidade para dar conta de tantos compromissos. Poderá ter que lidar com a presença de um grande número de pessoas. A tendência é haver maior fluidez nas trocas. Sendo a afetividade presente em todas as formas de interação. Facilidade de expressão ajuda nos trabalhos escritos.

Lua conjunção Sol – 16:54 às 20:54 (exato 18:54)

O que quer que se escolha fazer será muito bom, alimentando a alma e o corpo. Essa alquimia da Lua e Sol é perfeita para estar junto de pessoas com quem se harmoniza ou apenas estar com você mesmo encontrando um equilíbrio entre seus desejos e suas emoções. O fim de tarde oferece muitas atividades e a sensação de bem-estar é contagiosa.

Lua oposição Júpiter – 18:54 às 22:33 (exato 20:46)

Não podemos agir de forma exagerada ou levar demais a sério o que está acontecendo neste momento. Ter um olhar mais realista e esperar para ter certeza do que fazer é uma superdica. A falta de ação pode ser algo muito poderoso.

DIA 26 DE SETEMBRO – SEGUNDA-FEIRA
Nova em Libra

Mercúrio Retrógrado
Lua trígono Marte – 22:02 à 01:45 (exato 23:55)
Somos compelidos a atitudes generosas e altruístas, sem que nos esqueçamos do que é importante para nós. Noite excelente para trabalhar, já que a tendência é que flua de maneira satisfatória. As relações mais íntimas poderão ficar quentes.

Lua trígono Saturno – 22:55 às 02:32 DE 27/09 (exato 00:46 de 27/09)
Organizar e preparar um plano de ação para o dia seguinte, incluindo os detalhes de prioridades e necessidades de cada atividade, vai favorecer o bom andamento dos projetos. Há oportunidade de as coisas darem certo devido à previsão dos contratempos.

DIA 27 DE SETEMBRO – TERÇA-FEIRA
Nova em Escorpião às 20:14 LFC Início às 13:21 LFC Fim 20:14

Mercúrio Retrógrado
Enquanto a Lua estiver em Escorpião, há uma tendência a dar um peso maior às situações que nos atingem. Tudo acaba virando drama se não tentarmos visualizar o que está além das aparências. Que tal delinear as reformas que precisam ser feitas na vida? O poder de lidar com uma crise ou emergência será regenerado, restaurando e recuperando o que for preciso. Há um interesse especial pelo oculto, inconsciente e pelo desconhecido. Favorece profissionais nas áreas que lidam com dinheiro, terapias e cura.

Lua quadratura Plutão – 11:32 às 15:08 (exato 13:22)
Agora não vale a pena confrontar as pessoas, pois nem sempre sabemos com quem estamos lidando e o jogo de poder é muito perigoso. Mexer com dinheiro não está favorável. Terapia poderá ser interessante para acessar, de forma menos dolorosa, o que pode estar inconsciente.

DIA 28 DE SETEMBRO – QUARTA-FEIRA
Nova ● em Escorpião

Mercúrio Retrógrado

Hoje a Lua não faz aspecto com outros planetas no céu. Devemos observar recomendações para a fase e o Signo em que a Lua se encontra.

DIA 29 DE SETEMBRO – QUINTA-FEIRA
Nova ● em Escorpião LFC Início às 18:21

Mercúrio Retrógrado
Lua oposição Urano – 03:04 às 06:34 (exato 04:50)

Racionalizar não ajuda a colocar as coisas no lugar depois que se passa dos limites ou cai na tentação de "chutar o pau da barraca". Acalme-se. A ansiedade pode ser a consequência do cancelamento de compromissos assumidos no início da manhã.

Lua quadratura Saturno – 04:12 às 07:41 (exato 05:58)

Sentir a sobrecarga das tarefas não será fácil. Poderão ocorrer atrasos ou até mesmo ser necessário refazer tarefas que outras pessoas não deram conta. O senso de autorresponsabilidade pesará.

Lua trígono Netuno – 12:17 às 15:47 (exato 14:04)

A hora é de sonhos e imaginação, propícia àqueles que trabalham com criatividade, escrevem, pintam ou estudam. Com inspiração, será possível iniciar um projeto solidário on-line. A sintonia entre as pessoas acontece.

Lua sextil Mercúrio – 14:15 às 17:38 (exato 15:59)

É fácil expressar as emoções de forma escrita ou falada. A interação entre as pessoas fica leve e tudo o que é comunicado é entendido. Bom momento para praticar a arte de negociar.

Lua sextil Plutão – 16:35 às 20:04 (exato 18:21)

É favorável para nos desfazermos de tudo o que não nos serve mais. Sejam objetos, emoções negativas ou condicionamentos que nos impedem de prosperar e evoluir. Que tal fazer uma desintoxicação física? Quando se abre espaço, dá para começar coisas novas e conhecer pessoas legais.

DIA 30 DE SETEMBRO – SEXTA-FEIRA
⚫ *Nova* ⚫ *em Sagitário à 01:03 LFC Fim 01:03*

Mercúrio Retrógrado

Enquanto a Lua estiver em Sagitário, para as coisas darem certo, é importante ser otimista e confiante. A generosidade tenderá a se espalhar, contagiando todos à sua volta. Excelente momento para expandir, ampliando os conhecimentos e ousando ir mais longe. Muitos contatos poderão ser estendidos com a internet. Acima de tudo, inspire-se e, com otimismo, vá alargando as fronteiras do conhecido. Áreas do Direito e Filosofia estarão em alta. Ciência e Teologia são importantes para o desenvolvimento intelectual. Estarão favorecidas áreas, como turismo, importação e exportação, carreira universitária, arqueologia e diplomacia.

Lua sextil Vênus – 01:09 às 04:58 (exato 03:05)

Ver um bom filme ao lado de quem se gosta é maravilhoso. Aquece a alma se relacionar mesmo que à distância através das redes sociais. Cuidados com a casa e a beleza podem ser uma opção se estiver acordado.

Lua trígono Júpiter – 04:54 às 08:20 (exato 06:39)

A manhã surge e as coisas começam a ficar melhores. O humor e a emoção começam a dar sinais de empolgação. A generosidade, que parte do coração, será a porta para os bons relacionamentos.

Lua sextil Sol – 12:13 às 15:56 (exato 14:06)

Emoção e razão caminharão juntas para encontrar a melhor e mais prática maneira de realizar suas atividades. Invista nos cuidados pessoais, pois poderá obter ótimos resultados. Amplie seus horizontes, avançando em todas as áreas da vida.

Outubro 2022

Domingo	Segunda-feira	Terça-feira	Quarta-feira	Quinta-feira	Sexta-feira	Sábado
						1 ♐ Lua Nova em Sagitário LFC Início às 18:47 Mercúrio Retrógrado
2 ☽ 09°46' ♑ Lua Crescente às 21:14 em Capricórnio Lua em Capricórnio às 04:37 LFC Fim às 04:37 Fim Mercúrio Retrógrado às 06:09	3 Lua Crescente em Capricórnio	4 ♒ Lua Crescente em Aquário às 07:20 LFC 00:50 às 07:20	5 Lua Crescente em Aquário LFC Início às 19:46	6 ♓ Lua Crescente em Peixes às 09:46 LFC Fim às 09:46	7 Lua Crescente em Peixes	8 ♈ Lua Crescente em Áries 12:56 LFC 08:11 às 12:56
9 ○ 16°32' ♈ Lua Cheia às 17:54 em Áries	10 ♉ Lua Cheia em Touro às 18:03 LFC 11:03 às 18:03	11 Lua Cheia em Touro	12 Lua Cheia em Touro LFC Início às 18:43	13 ♊ Lua Cheia em Gêmeos às 02:07 LFC Fim às 02:07	14 Lua Cheia em Gêmeos	15 ♋ Lua Cheia em Câncer às 13:10 LFC 01:12 às 13:10
16 Lua Cheia em Câncer	17 ☽ 24°18' ♋ Lua Minguante às 14:15 em Câncer LFC Início às 21:36	18 Lua Minguante em Leão à 01:44 LFC Fim à 01:44	19 Lua Minguante em Leão	20 ♍ Lua Minguante em Virgem às 13:25 LFC 07:36 às 13:25	21 Lua Minguante em Virgem	22 ♎ Lua Minguante em Libra às 22:23 LFC 15:18 às 22:23
23 Lua Minguante em Libra Entrada do Sol no Signo de Escorpião às 07h35	24 Lua Minguante em Libra LFC Início às 21:36	25 ● 02°00' ♏ Lua Nova às 07:48 em Escorpião Lua em Escorpião às 04:18 LFC Fim às 04:18 Eclipse Solar Parcial às 07:48	26 Lua Nova em Escorpião	27 ♐ Lua Nova em Sagitário às 07:54 LFC 01:28 às 07:54	28 Lua Nova em Sagitário	29 ♑ Lua Nova em Capricórnio às 10:21 LFC 10:11 às 10:21
30 Lua Nova em Capricórnio	31 Lua Nova em Aquário às 12:42 LFC 12:15 às 12:42					

Mandala Lua Cheia Outubro

Lua Cheia
09.10.2022
Às 17:54 em
16°32' de
Áries

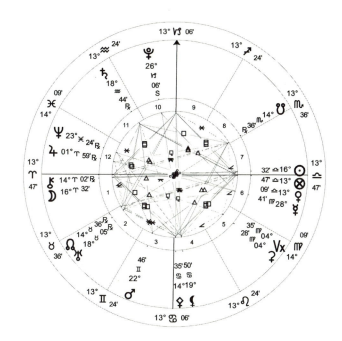

Mandala Lua Nova Outubro

Lua Nova
25.10.2022
Às 07:48 em
02°00' de
Escorpião

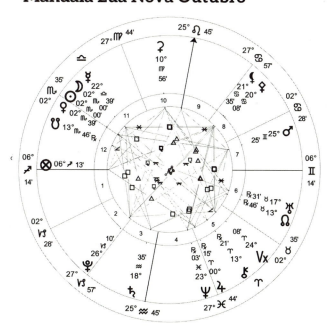

O LIVRO DA LUA 2022   339

Céu do mês de outubro

Vênus acompanha o Sol de perto por todo seu trajeto em Libra, o que a princípio deveria reforçar, revigorar os temas librianos de paz, equilíbrio, harmonia e justiça, no entanto, como vimos no mapa do equinócio, a oposição de Júpiter em Áries promete uma fase de excessos e extravagância. Já no dia 1º, é a vez de Vênus encarar o confronto com Júpiter em Áries e corremos o risco de perder a mão exatamente no que diz respeito ao tema central do Signo, que é o equilíbrio dos pratos da balança. É bom se precaver contra busca exagerada por prazer, gastos excessivos e todo tipo de desmedida.

Mercúrio (revisitando Virgem) retoma seu movimento direto no dia 02, desta vez, excepcionalmente, convém esperar uns dias para retomar os assuntos ligados à comunicação. Mercúrio caminhando em passo muito lento estará toda esta primeira semana perturbado por uma oposição de Netuno, indicando um tempo ainda muito confuso para tomada de decisões. Uma boa influência de Plutão a Mercúrio no dia 07 contribui para melhoria do quadro. Todo este clima fica marcado no mapa da Lua Cheia, estendendo os seus efeitos até a Lua Nova (eclipse do Sol) do final do mês.

A Lua Cheia de Áries se dá no dia 09, cai colada no Ascendente (no cálculo para nossa região) e bem menos impulsiva, como seria de se esperar, pelo bom posicionamento de Marte, regente do Signo. Vênus aliada ao Sol em Libra e ambos também em posição de destaque no mapa (Descendente) incentivam a busca e a formação de parcerias, alianças e acordos.

A iluminação do eixo Áries/Libra no Ascendente/Descendente garante um equilíbrio de forças no sentido de poder negociar sem abrir mão de interesses próprios. O excelente aspecto entre Marte em Gêmeos e Saturno em Aquário alia planejamento estratégico com ações inteligentes.

Mercúrio ingressa definitivamente em Libra no dia 10, retomando as melhores ponderações e equilíbrio na capacidade de avaliação. Logo ao chegar, no entanto, reencontra Júpiter por oposição (exato no dia 12), repetindo a fase de setembro, dada a polêmicas e agitação. Marte em desarmonia com Netuno neste mesmo período (também exato no dia 12) contribui para a fase confusa. Sol e Vênus entram em cena para tentar organizar e se harmonizam com Saturno e Marte entre os dias 12 e 18.

Sol e Vênus evoluem abraçados no final de Libra (encontro exato no dia 22) e, juntos, enfrentam um estresse com Plutão em Capricórnio. Período de alta tensão, afetando a política, os mercados financeiros e os relacionamentos. A partir daqui, as coisas se intensificam, estamos às vésperas de um eclipse do Sol no Signo de Escorpião que afeta fortemente o mapa do Brasil.

Tanto Sol como Vênus ingressam em Escorpião no dia 23, passando a transitar o Signo das grandes transformações, que fala da natural capacidade da vida de sobreviver aos processos de decadência e renascer para uma nova etapa e consciência. Vênus, por sua vez, fica muito mais intensa, sexual e passional. Tudo isto se incorpora ao mapa da Lua Nova no dia 25 (Eclipse parcial do Sol).

Eclipses, por si só, são indicadores de fases agudas, agravamento de crises, ainda mais no Signo dos extremos. Mercúrio em Libra, muito próximo do alinhamento Sol/Lua/Vênus em Escorpião, enfrenta uma pressão de Plutão, mas conta com o apoio de Saturno e Marte. É tempo de grandes revelações, denúncias graves, complôs, exposição de segredos que podem desestabilizar posições já definidas. O harmônico triângulo de ar formado por Mercúrio, Marte e Saturno promete competência para encontrar estratégias construtivas.

No dia 28, temos o abençoado retorno de Júpiter ao Signo de Peixes, em que volta a se aproximar de Netuno, refazendo mais uma vez a benigna dobradinha dos milagres.

Mercúrio entra em Escorpião no dia 29, desenvolvendo uma mentalidade muito mais investigativa e desconfiada. Bem adequado para apurar, averiguar todas as questões trazidas à tona pelo Eclipse Solar.

Marte em Gêmeos passa ao movimento retrógrado no dia 30 (até 12/01/2023). Ocorre uma desaceleração do ritmo das atividades, bom tempo para repensar a maneira mais inteligente de lidar com as situações. Menos instintivo e mais articulado, Marte nos convida a refletir sobre a enorme variedade de possibilidades disponíveis para sermos mais sutis e desembaraçados. Bora treinar!

Posição diária da Lua em outubro

DIA 01 DE OUTUBRO – SÁBADO
● *Nova* ● *em Sagitário LFC Início às 18:47*

Mercúrio Retrógrado

Lua sextil Saturno – 08:05 às 11:30 (exato 09:49)

Excelente para iniciar algo que se queira fazer perdurar, dar o primeiro passo em direção ao que se almeja. Iniciar um novo ciclo, uma meta que seja duradoura. Bom horário para celebrar casamentos, união estável.

Lua oposição Marte – 10:17 às 13:48 (exato 12:06)

Emoção e ação em tensão! Rompantes, raiva, e fúria estão no ar. Período em que ficamos atentos para não explodir, de raiva ou em lágrimas. A ação pode ser impulsiva, reativa, desproporcional. Tenha paciência, vá com um pouco mais de calma, e não se frustre se os resultados das suas ações não forem tão imediatos.

Lua quadratura Netuno – 16:02 às 19:27 (exato 17:46)

É comum erros de precisão, enganos e mentiras. Faça conferência de tudo que exija exatidão. Algum erro ou engano que você cometeu ao avaliar alguma situação pode gerar decepção, desencanto, desilusão e um estado de melancolia. Não se deprima, é melhor enxergar com atraso do que nunca poder ver.

Lua quadratura Mercúrio – 17:04 às 20:27(exato 18:47)

Dar satisfação de alguma coisa pode ser muito irritante, principalmente se você não sabe a resposta. O que você deseja? Para onde está indo? São perguntas que podem, nesse momento, não ter uma resposta exata. Relaxe onde estiver e não se perca, apressado, por um destino que não sabe qual é.

DIA 02 DE OUTUBRO – DOMINGO
☾ *Crescente às 21:14 em 09°46' de Capricórnio* ☾ *em Capricórnio às 04:37*
LFC Fim às 04:37

Fim Mercúrio Retrógrado

Enquanto a Lua estiver em Capricórnio, há uma maior dedicação profissional e você poderá estar mais pragmática, exigente e mais cartesiana. Se não estiver trabalhando, você pode estar se exigindo um comportamento de excelência em outras áreas da vida, não admitindo errar, comprometida com metas e resultados. Predisposição a cortar, ter mais frieza com tudo o que não esteja mais surtindo os efeitos esperados. Trabalhe com o tempo e se dê prazo.

Lua quadratura Júpiter – 07:55 às 11:17 (exato 09:38)

Podemos estar agindo de forma ingênua e impulsiva, há um sentimento de despreparo, de estar aquém dos resultados esperados. Agimos de forma infantil e nos cobramos a sabedoria e expertise de um sábio amadurecido. Não se cobre tanto, se acolha. Cuidado para não projetar suas frustrações no desejo de comer.

Lua quadratura Vênus – 09:43 às 13:26 (exato 11:37)

Cuidado com o excesso de formalidades que o engessam e te deixam mecânico. Seja mais espontâneo e amoroso com você mesmo. Critique-se menos, acolha-se mais. Obrigue-se menos a ter resultados. Busque harmonia.

Lua quadratura Sol – 19:24 às 23:03 (exato 21:14)

Divergência, desacordo, desgaste. Fim de noite em que podemos estar em dissonância com nós próprios ou com o parceiro. Os princípios do masculino e do feminino estão em desarmonia. Por um lado, a gentileza, a conciliação, a beleza, a diplomacia, a indecisão; por outro, cobranças, metas, rigidez, prazos, frieza, pragmatismo. Espere tudo isso passar para tomar decisões.

DIA 03 DE OUTUBRO – SEGUNDA-FEIRA
☽ *Crescente* ☽ *em Capricórnio*

Lua trígono Urano – 09:55 às 13:17 (exato 11:38)

Bom dia para fazer mudanças, trocar de casa ou vender casa. Ocorre uma libertação de alguma obrigação ou compromisso que você não tem mais. Independência emocional. É possível ir ao cinema sozinha e se sentir acolhida por si mesmo, o outro pode vir agregar, é importante, mas não é indispensável.

Lua sextil Netuno – 18:49 às 22:11 (exato 20:32)

Estamos mais disponíveis para dar vazão ao ser espiritual que vive em nós, perdoar, lavar a alma, suavizar emoções que até então estavam pesando e nos levando ao escapismo. Estas emoções têm a oportunidade energética de ser metabolizadas e refinadas.

Lua trígono Mercúrio – 20:15 às 23:41(exato 22:00)

Habilidades manuais, de organização, que exijam precisão são favorecidas por esse trânsito. Bom para fazer aquela limpeza no armário e retirar tudo aquilo que tem mais utilidade. A energia é de minimalismo.

Lua conjunção Plutão – 23:07 às 02:29 de 04/10 (exato 00:50 de 04/10)

Intensidade de emoções, ciúme, possessividade, obsessão e agressividade, cuidado! Os portões do reino de Hades estão abertos, ou seja, nosso inconsciente está em plena atividade, da mesma maneira que saem conteúdos incríveis que estão sendo elaborados, saem nossos medos e fantasmas. Atenção, não entre em confronto! Observe que lidar com a sombra de forma estratégica é a melhor opção.

DIA 04 DE OUTUBRO – TERÇA-FEIRA
☾ *Crescente* ☾ *em Aquário às 07:20 LFC Início à 00:50 LFC Fim 07:20*

Enquanto a Lua estiver em Aquário, há uma predisposição em se sentir mais livre, mais descompromissado em relação ao que normalmente prende, preocupa, cerceia a pessoa. E a dar (e se dar) mais liberdade, soltura, desprendimento. Tem aquela sensação emocional de que um certo distanciamento alivia, tira da rotina e o permite encontrar a si mesmo. Encontros com os amigos, planejamentos para longo prazo, investimentos tecnológicos, buscar novas soluções e ideias são favorecidos nesse período.

Lua sextil Júpiter – 10:08 às 13:28 (exato 11:50)

Otimismo, sentimento de gratidão, de expansão. Bom para quem lida com público, com clientela, as pessoas estão receptivas ao seu bom humor e confiança. Seja autêntico nas suas ações, utilize o conhecimento espontâneo e intuitivo, pois você está super conectado com o futuro e as ações provenientes disso podem gerar excelentes frutos.

Lua trígono Vênus – 17:13 às 20:54 (exato 19:00)
Estamos mais próximos das pessoas que amamos, estamos mais receptivos ao amor e à afetividade, sem cobranças, sem possessividade, com mais liberdade.

DIA 05 DE OUTUBRO – QUARTA-FEIRA
☾ Crescente ☾ em Aquário LFC Início às 19:46

Lua trígono Sol – 01:42 às 05:19 (exato 03:32)
Excelente para criar novas soluções, para ações coletivas, para pensar no bem comum, para o pensamento holístico e ideias inclusivas. Trígono que coloca o consciente e inconsciente trabalhando na mesma linguagem, relacionamento, comunicação, equanimidade, harmonia e liberdade.

Lua quadratura Urano – 12:16 às 15:38 (exato 13:59)
O desejo por quebrar padrões deve seguir um planejamento. Não faça nada à base do rompante, não seja intolerante e nem se irrite com a normalidade do dia a dia. A tecnologia hoje não está do nosso lado, podemos ter inconstância de sinal e problemas de energia.

Lua conjunção Saturno – 13:19 às 16:40 (exato 15:01)
O dia pode estar com muitos compromissos, sem espaço para a liberdade e espontaneidade. Há um sentimento mais duro dificultando a expressão das emoções e dos afetos. A busca pela excelência, por chegar ao topo, pode tornar tudo muito mecânico. Cuidado com o excesso de crítica, evite ser arrogante.

Lua trígono Marte – 18:02 às 21:28 (exato 19:46)
Estamos com disposição para nos divertir e encontrar os amigos. Muito favorável a atividades físicas em grupo e a happy hour com novos grupos de amigos.

DIA 06 DE OUTUBRO – QUINTA-FEIRA
☽ Crescente ☽ em Peixes às 09:46 LFC Fim às 09:46

Enquanto a Lua estiver em Peixes, não vale a pena brigar por qualquer coisa, se desgastar ou até mesmo forçar situações que não estão acontecendo. Momento de se adaptar circunstâncias, de perceber o todo e agir em consonância com o Cosmos, sem rebeldia, como um filho paciente. Fase em que as coisas estão saindo de um estado e se metamorfoseando para entrar em outro. A atitude mais adequada e benéfica é adaptativa e contemplativa.

Hoje a Lua não faz aspecto com outros planetas no céu. Devemos observar recomendações para a fase e o Signo em que a Lua se encontra.

DIA 07 DE OUTUBRO – SEXTA-FEIRA
☽ Crescente ☽ em Peixes

Lua sextil Urano – 14:52 às 18:17 (exato 16:36)

Momento em que estamos mais abertos ao criativo, inovador e excêntrico, temos uma tendência a agir assim também. Período ideal para usar a tecnologia como aliada. Aquela reunião de trabalho que vinha sendo adiada por algum conflito em que havia falta de tolerância, pode ser realizada, pois as diferenças se complementam.

Lua quadratura Marte – 21:55 à 01:25 de 08/10 (exato 23:41)

Cuidado com excessos! A impulsividade pode levar você a falar exageros, gerando brigas e desentendimentos. Esteja claro em relação ao que você quer em cada ação, ao invés de agir com raiva, tenha paciência e espere o melhor momento para agir dentro do propósito, com ponderação.

Lua conjunção Netuno – 23:56 às 03:22 de 08/10 (exato 01:41 de 08/10)

A Lua em Peixes fazendo conjunção com seu próprio regente Netuno nos deixa com a sensibilidade à flor da pele. Como estamos muito sensíveis, é importante estarmos conectados com nós mesmos, com nossa essência, para não reagir energeticamente a estímulos com os quais não temos afinidade, mas que, por estarmos hiper receptivos ao plano sutil, podemos absorver.

DIA 08 DE OUTUBRO – SÁBADO
☾ Crescente ☾ em Áries às 12:56 LFC Início às 08:11 LFC Fim às 12:56

Enquanto a Lua estiver em Áries, a conquista, a ação, a energia ativa de comando são estimuladas. Ao mesmo tempo que nossa capacidade decisória aumenta, que nossos desejos ficam mais claros, quando a Lua está em Áries não guardamos nada, somos imediatistas, impulsivos e explodimos em agressividade. Momento de lutar pela vida, de fazer escolhas.

Lua sextil Plutão – 04:30 às 07:57 (exato 06:15)
Quando a Lua faz aspecto harmônico com Plutão, estamos disponíveis a fazer transformações no nosso campo emocional. Nesse período, é possível transcender através da sexualidade. O conteúdo dos sonhos ou uma meditação profunda podem ser indicativos de um conteúdo psíquico que já está pronto para ser transmutado.

Lua oposição Mercúrio – 06:19 às 10:01 (exato 08:11)
Podemos estar muito preguiçosos para manter a casa, o corpo e a rotina em ordem. Se por um lado analisamos o mundo sob um olhar crítico, por outro, queremos nos acolher e relaxar, deixando para lá os detalhes.

Lua conjunção Júpiter – 14:53 às 18:19 (exato 16:38)
Tarde de sábado animada e extrovertida. A prática de esportes, brincadeiras, jogos e competições nos divertem. O espírito é competitivo, mas descompromissado, a meta é nos permitir viver a nossa criança interior.

DIA 09 DE OUTUBRO – DOMINGO
○ Cheia às 17:54 em 16°32' de Áries ○ em Áries

Lua oposição Vênus – 09:23 às 13:16 (exato 11:21)
Há indecisão e impasse sobre quem deve ser prioridade nos cuidados, se cuida de si mesmo ou se cuida de quem você ama. Esse é o ápice de um ciclo que começou lá atrás na Lua Nova, repare o que chegou ao limite e faça suas escolhas.

Lua oposição Sol – 16:00 às 19:49 (exato 17:54)
Inquietação emocional e irritabilidade, é preciso fazer uma escolha,

não é mais possível adiar. Nosso corpo emocional nos pede para que tomemos uma atitude, mesmo que vá nos tornar menos simpáticos, menos populares e ponderados para os outros.

Lua sextil Saturno – 20:01 às 23:34 (exato 21:50)

Nada nos torna mais seguros do que a liberdade de ser quem somos. Avaliações e comparações são feitas com base em si mesmas, o outro não faz parte do meu paradigma. A autonomia de fazer as próprias escolhas nos leva a um caminho de independência, de emancipação, iniciativa e autodeterminação.

DIA 10 DE OUTUBRO – SEGUNDA-FEIRA
○ *Cheia* ○ *em Touro às 18:03 LFC Início às 11:03 LFC Fim às 18:03*

Enquanto a Lua estiver em Touro, período de colheita de tudo aquilo que foi fertilizado na Lua Nova. É tempo de valorização do feminino, da ponderação, da conciliação, dos afetos, do conforto e segurança emocionais, da beleza e simplicidade. O afeto e o cuidado se estendem a tudo aquilo que o toca.

Lua sextil Marte – 03:24 às 07:03 (exato 05:15)

Coragem para a tomada de decisões importantes podem vir através da intuição nessa noite. Há muita flexibilidade, o que gera uma capacidade de ir em direções que antes você não havia enxergado. Elas são mais simples, mais fáceis.

Lua quadratura Plutão – 09:13 às 12:50 (exato 11:03)

Ficamos exaustos, nosso poder de regeneração fica diminuído. Situações podem acontecer de forma que sentimos que nosso chão foi tirado gerando um período de angústia, de medo, de insegurança. Cuidado com os pensamentos e sentimentos obsessivos.

DIA 11 DE OUTUBRO – TERÇA-FEIRA
○ *Cheia* ○ *em Touro*

Hoje a Lua não faz aspectos com outros planetas no Céu. Devemos observar recomendações para a fase e o Signo em que a Lua se encontra.

DIA 12 DE OUTUBRO – QUARTA-FEIRA
○ *Cheia (disseminadora)* ○ *em Touro LFC Início às 18:43*

Lua conjunção Urano – 01:27 às 15:12 (exato 03:21)

Momentos de se colocar à disposição de tudo o que é novo, moderno, que até ontem nos parecia impossível. Urano é o planeta que coloca tudo ao avesso, que vai para o lado contrário, e quando a Lua se encontra com ele, podemos sentir um desejo muito forte pelo novo. A consequência positiva disso é se libertar do que antes era aprisionador. A consequência desafiadora é rompante e intolerante para qualquer circunstância (pessoa, ideia, situação) que vá contra o que você deseja.

Lua quadratura Saturno – 02:43 às 06:29 (exato 04:38)

Excesso de compromissos, a sensação é de engessamento. Se você se descomprometer e dar espaço para outros terem mais responsabilidade, você perde o controle, mas ganha bem-estar e paz. Equilibre.

Lua sextil Netuno – 11:31 às 15:18 (exato 13:26)

Momento de inspiração e devoção. A gente está conectado com a nossa espiritualidade. É possível se expressar através da arte. O bom gosto, a simetria e a harmonia estão a serviço do nosso inconsciente. Se precisar se comunicar com alguém ou lidar com alguma situação difícil, esse momento é imperdível, pois o portal do perdão e da assimilação das diferenças está aberto.

Lua trígono Plutão – 16:47 às 20:36 (exato 18:43)

Período dedicado a fazer os cortes e dizer os "nãos" necessários para levar uma vida mais harmônica. Conseguimos nos desapegar de tudo aquilo de que não precisamos mais, que precisa ser transformado, reciclado de alguma forma, sem o sentimento de insegurança e de perda que isso comumente traz.

DIA 13 DE OUTUBRO – QUINTA-FEIRA
○ *Cheia (disseminadora)* ○ *em Gêmeos às 02:07 LFC Fim 02:07*

Enquanto a Lua estiver em Gêmeos, muita conversa, muita troca, momento em que a popularidade está em alta, e estamos super comunicativos. As emoções são sentidas de forma menos intensa, com menos envolvimento, mais superficiais, sem muito comprometimento. A brevidade das emoções nos permite ter flexibilidade para novas possibilidades e interações mais criativas.

Lua sextil Júpiter – 03:13 às 07:02 (exato 05:09)
Nossa rotina é invadida pelo otimismo e alegria. O dia pode ser muito produtivo, vários assuntos podem ser concluídos, a meta se torna mais alcançável, estamos focados sem deixar de perceber os variados meios de atingirmos os resultados.

Lua trígono Mercúrio – 06:18 às 10:40 (exato 08:30)
É fácil se comunicar com diplomacia e empatia. Bom para se posicionar sem ser agressivo, e com bastante audição para o outro.

DIA 14 DE OUTUBRO – SEXTA-FEIRA
○ *Cheia (disseminadora)* ○ *em Gêmeos*

Lua trígono Saturno – 12:34 às 16:31 (exato 14:34)
Bom para fazer uma lista das tarefas realizadas e de quais ficaram pendentes, além de se organizar e planejar a próxima semana. A produtividade está alta e temos comprometimento e excelência com as nossas metas.

Lua trígono Vênus – 13:38 às 18:03 (exato 15:52)
Tarde prazerosa e de descontração. Almoçar com pessoas agradáveis, leves, cordeais, em que o papo flui, é uma das indicações da tarde. Cuidar da beleza também é indicação do dia.

Lua trígono Sol – 18:13 às 22:32 (exato 20:24)
As qualidades da leveza e da diplomacia se colocam disponíveis para todos aqueles que a desejam. Momento bacana para ter uma conversa importante que exija de nós flexibilidade. As pessoas colaboram para que haja harmonia.

Lua quadratura Netuno – 21:46 à 01:45 de 15/10 (exato 23:47)
Estamos um pouco decepcionados com o funcionamento das coisas,

situações que para a gente poderiam ser totalmente diferentes do que são. O enfrentamento da realidade pode ser desorientador. Mas não se desanime, olhe para a realidade tal qual ela é com a criatividade de mudar aquilo que está ao seu alcance. E se a realidade não puder mudar, mude você a forma de enxergá-la.

Lua conjunção Marte – 23:09 às 03:12 de 15/10 (exato 01:12 de 15/10)
O corpo está cheio de energia, é sexta-feira, e essa noite promete alegria, espontaneidade e animação. Momento bom para se reunir com amigos, sair para dançar, jogar algum jogo e se divertir ao redor de pessoas queridas.

DIA 15 DE OUTUBRO – SÁBADO
○ *Cheia (disseminadora)* ○ *em Câncer às 13:10 LFC Início à 01:12*
LFC Fim 13:10

Enquanto a Lua estiver em Câncer, estamos emotivos e super sensíveis. Aumenta a expressão da afetividade e do nosso lado feminino. Há uma vontade de cuidar tanto das nossas fragilidades quanto das vulnerabilidades que vemos à nossa volta. A energia é de acolhimento, intimidade, nutrição e proteção emocional.

Lua quadratura Júpiter – 13:44 às 17:43 (exato 15:45)
Cuidado com os exageros na hora de comer. Pode haver um excesso de comprometimentos com aqueles que amamos, sentimos que não temos autonomia para fazer exatamente o que gostaríamos por excesso de zelo com as pessoas que cuidamos.

DIA 16 DE OUTURBO – DOMINGO
○ *Cheia (disseminadora)* ○ *em Câncer*

Lua quadratura Mercúrio – 01:59 às 06:37 (exato 04:20)
O sentimentalismo e os excessos podem ser malvistos, mal interpretados. Perceba o que vai falar e para quem. Meça suas palavras! Momento em que qualquer diálogo que gere ou tenha conteúdo emocional deve ser evitado.

Lua sextil Urano – 23:07 às 03:09 de 17/10 (exato 01:10 de 17/10)

Coisas boas acontecem quando menos se imagina. Bom para encontrar amigos, para conhecer um lugar novo bacana ou sair para jantar despretensiosamente. Saia da rotina, permita-se conhecer o novo junto com um velho amor ou melhor: um amor novo num velho local que se guarda no coração.

DIA 17 DE OUTUBRO – SEGUNDA-FEIRA
○ *Minguante às 14:15 em 24°18' de Câncer* ○ *em Câncer LFC Início às 17:57*

Lua quadratura Vênus – 08:58 às 13:29 (exato 11:15)

A intensidade das emoções e o excesso de sensibilidade não encontram espaço na forma da elegância. Podemos nos sentir desassistidos ou com poucos meios de expressar o que sentimos, de dar vazão ao sentimento.

Lua trígono Netuno – 10:02 às 14:04 (exato 12:05)

A sensibilidade emocional ganha a via expressa da arte. Uma foto, uma canção, uma pintura, uma dança, um filme nos tocam a alma e dão espaço na matéria para um sentimento que estava dentro e não tinha espaço para sair. As lembranças ganham um colorido idílico e balsâmico, quase uma fantasia.

Lua quadratura Sol – 12:02 às 16:27 (exato 14:15)

Se a insatisfação é grande, o recolhimento talvez seja indispensável para perceber com mais cautela do que se trata de fato. A intimidade e o afeto precisam de espaço.

Lua oposição Plutão – 15:54 às 19:57 (exato 17:57)

Cuidado com o medo que o boicota e estagna. Muitas vezes, buscamos o poder para ter controle e nos sentirmos seguros. Mas, ao mesmo tempo, esse poder nos afasta dos nossos sentimentos e nos faz tomar atitudes inadequadas do ponto de vista emocional, simplesmente porque precisamos manter o poder.

DIA 18 DE OUTUBRO – TERÇA-FEIRA
☽ *Minguante* ☽ *em Leão à 01:44 LFC à 01:44*

Enquanto a Lua estiver em Leão, a gente tem mais necessidade de atenção, reconhecimento, mérito. Estamos mais carismáticos, populares, confiantes, e isso gera um brilho nas nossas ações. Cuidado com o narcisismo, que exige das pessoas ao redor que as coisas sejam feitas exclusivamente do seu jeito e na hora que você quer. É tempo de se divertir e levantar o astral!

Lua trígono Júpiter – 01:44 às 05:43 (exato 03:45)

Estamos entusiasmados e alegres, e isso se reflete nos nossos sonhos. Uma noite de sono tranquila em que nos conectamos com o lado bom da vida.

Lua sextil Mercúrio – 23:56 às 04:34 de 19/10 (exato 02:17 de 19/10)

Momento em que estamos claros e precisos com o que queremos. No que nos expressamos com exatidão, temos certeza. Bom para resolver qualquer coisa que nos coloque em dúvida do que queremos.

DIA 19 DE OUTUBRO – QUARTA-FEIRA
☽ Minguante ☽ em Leão

Lua quadratura Urano – 11:18 às 15:15 (exato 13:18)

A vontade é de sair e romper com tudo aquilo que não agrada e você não se identifica mais. Não haja com impulsividade. Acalme-se, crie um espaço onde possa sair das situações sem se prejudicar. Avalie melhor as perdas e ganhos. Pergunte-se: qual é a imagem que você quer passar nesse momento conturbado?

Lua oposição Saturno – 13:00 às 16:58 (exato 15:01)

Às vezes, permanecer no mesmo lugar é a melhor solução. A inércia que se perpetua em rotina e obrigações pode ser cansativa, mas com certeza é segura. Não procrastine e faça o que tem que ser feito, independentemente do mau humor que você esteja.

DIA 20 DE OUTUBRO – QUINTA-FEIRA
☽ Minguante (balsâmica) ☽ em Virgem às 13:25 LFC Início às 07:36
LFC Fim às 13:25

Enquanto a Lua estiver em Virgem, é importante colocar as coisas em ordem de maneira que o dia a dia se torne mais simples. É excelente para os cuidados com a saúde e bem-estar, organização da rotina, do trabalho; isso inclui todos os detalhes, desde gavetas até nossos horários. O senso crítico está exaltado e conseguimos, com muita facilidade, separar o joio do trigo. Bom momento para tomar decisões baseadas na avaliação concreta e analítica dos fatos. As emoções assumem a forma da dedicação e aperfeiçoamento.

Lua sextil Marte – 01:23 às 05:22 (exato 03:24)

É um prazer poder ser uma metamorfose ambulante, tornar-se multifacetado e se perceber um ser com tantas características diferentes, por vezes até contraditórias entre si. Nesses momentos, a gente consegue unir características aparentemente opostas em ações e posicionamentos coerentes com o que somos.

Lua sextil Vênus – 04:01 às 08:23 (exato 06:14)

Todas as dúvidas e questionamentos quanto às suas motivações serão esclarecidas. Você sabe o que quer, e se colocar em um caminho diferente só para não se sentir cooperando não faz mais sentido. Seja autêntico e será capaz de brilhar a própria luz.

Lua sextil Sol – 05:26 às 09:42 (exato 07:36)

Prepondera o bom humor, a alegria e a visão lúdica da vida. As relações refletem esse ânimo. As interações são cordiais, diplomáticas e elegantes, há uma boa vontade em ajudar, estamos mais generosos.

DIA 21 DE OUTUBRO – SEXTA-FEIRA
☽ *Minguante (balsâmica)* ☽ *em Virgem*

Lua trígono Urano – 21:26 à 01:12 de 22/10 (exato 23:21)

Qualquer mudança começa da mesma forma, não importa qual seja, com um passo e depois outro. Seja essa mudança grande ou pequena, ela sempre tem um ponto de início. Se quiser mudar radicalmente, organize-se para isso. Ir devagar e atento aos detalhes é mais seguro, constante e estável.

DIA 22 DE OUTUBRO – SÁBADO

☽ Minguante (balsâmica) ☽ em Libra às 22:23 LFC Início às 15:18
LFC Fim 22:23

Enquanto a Lua estiver em Libra, prevalece a aparência, a estética, a diplomacia, a cordialidade, os bons modos, a reflexão, a cooperação. Estamos com a balança no coração buscando o equilíbrio das nossas emoções. Os relacionamentos dão uma pausa na intensidade, passionalidade e ganham a equanimidade, somos capazes de enxergar o lado do outro. Cuidado com a procrastinação de decisões importantes. Aja com elegância, mas aja!

Lua oposição Netuno – 07:45 às 11:29 (exato 09:39)

Nem tudo o que reluz é ouro, já dizia o ditado. As coisas (pessoas ou situações) aparecem de forma diametralmente opostas ao que parecia ser. Calma! Aja com cautela, analise com um pouco mais de cuidado e, se não for possível o distanciamento para fazer essa avaliação, peça ajuda a quem é qualificado para fazê-la.

Lua quadratura Marte – 11:34 às 15:19 (exato 13:29)

Você está agindo sem foco, está fora da sua estratégia ou agindo contra ela. Ao mesmo tempo que o excesso de senso crítico e o perfeccionismo fazem qualquer pessoa ficar paralisada, a falta dessas qualidades o faz chegar a lugar nenhum, ou seja, diante das possibilidades e da sua flexibilidade, você também fica parado. Equilibre os pratos, saiba o que você quer e aja.

Lua trígono Plutão – 13:25 às 17:08 (exato 15:18)

Bom período para fazer desapego de roupas e panelas, até pessoas e situações. Você está assertivo no que precisa e no que não precisa mais. Meticuloso, você sabe como fazer para se despedir desse conteúdo que não faz mais parte do seu acervo.

Lua oposição Júpiter – 21:26 à 01:06 de 23/10 (exato 23:18)

Seja firme no corte dos excessos. Não é quanto mais melhor, mas, sim, quanto melhor, melhor. Não precisa ser exagerado, caricato para ser bom. O equilíbrio e a harmonia cooperam para qualquer ambiente.

DIA 23 DE OUTUBRO – DOMINGO
☽ Minguante (balsâmica) ☽ em Libra

Entrada do Sol no Signo de Escorpião às 07h35min31seg

Hoje a Lua não faz aspecto com outros planetas no céu. Devemos observar recomendações para a fase e o Signo em que a Lua se encontra.

DIA 24 DE OUTUBRO – SEGUNDA-FEIRA
☽ Minguante (balsâmica) ☽ em Libra LFC Início às 21:36

Lua trígono Saturno – 06:20 às 09:54 (exato 08:09)

Estamos motivados para colocar a vida nos trilhos, principalmente o trabalho, os afazeres, os compromissos. A organização traz uma sensação de harmonia, de tudo no lugar. Nesse período, isso traz o maior conforto.

Lua conjunção Mercúrio – 10:59 às 15:02 (exato 13:02)

Estamos um pouco mais ansiosos do que o normal, há uma vontade de estar com as pessoas queridas e contar como foi o fim de semana. É o momento do cafezinho com os colegas das atividades rotineiras.

Lua trígono Marte – 18:25 às 21:5 (exato 20:14)

Múltiplas ações são realizadas com o mesmo fim. O que a gente busca é a leveza das ações que nos permite sentir que somos uma pessoa comum, simples, cooperamos para que haja equilíbrio e harmonia com aqueles que nos relacionamos.

Lua quadratura Plutão – 19:49 às 23:21 (exato 21:36)

Não se deixe levar por ameaças e provocações. Não coloque a faca no pescoço de ninguém, em situações de "ou dá ou desce" a tendência é você descer, então se a situação chegou a um ponto agudo desses, respire, espere, aja com cautela.

DIA 25 DE OUTUBRO – TERÇA-FEIRA
● Nova às 07:48 em 02°00' de Escorpião ● em Escorpião às 04:18
LFC Fim às 04:18

Eclipse Solar Parcial às 07:48 em 02°00' de Escorpião

Enquanto a Lua estiver em Escorpião, estamos profundos, intensos, viscerais, misteriosos. Somos capazes de ir até o limite. Nosso sexto sentido está refinado, estamos muito habilidosos em perceber o que não está sendo mostrado, de entender o que não foi dito. Todos os processos em que precisamos da energia do renascimento, de fazer o processo que a fênix faz, estão disponíveis, basta ter a ousadia de mergulhar em si mesmo, nas zonas mais abissais.

Lua conjunção Sol – 05:55 às 09:41 (exato 07:48)

Um portal para todos aqueles que querem se iniciar nas esferas psíquicas instintivas está aberto. Momento ritualístico, poderoso, que não deve ser desperdiçado para os que buscam entrar em contato com outras esferas espirituais.

Lua conjunção Vênus – 07:09 às 10:59 (exato 09:06)

Período altamente instintivo. Nosso lado mais primitivo e animal está sendo estimulado, a sexualidade é uma área de manifestação dessa energia primitiva, intensa e muito transformadora. Bom para realizar atividades revigorantes, extenuantes, intensas e também que gerem o calor dos hormônios.

DIA 26 DE OUTUBRO – QUARTA-FEIRA
Nova às 07:50 em 02º00' de Escorpião ● em Escorpião

Lua oposição Urano – 08:51 às 12:16 (exato 10:35)

Há uma intolerância e a vontade é de corte, de ir embora e se ver livre. Tente flexibilizar a agenda e fazer menos coisas sob as rédeas da obrigação e do compromisso. Um pouco de maleabilidade pode evitar muito estresse. Imprevistos nos deixam inseguros e irritados, respire e conte até dez antes de tomar uma decisão.

Lua quadratura Saturno – 10:46 às 14:12 (exato 12:31)

Planeje-se! Um pouquinho de planejamento e você organiza o dia de forma que não fique tão desgastante e cansativo. Remarque o que for possível, pois por si só a primeira parte do dia está um estresse. Deixe um pouco mais de tempo entre uma atividade e outra para que você não se sinta tão pressionado, controlado e engessado.

Lua trígono Netuno – 18:22 às 21:46 (exato 20:06)

Um oásis para finalizar esse dia com tantos aspectos desafiadores. A noite chega e saímos do preto e branco para um colorido dos sonhos, dos encantamentos, das fantasias e da imaginação. Excelente período para acender o romance dos apaixonados, para quebrar a rotina e se permitir sair do básico.

Lua sextil Plutão – 23:45 às 03:09 de 27/10 (exato 01:28 de 27/10)

Aquilo que estava difícil de entender, agora fica claro, faltavam dados que você não tinha, mas agora é fácil perceber. Aquilo que estava oculto se revela para os que querem enxergar além do óbvio. É possível ter clareza na penumbra.

DIA 27 DE OUTUBRO – QUINTA-FEIRA
Nova ● em Sagitário às 07:54 LFC Início à 01:28 LFC Fim às 07:54

Enquanto a Lua estiver em Sagitário, estamos otimistas, com ótimo humor. Ocorre uma ampliação, dilatação de todas as emoções, tudo parece maior, mais bonito do que era. É uma das luas que gera mais ansiedades, pois queremos abraçar o mundo, nos aventurar, buscar o novo, o desconhecido, alargar as fronteiras, desbravar o horizonte. Nossa capacidade de enxergar as coisas do tamanho que elas realmente são e olhar para o lado chato da vida ficam mitigadas, coloque uma pitada de sal nos excessos.

Lua trígono Júpiter – 06:20 às 09:42 (exato 08:02)

A vontade é de ir além, há um otimismo para as grandes realizações e de colocar a flecha no alvo. Nossa sinceridade e espontaneidade funcionam como um amuleto da sorte e atrai pessoas, situações e circunstâncias benéficas e auspiciosas.

DIA 28 DE OUTUBRO – SEXTA-FEIRA
● Nova ● em Sagitário

Lua sextil Saturno – 13:35 às 16:57 (exato 15:18)

Organize-se e cumpra tudo o que foi agendado. O sentimento é que, com organização, planejamento, disciplina e foco, você tem mais tempo livre, mais autonomia e liberdade.

Lua quadratura Netuno – 20:56 à 00:17 de 29/10 (exato 22:38)

Esperamos muito da sexta à noite e podemos ficar frustrados, muitos planos que não se concretizam, confusão. Período em que podemos estar mais frágeis, sensíveis e debilitados, portanto, evite aglomeração. O barulho pode incomodar, sendo melhor se recolher e relaxar.

DIA 29 DE OUTUBRO – SÁBADO
Nova em Capricórnio às 10:21 LFC Início às 10:11 LFC Fim 10:21

Enquanto a Lua estiver em Capricórnio, aumenta o senso de responsabilidade, de dever e de compromisso. Estamos mais disciplinados e assertivos, queremos organizar para descomplicar. O alvo é a excelência. Somos mais produtivos e buscamos mais realizações no trabalho. Bom período para o corte de despesas e para implementar ideias minimalistas. Nas emoções, estamos mais frios e distantes, impera o conservadorismo.

Lua oposição Marte – 01:18 às 04:39 (exato 03:00)

Pode haver um sentimento de arrogância e prepotência. Ao mesmo tempo, nossas ações do dia a dia nos evocam o sentimento de que somos pessoas simples, comuns, iguais a todo mundo. Às vezes, o vizinho do apartamento que fica embaixo coloca o som nas alturas e você, que mora na cobertura, não consegue dormir. É preciso contar com a vizinhança para resolver problemas pequenos que, se não forem sanados, ficarão grandes. Tenha paciência. Faça acordos. Não se irrite.

Lua sextil Mercúrio – 07:39 às 11:27 (exato 09:36)

Bom para a compra e venda, boa capacidade de negociação. Muito bom para divulgar eventos, enviar currículos ou propagar algum conhecimento. A tendência é de expansão, dilatação, de chegar além do que fora planejado.

Lua quadratura Júpiter – 08:29 às 11:49 (exato 10:11)

Cuidado com o mau humor. Nem sempre a gente faz o que quer, mas faz o que precisa. A autopiedade, a autocomplacência e o vitimismo podem te fazer pensar que nada dá certo para você, única e exclusivamente porque as coisas não acontecem exatamente nos termos que você imaginou. Não desconte suas frustrações em excessos ou vícios (comida, doce, consumo…).

Lua sextil Sol – 19:32 às 23:08 (exato 21:21)
Há uma lucidez em relação ao que precisamos e temos facilidade em desapegar do que não nos faz sermos melhores e nem mais produtivos, isso vai desde coisas materiais que carregamos na bolsa a sentimentos muito profundos que carregamos no coração e de fato são inúteis.

Lua sextil Vênus – 22:50 às 02:30 de 30/10 (exato 00:42 de 30/10)
O amor e os encontros estáveis são favorecidos, a sensação é de conforto e segurança. O chão é firme então você se sente livre para extravasar. A sexualidade manifesta a entrega que se é capaz de fazer dentro desse cenário de amor e confiança.

DIA 30 DE OUTUBRO – DOMINGO
● *Nova* ● *em Capricórnio*

Lua trígono Urano – 13:40 às 17:01 (exato 15:22)
Ideias de vanguarda são colocadas em prática com estratégia e segurança. Plantamos o novo com firmeza, mas colhemos sem cortes violentos. As transições são feitas de forma suave e agradável. É possível realizar verdadeiras rupturas, grandes mudanças de forma gradual, com planejamento.

Lua sextil Netuno – 23:10 às 02:31 de 31/10 (exato 00:52 de 31/10)
Tire os sonhos do coração e coloque-os no papel, permita-se planejar seus desejos e fantasias. Perceberá que eles são muito mais palpáveis do que você imaginava. A gente dá pequenos passos em direção aos grandes feitos. Diante de uma montanha sempre parecemos pequenos, mas ao fazermos a escalada percebemos que cada passo é importante na conclusão da jornada.

DIA 31 DE OUTUBRO – SEGUNDA-FEIRA
● *Nova* ● *em Aquário às 12:42 LFC Início às 12:15 LFC Fim às 12:42*

Enquanto a Lua estiver em Aquário, período em que estamos mais dispostos a experimentar coisas novas, a sair da rotina, a percorrer caminhos até então inusitados e inconvencionais. Excelente período para ser mais tolerante e aberto às diferenças. A expressão do inconsciente coletivo e ideias de vanguarda podem se manifestar através da arte de rua, e as livres expressões. Não há amor sem liberdade, ninguém ama ninguém se não puder fazer as próprias escolhas, se não pode decidir se quer ir ou ficar.

Lua conjunção Plutão – 04:41 às 08:03 (exato 06:23)

Há uma sensação de descontrole, e de que você pode estar se aproximando de alguma perda.

Noite para dormir com papel e caneta ao lado da cama, pois estamos bem sensíveis e a atividade psíquica não é interrompida durante o sono, muito pelo contrário vai ser acentuada. É possível sonhar com algo que você precise retomar para ser entendido, digerido, metabolizado completamente pelo inconsciente, algum conteúdo precisa ser transformado, ressignificado.

Lua sextil Júpiter – 10:33 às 13:54 (exato 12:15)

Sentimento de que, se você planejar, pode alcançar seus sonhos. Comece a semana colocando a força da sua intenção, percebendo que cada passo é importante para alcançar as suas metas e propósitos.

Lua quadratura Mercúrio – 16:41 às 20:31 (exato 18:38)

Cuide dos segredos, mas se alguém descobrir alguma coisa que você não gostaria, não se leve tão a sério. Você é livre, inclusive para mudar, e mudar de opinião também faz parte dessa liberdade. Evite levar para o lado radical e pessoal divergências de opiniões. Nem todo mundo precisa pensar como você, e quem não pensa não é, em regra, seu inimigo.

Novembro 2022

Domingo	Segunda-feira	Terça-feira	Quarta-feira	Quinta-feira	Sexta-feira	Sábado
		1 ☽ 08°49' ♒	2 ♓	3	4 ♈	5
		Lua Crescente às 03:37 em Aquário	Lua Crescente em Peixes às 15:46 LFC 08:09 às 15:46	Lua Crescente em Peixes	Lua Crescente em Áries às 20:06 LFC 19:06 às 20:06	Lua Crescente em Áries
6	7 ♉	8 ○ 16°00' ♉	9 ♊	10	11 ♋	12
Lua Crescente em Áries LFC Início às 19:30	Lua Crescente em Touro às 02:14 LFC Fim às 02:14	Lua Cheia às 08:01 em Touro Eclipse Lunar Total às 08:01	Lua Cheia em Gêmeos às 10:36 LFC 09:01 às 10:36	Lua Cheia em Gêmeos	Lua Cheia em Câncer às 21:22 LFC 19:29 às 21:22	Lua Cheia em Câncer
13	14 ♌	15	16 ☽ 24°09' ♌♍	17	18	19 ♎
Lua Cheia em Câncer	Lua Cheia em Leão às 09:47 LFC 07:42 às 09:47	Lua Cheia em Leão	Lua Minguante às 10:27 em Leão Lua em Virgem às 22:03 LFC 20:56 às 22:03	Lua Minguante em Virgem	Lua Minguante em Virgem	Lua Minguante em Libra às 07:57 LFC 05:47 às 07:57
20	21 ♏	22	23 ● 01°37' ♐	24	25 ♑	26
Lua Minguante em Libra	Lua Minguante em Escorpião às 14:15 LFC 08:15 às 14:15	Lua Minguante em Escorpião Entrada do Sol no signo de Sagitário às 05h20	Lua Nova às 19:57 em Sagitário Lua em Sagitário às 17:15 LFC 15:17 às 17:15	Lua Nova em Sagitário	Lua Nova em Capricórnio às 18:17 LFC 16:23 às 18:17	Lua Nova em Capricórnio
27 ♒	28	29 ♓	30 ☽ 08°21' ♓			
Lua Nova em Aquário às 19:06 LFC 17:12 às 19:06	Lua Nova em Aquário	Lua Nova em Peixes às 21:14 LFC 03:54 às 21:14	Lua Nova às 11:36 em Peixes			

Mandala Lua Cheia Novembro

Lua Cheia
08.11.2022
Às 08:01 em
16°00' de
Touro

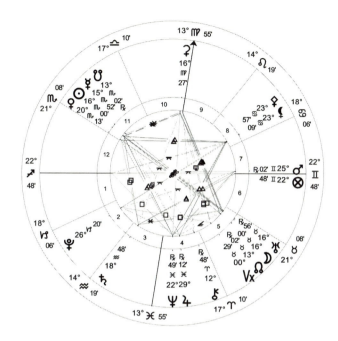

Mandala Lua Nova Novembro

Lua Nova
23.11.2022
Às 19:57 em
01°37' de
Sagitário

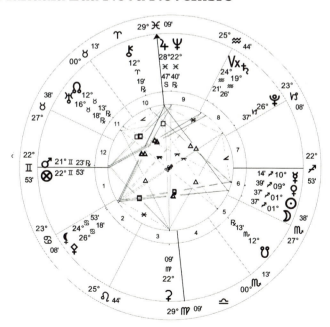

Céu do mês de novembro

O mês começa com um Eclipse Total da Lua no dia 08 (Lua Cheia) no Signo de Touro, envolvendo os planetas rápidos em graus muito próximos, com uma sucessão de aspectos acontecendo simultaneamente (entre os dias 05 e 10).

Eclipses Solares são antecedidos ou precedidos por Eclipses Lunares, em outras palavras, quando a Lua Nova é um eclipse do Sol, a Lua Cheia anterior ou a posterior (em casos mais raros as duas!) será um Eclipse Lunar. Este é o caso da Lua Cheia de Touro do dia 08 que, como toda Lua Cheia, aumenta, transborda, leva ao ápice os assuntos que foram introduzidos pelo mapa da Lua Nova (o Eclipse Solar do último dia 25). Neste caso, veremos que o Eclipse Lunar, de certa forma, vai mudar de assunto, nos intimando a abrir caminhos novos e gerando muito estresse para quem não aceitar.

Urano em Touro é o principal personagem do mapa do Eclipse Lunar, em conjunção exata com a Lua e oposição a Sol, Mercúrio e Vênus, prometendo muitas surpresas. Situações novas e inesperadas precisam ser acolhidas. Vindo por Aquário, num ângulo de 90°, temos Saturno refreando os mesmos planetas, e mais uma vez estaremos nos deparando com o "duelo de titãs" iniciado em 2021. Urano atropelando, obrigando a evoluir em todas as áreas da vida prática (trabalho, dinheiro, hábitos etc.) e Saturno tentando conter, controlar, incutindo medo, insegurança e pessimismo. A deixa é aceitar as mudanças com naturalidade, mesclando a aceitação taurina com a capacidade de transformação escorpiônica e deixar o barco correr.

Lembrando que, com o retorno de Júpiter a Peixes, mais uma vez, está formada a conjunção Júpiter/Netuno. Pois é, temos boas notícias. Bem na hora do Eclipse Lunar, esta abençoada dupla cai na base do mapa, no Fundo do Céu em harmonia com Vênus (regente de Touro) significando que, por mais ameaçadoras que essas mudanças pareçam, no final das contas, trarão benefícios, aprimoramento e prosperidade.

Entre os dias 10 e 18, Vênus, Sol e Mercúrio se harmonizam com Netuno, Plutão e Júpiter e, provavelmente, já estaremos mais calmos, com mais confiança no processo de mudança, sabendo que o céu garante que vem para melhorar a vida.

Marte em Gêmeos, em passo bem lento — natural do período de retrogradação —, se indispõe com Netuno (grau exato no dia 19). Esta tensão já aparece desde o Eclipse Lunar, indicando um tempo de não sabermos bem como agir, o que sabemos é que não é tempo de interferir, é melhor ir caminhando para entender o caminho.

Entre os dias 16 e 17, o céu começa a mudar: Vênus e Mercúrio evoluindo juntos no final de Escorpião entram em Sagitário praticamente ao mesmo tempo. A partir de agora temos mais ânimo, amplitude de visão, mais sociabilidade e mais vontade de aventurar. O astro-rei acompanha o movimento e também entra em Sagitário no dia 22.

Desta vez, além da habitual positividade do Signo, a presença de Júpiter em Peixes muito próximo de Netuno, acentua mais ainda a questão da fé, do otimismo e da confiança. No dia 23, a Lua se junta ao Sol inaugurando a Lua Nova de Sagitário.

O mapa da Lua Nova referenda a fase de positividade, Sol e Lua se harmonizam com Júpiter culminado no Meio do Céu. Benesses e possibilidades se abrem, nem tanto por nossas atitudes, mas principalmente por uma forte interferência da providência divina, aquela "força estranha no ar".

Por falar em atitudes, atenção para não estragar tudo. O Marte retrógrado e mal colocado com Netuno, mencionado anteriormente, cai no Ascendente no mapa da Lua Nova, é bom abrir mão do protagonismo e fluir com as circunstâncias, surfar de acordo com a onda para não cair da prancha.

Júpiter retoma o movimento direto, ainda permanecendo em Peixes (até 20/12) na benéfica aproximação com Netuno.

Mercúrio e Marte se desentendem no dia 29, ao mesmo tempo que entram numa boa sintonia com Saturno (Marte no dia 28 e Mercúrio no dia 30). Os bate-bocas acabam levando a algum tipo de entendimento e amadurecimento.

Posição diária da Lua em novembro

DIA 01 DE NOVEMBRO – TERÇA-FEIRA
☾ Crescente às 03:37 em 08°49' de Aquário ☾ em Aquário

Lua quadratura Sol – 01:47 às 05:26 (exato 03:37)
É possível que essa seja uma madrugada inquieta. As emoções tumultuam nosso descanso e atrapalham o amanhecer.

Lua quadratura Vênus – 06:12 às 09:56 (exato 08:06)
A falta de descanso pode fazer com que o despertar seja mais difícil. Preguiça, cansaço e uma certa indisposição fazem com que fiquemos um pouco mais intolerantes.

Lua quadratura Urano – 16:11 às 19:35 (exato 17:55)
Tarefas de última hora, imprevistos, faltas inesperadas tornam esse final de tarde mais caótico. Evite sobrecarregar a agenda e acumular o final do dia com compromissos para evitar aborrecimentos desnecessários.

Lua conjunção Saturno – 18:39 às 22:04 (exato 20:23)
Estabilidade, finalmente! É bom que esse encontro aconteça ao final do dia, isso ajuda a colocar as coisas em um ritmo mais produtivo e disciplinado.

DIA 02 DE NOVEMBRO – QUARTA-FEIRA
☾ Crescente ☾ em Peixes às 15:46 LFC Início às 08:09 LFC Fim às 15:46

Enquanto a Lua estiver em Peixes, dispersão e flutuações podem atrapalhar a concretização de nossos planos. Porém, é possível também usar a leitura fina das emoções que essa Lua traz para encontrar o caminho mais viável para fazer os nossos projetos acontecerem.

Lua trígono Marte – 06:25 às 09:50 (exato 08:09)
Disposição e energia de sobra para começar o dia. Aproveite para se alongar e se exercitar ao ar livre, se for possível. E não esqueça que a espontaneidade é uma ótima ferramenta para fazer as coisas acontecerem essa manhã.

DIA 03 DE NOVEMBRO – QUINTA-FEIRA
☾ *Crescente* ☾ *em Peixes*

Lua trígono Mercúrio – 02:45 às 06:41 (exato 04:44)

Que tal um pouco de meditação se a insônia chegar ou antes de se levantar? O bom encontro da Lua com Mercúrio ajuda a alinhar emoções à mente.

Lua trígono Sol – 09:08 às 12:52 (exato 11:02)

O dia que começou bem promete seguir assim até o seu final. Emoções e consciência estão em harmonia e nos ajudam a ter aquela sensação de que o todo segue como deveria ser.

Lua trígono Vênus – 14:47 às 18:37 (exato 16:44)

À tarde, o bem-estar é ampliado pelo contato da Lua com Vênus. Charme, sedução e facilidade em agradar. Conseguir a colaboração das pessoas para os nossos projetos favoritos também é mais fácil nessa tarde.

Lua sextil Urano – 19:43 às 23:12 (exato 21:29)

E o dia termina bem leve. Que tal aproveitar esta noite para experimentar alguma coisa nova? As chances de ser uma boa experiência são bem grandes.

DIA 04 DE NOVEMBRO – SEXTA-FEIRA
☾ *Crescente* ☾ *em Áries às 20:06 LFC Início às 19:06 LFC Fim às 20:06*

Enquanto a Lua estiver em Áries, é hora de tomar impulso e lutar pelo que queremos ver acontecer nessa lunação. As reações são fortes e imediatas. O que importa é a ação e o melhor momento para fazê-lo é agora.

Lua conjunção Netuno – 05:48 às 09:18 (exato 07:35)

A manhã se inicia em paz. Hidrate-se, faça seus exercícios de alongamento, trabalhe bem o equilíbrio externo e a imunidade. O dia pedirá energia e disposição.

Lua quadratura Marte – 10:16 às 13:47 (exato 12:03)

A possibilidade de disputas e conflitos é real. Reagimos muito rápido ao que nos parecem provocações ou invasões de território. Não medimos bem os riscos, nem dimensionamos bem as ameaças. O melhor a fazer é frear o impulso de agir.

Lua sextil Plutão – 11:47 às 15:19 (exato 13:34)

Se conseguirmos segurar o impulso, com um pouco de esforço, podemos recuperar o que parecia perdido. As posições de poder estão favorecidas e levam vantagem em disputas. Mais um bom motivo para pensar antes de agir.

Lua conjunção Júpiter – 17:19 às 20:50 (exato 19:06)

A sexta chegou e é hora de relaxar e celebrar. Alegria, confiança e bom humor ajudam a transformar essas horas da sexta em momentos bem divertidos.

DIA 05 DE NOVEMBRO – SÁBADO
☾ Crescente ☾ em Áries

Hoje a Lua não faz aspecto com outros planetas no céu. Devemos observar recomendações para a fase e o Signo em que a Lua se encontra.

DIA 06 DE NOVEMBRO – DOMINGO
☾ Crescente ☾ em Áries LFC Início às 19:30

Lua sextil Saturno – 03:54 às 07:32 (exato 05:45)

Aproveite essa madrugada e início da manhã para descansar. Caso tenha se comprometido com você mesmo que hoje acordaria cedo, vá em frente. Os resultados compensarão o sacrifício!

Lua sextil Marte – 15:40 às 19:18 (exato 17:31)

Disposição para a ação e muito dinamismo marcam a tarde de domingo. Não deixe a energia acumular para evitar atritos mais tarde.

Lua quadratura Plutão – 17:39 às 21:19 (exato 19:30)

Evite ultimatos e exigências sem cabimento. Já é tempo de entender que não temos controle sobre os outros nem sobre a vida. Renuncie ao ressentimento e evite conflitos bobos que podem escalar rapidamente.

DIA 07 DE NOVEMBRO – SEGUNDA-FEIRA
☽ *Crescente* ☽ *em Touro às 02:14 LFC Fim às 02:14*

Enquanto a Lua estiver em Touro, podemos dar forma aos nossos impulsos e cultivar os nossos projetos com perseverança. O movimento pode ser mais lento, mas é constante.

Hoje a Lua não faz aspecto com outros planetas no céu. Devemos observar recomendações para a fase e o Signo em que a Lua se encontra.

DIA 08 DE NOVEMBRO – TERÇA-FEIRA
○ *Cheia às 08:01 em 16°00' de Touro* ○ *em Touro*

Eclipse Lunar Total às 08:01 em 16°00' de Touro

Lua oposição Mercúrio – 05:34 às 09:52 (exato 07:45)
Prepare-se para um amanhecer confuso. Assegure-se de que tenha as informações corretas antes de seguir para o seu destino. É recomendável também verificar qual o melhor trajeto e ficar atento ao trânsito.

Lua oposição Sol – 05:59 às 10:04 (exato 08:01)
Se for possível, conte com outras pessoas para facilitar o andamento dessa manhã. É importante cuidar dos relacionamentos, podemos ser desafiados e surpreendidos por quem menos esperamos.

Lua conjunção Urano – 07:54 às 11:39 (exato 09:48)
Surpresas e imprevistos marcam essa manhã, podendo aliviar ou aumentar a confusão. O melhor é evitar compromissos importantes e deixar a agenda mais livre nessas horas. Não pressione, pois as pessoas precisam de espaço e estão se sentido inquietas o suficiente.

Lua quadratura Saturno – 11:26 às 15:13 (exato 13:21)
Queremos liberdade e a manhã nos entrega mais trabalho e obrigações. É fácil deixar o mau humor se instalar e acharmos tudo muito mais pesado, talvez até mais pesado do que realmente é.

Lua oposição Vênus – 14:44 às 18:56 (exato 16:52)
À tarde, o clima de contrariedade permanece. Estamos nos sentindo desconfortáveis. As pessoas parecem não querer nos ajudar.

Lua sextil Netuno – 19:00 às 22:47 (exato 20:55)

O dia termina em uma melhor nota, mais leve, mais suave, mais tranquila. Descanse, reduza a agitação e procure o que alimente a alma para dissipar as tensões do dia.

DIA 09 DE NOVEMBRO – QUARTA-FEIRA
○ *Cheia* ○ *em Gêmeos às 10:36 LFC Início às 09:01 LFC Fim 10:36*

Enquanto a Lua estiver em Gêmeos, o desejo pela mudança se acentua e os humores flutuam, estimulados pela mais recente novidade, a próxima ideia, o próximo projeto. Flexibilidade, agilidade e adaptabilidade estão em alta e podemos aproveitar essa maleabilidade para receber os resultados dessa lunação com maior capacidade de compreender o motivo pelo qual alguns esforços darem certo e outros, não.

Lua trígono Plutão – 01:43 às 05:32 (exato 03:39)

Ótima madrugada para regenerações profundas. Aproveite essa madrugada para relaxar e restaurar as energias.

Lua sextil Júpiter – 07:05 às 10:54 (exato 09:01)

Alegria, disposição e otimismo. Use as primeiras horas do dia para se dedicar às tarefas que precisem da colaboração e boa vontade, pois tendem a funcionar bem.

DIA 10 DE NOVEMBRO – QUINTA-FEIRA
○ *Cheia* ○ *em Gêmeos*

Lua trígono Saturno – 21:23 à 01:20 de 11/11 (exato 23:23)

Uma noite boa para conversas sérias e construtivas. Aprofunde os vínculos e reforce as bases dos seus relacionamentos. Não tema assumir compromissos agora.

DIA 11 DE NOVEMBRO – SEXTA-FEIRA
○ *Cheia (disseminadora)* ○ *em Câncer às 21:22 LFC Início às 19:29*
LFC Fim às 21:22

Enquanto a Lua estiver em Câncer, é importante aprender a não concentrar esforços ou energia. Espalhar-se, compartilhar, diluir-se ajuda a reduzir a pressão e, consequentemente, reduzir os problemas revelados pela Lua Cheia. Com a Lua em Câncer, podemos contar que as emoções estão afloradas. Uma maneira de conciliar essas informações é espalhar nosso afeto pelo maior número possível de pessoas importantes para a nossa vida.

Lua quadratura Netuno – 05:04 às 09:01 (exato 07:04)
Não espere demais dos outros e das suas emoções nessa manhã. Podemos fazer avaliações equivocadas e nos deixarmos levar por ilusões e fantasias.

Lua conjunção Marte – 08:36 às 12:31 (exato 10:35)
O melhor a se fazer é dissipar as névoas e seguir para a ação. Use a manhã de sexta para se dedicar com energia às tarefas necessárias. É melhor escolher as atividades que possam ser realizadas de forma independente e com as quais já tenhamos familiaridade.

Lua quadratura Júpiter – 17:29 às 21:27 (exato 19:29)
Quando esperamos demais dos outros e também de nós mesmos, a tendência é considerarmos todos os resultados menores e frustrantes. Diminua as expectativas e dê às circunstâncias que aparecem o seu tamanho real.

DIA 12 DE NOVEMBRO – SÁBADO
○ Cheia (disseminadora) ○ em Câncer

Hoje a Lua não faz aspecto com outros planetas no céu. Devemos, então, observar recomendações para a fase e o Signo em que a Lua se encontra.

DIA 13 DE NOVEMBRO – DOMINGO
○ Cheia (disseminadora) ○ em Câncer

Lua sextil Urano – 04:57 às 08:59 (exato 07:00)
Deixe a rotina de lado e surpreenda-se! Aproveite para experimentar algo que você nunca fez, conhecer lugares e estimulantes para ajudar o dia a nascer feliz.

Lua trígono Sol – 14:09 às 18:34 (exato 16:23)

Um domingo bem gostoso, onde tudo parece favorecer o alto-astral. Não é necessário fazer grandes esforços para ter uma ótima tarde, é só deixar o dia fluir.

Lua trígono Netuno – 17:06 às 21:09 (exato 19:10)

Um final de dia romântico, propício ao encantamento e ao sonho. Programas que são ligados às artes são especialmente indicados para essas horas.

Lua trígono Mercúrio – 21:04 à 01:44 de 14/11 (exato 23:26)

E o dia termina muito bem! Conversas agradáveis, bons encontros e ótimas chances de obter informações proveitosas.

DIA 14 DE NOVEMBRO – SEGUNDA-FEIRA
○ Cheia (disseminadora)○ em Leão às 09:47 LFC Início às 07:42 LFC Fim 09:47

Enquanto a Lua estiver em Leão, brilhar é inevitável. O momento pede para compartilharmos, generosamente, nossa vitalidade. Uma boa dica é reconhecer a grandeza do outro. Somente quem está seguro de si sabe que espalhar luz não diminui a nossa luminosidade.

Lua oposição Plutão – 00:33 às 04:36 (exato 02:36)

Fique atento à saúde. Pequenos problemas podem ser mais sérios do que parecem. Cuide-se bem para evitar reações mais agudas. Esqueça o passado e não dê atenção a vozes que querem reviver o que já passou e não nos fez bem.

Lua trígono Vênus – 02:38 às 07:09 (exato 04:55)

Parece que o perigo passou, ainda bem! Paparique-se, use seus lençóis mais gostosos, seu pijama favorito e descanse bastante.

Lua trígono Júpiter – 05:39 às 09:41 (exato 07:42)

Uma boa noite de sono é um bom jeito de garantir uma boa manhã, não é mesmo? E, descansados, despertamos bem-humorados. Não há nada mais contagiante que o bom humor.

DIA 15 DE NOVEMBRO – TERÇA-FEIRA
○ *Cheia (disseminadora)* ○ *em Leão*

Lua quadratura Urano – 17:22 às 21:23 (exato 19:24)
O final do dia tende a ser mais tenso nessa terça-feira. Imprevistos e contratempos atrapalham nossos planos e prejudicam os resultados esperados. Evite agendar encontros importantes para esta noite.

Lua oposição Saturno – 22:16 às 02:17 (exato 00:18 de 16/11)
Realmente, a noite não promete facilidades. As confusões ocorridas mais cedo podem ter nos deixado cansados, desanimados e inseguros. Não dê tanto peso ao momento, lembre-se de que tudo passa e que logo poderemos tentar novamente.

DIA 16 DE NOVEMBRO – QUARTA-FEIRA
☽ *Minguante às 10:27 em 24°09' de Leão* ☽ *em Virgem às 22:03*
LFC Início às 20:56 LFC Fim às 22:03

Enquanto a Lua estiver em Virgem, tudo o que se refere à organização está beneficiado. Depois da expansão da Lua Cheia em Leão, a Lua se recolhe e começa a minguar em Virgem. A mudança de energia e prioridade é clara: a hora é de avaliar e separar o ouro verdadeiro do ouro de tolo.

Lua sextil Marte – 07:14 às 11:08 (exato 09:13)
Começamos o dia com muita energia, muita disposição e aquela sensação de que somos capazes de realizar tudo o que decidirmos fazer.

Lua quadratura Sol – 08:16 às 12:37 (exato 10:27)
Toda essa energia abre espaço para atritos e conflitos. Esses embates podem gerar um desgaste desnecessário das nossas forças. É preciso se esforçar para conseguir se fazer entender.

Lua quadratura Mercúrio – 18:36 às 23:11 (exato 20:56)
Ao final do dia, as dificuldades de comunicação aumentam e os ruídos se multiplicam. Perdemos a sintonia e as palavras saem cheias de arestas, machucando quem está ao nosso redor.

Lua quadratura Vênus – 22:01 às 02:26 de 17/11 (exato 00:16 de 17/11)

E o resultado desse dia desgastante é uma sensação de frustração e carência. Tendemos a compensar essa sensação com indulgências. Cuidado para não exagerar nos doces.

DIA 17 DE NOVEMBRO – QUINTA-FEIRA
☽ *Minguante* ☽ *em Virgem*

Hoje a Lua não faz aspecto com outros planetas no céu. Devemos observar recomendações para a fase e o Signo em que a Lua se encontra.

DIA 18 DE NOVEMBRO – SEXTA-FEIRA
☽ *Minguante* ☽ *em Virgem*

Lua trígono Urano – 04:27 às 08:17 (exato 06:24)

Que tal acordar mais cedo e mudar de ritmo? Caminhar, experimentar novos alimentos melhores para você? Esse encontro favorece a mudança de hábitos difíceis de abandonar.

Lua oposição Netuno – 16:17 às 20:05 (exato 18:13)

Baixa capacidade de concentração e falta de objetividade atrapalham os esforços essa tarde. Parece ser mais difícil concluir as tarefas e as pendências tendem a se acumular.

Lua quadratura Marte – 16:43 às 20:26 (exato 18:36)

A dispersão é acompanhada por uma animosidade e há tendência a picuinhas e irritações. Os resultados são melhores nos trabalhos individuais do que nos de equipe.

Lua trígono Plutão – 23:32 às 03:18 de 19/11 (exato 01:27 de 19/11)

Ainda bem que a noite de sexta não segue as tendências do que aconteceu durante o dia. À noite, consertar e recuperar o que ficou abalado é bem mais fácil.

Lua sextil Sol – 23:57 às 04:02 de 19/11 (exato 02:01 de 19/11)

Com um pouco de esforço, conseguimos alinhar as emoções e a nossa consciência. Isso traz mais harmonia e um ânimo mais alegre para essa noite e o começo do fim de semana.

DIA 19 DE NOVEMBRO – SÁBADO

☽ *Minguante (balsâmica)* ☽ *em Libra às 07:57 LFC Início às 05:47*
LFC Fim às 07:57

Enquanto a Lua estiver em Libra, a cura e o restabelecimento das energias podem se beneficiar do uso da diplomacia e da habilidade de olhar uma situação difícil com base no ponto de vista do outro. A cortesia, o tato e a imparcialidade são as qualidades a se praticar com mais afinco nos próximos dias.

Lua oposição Júpiter – 03:53 às 07:38 (exato 05:47)

Parece que exageramos um pouco, não? Essa oposição sinaliza a possibilidade de sobrecarregarmos nosso corpo. Fique atento.

Lua sextil Mercúrio – 12:46 às 17:00 (exato 14:55)

Para que os programas sejam bons para todos, não é preciso muito, não. Um pouco de negociação e outro tanto de escuta e pronto! Uma tarde gostosa para todos está à nossa disposição.

Lua sextil Vênus – 14:11 às 18:17 (exato 16:16)

Doçura, afeto, charme e dengo, essa tarde de sábado sinaliza possibilidades de alegrias e diversão. Aproveite!

DIA 20 DE NOVEMBRO – DOMINGO

☽ *Minguante (balsâmica)* ☽ *em Libra*

Lua trígono Saturno – 17:29 às 21:05 (exato 19:19)

Ótimo encontro para um final de domingo! Excelente para nos organizarmos, ajustarmos a rotina para a semana que se inicia.

Lua trígono Marte – 22:52 às 02:21 de 21/11 (exato 00:38 de 21/11)

Decisão e determinação para colocarmos em prática nossas decisões.

Sinceridade e espontaneidade são boas condutas para tirar o máximo do encontro da Lua e Marte.

DIA 21 DE NOVEMBRO – SEGUNDA-FEIRA
☽ Minguante (balsâmica) ☽ em Escorpião às 14:15 LFC Início às 08:15
LFC Fim às 14:15

Enquanto a Lua estiver em Escorpião, a cura se dá pelo mergulho destemido em nossas emoções. Respeite os segredos confiados a você e não tenha receio de lidar com os que vêm à tona.

Lua quadratura Plutão – 06:28 às 10:00 (exato 08:15)
Muito, muito cuidado nessa manhã. Há um risco grande de ultrapassarmos limites que nos exponham a riscos e perigos. As reações estão muito intensas e potencialmente problemáticas.

DIA 22 DE NOVEMBRO – TERÇA-FEIRA
☽ Minguante ☽ em Escorpião

Entrada do Sol no Signo de Sagitário às 05h20min18seg
Lua oposição Urano – 16:42 às 20:05 (exato 18:26)
Tensões à vista! Há muita ansiedade e instabilidade nessa tarde e começo de noite de terça. Planos podem ser alterados na última hora de maneira totalmente imprevista.

Lua quadratura Saturno – 21:51 à 01:13 de 23/11 (exato 23:34)
Realmente, há indicações de obstáculos para a realização dos nossos planos para hoje. No entanto, se nos concentrarmos apenas no que não deu certo, podemos ter certeza de que o resultado será aumentarmos nossa frustração. Tente levar as dificuldades com mais leveza.

DIA 23 DE NOVEMBRO – QUARTA-FEIRA
● Nova às 19:57 em 01°37' de Sagitário ● em Sagitário às 17:15
LFC Início às 15:17 LFC Fim às 17:15

Enquanto a Lua estiver em Sagitário, ponha foco na fé: no futuro, no ideal, no que se almeja, na meta. A Lua inicia a sua Fase Nova e é importante semear as intenções. No entanto, sendo a Fase Nova em Sagitário, o ideal é ter foco, escolher o que queremos ultrapassar, o que queremos conhecer, seja no mundo ou em nós mesmos.

Lua trígono Netuno – 03:22 às 06:43 (exato 05:05)

A madrugada se apresenta bem mais suave que a noite do dia anterior. Que bom! Sonhos inspirados nos ajudam a amanhecer mais apaziguados com a realidade.

Lua sextil Plutão – 09:57 às 13:17(exato 11:39)

Boa manhã para investigarmos problemas complicados e resolvermos pendências que têm se arrastado há tempos.

Lua trígono Júpiter – 13:36 às 16:55 (exato 15:17)

A tarde segue bastante positiva para a resolução de problemas em grupo. Bom humor e disposição ajudam a todos a aprender uns com os outros.

Lua conjunção Sol – 18:10 às 21:43 (exato 19:57)

O que conseguirmos fazer hoje ajudará a plantar as sementes dessa nova lunação. Ainda não é possível perceber, com clareza, aonde nossos esforços nos levarão. Agora é esperar para ver o que germinará.

DIA 24 DE NOVEMBRO – QUINTA-FEIRA
Nova em Sagitário

Lua conjunção Vênus – 08:38 às 12:13 (exato 10:27)

A manhã nos encontra alegres, de bem com a vida e com as pessoas ao nosso redor. Começar o dia assim é um presente e tanto!

Lua conjunção Mercúrio – 09:58 às 13:38 (exato 11:50)

Nossas ideias estão a mil! Aproveite essa manhã para realizar contatos e trocar informações que possam alavancar os seus projetos.

Lua sextil Saturno – 23:37 às 02:53 de 25/11 (exato 01:17 de 26/11)

As emoções estão em ordem e estamos prontos para encerrar as tarefas do dia. Uma sensação de dever cumprido nos ajuda a descansar tranquilamente.

DIA 25 DE NOVEMBRO – SEXTA-FEIRA
● *Nova* ● *em Capricórnio às 18:17 LFC Início às 16:23 LFC Fim às 18:17*

Enquanto a Lua estiver em Capricórnio, é interessante explorar a disciplina, a capacidade de concentração, a ambição e a cautela típicas desse Signo para apurar os projetos que pretendemos implantar nessa lunação.

Lua oposição Marte – 02:00 às 05:11 (exato 03:37)
Ansiedade ou problemas digestivos podem atrapalhar o nosso sono. Antes de dormir, evite produtos estimulantes para não convidar a insônia para uma visita.

Lua quadratura Netuno – 04:46 às 08:01 (exato 06:25)
Cuidados com a saúde física e emocional nos ajudam a evitar quedas na nossa imunidade. A prática da meditação também nos ajuda a espantar possíveis pesadelos desagradáveis.

Lua quadratura Júpiter – 14:44 às 17:59 (exato 16:23)
Uma sensação de estarmos fazendo o que não queríamos ou o que não é digno do nosso tempo atrapalha essa tarde de sexta. Antes de embarcar nessa sensação, verifique se um pouco de perspectiva não ajudaria a melhorar o panorama dessa tarde.

DIA 26 DE NOVEMBRO – SÁBADO
● *Nova* ● *em Capricórnio*

Lua trígono Urano – 18:57 às 22:11 (exato 20:36)
O melhor para essa noite de sábado é sair da rotina! Surpreenda a quem você quer bem com propostas diferentes ou surpreenda a si mesmo fazendo algo que ainda não havia experimentado.

DIA 27 DE NOVEMBRO – DOMINGO
● *Nova* ● *em Aquário às 19:06 LFC Início às 17:12 LFC Fim 19:06*

Enquanto a Lua estiver em Aquário, que tal avaliar seus projetos à luz do que podem favorecer o coletivo? Durante a Fase Nova da Lua, não é possível ter certeza de nada, pois nada está claro. Por isso mesmo, é interessante investir naquilo que acreditamos ser a nossa melhor contribuição.

Lua sextil Netuno – 05:27 às 08:43 (exato 07:07)
Uma madrugada gostosa para namorar ou descansar. O importante é alimentar a alma de tudo o que causa inspiração.

Lua conjunção Plutão – 12:04 às 15:21 (exato 13:44)
Esse é um encontro com potencial para muita intensidade. A questão é: como lidar com ela. Mantenha a cabeça no lugar e não se deixe levar por emoções compulsivas. Dessa forma, será possível aproveitar o que esse encontro tem de melhor.

Lua sextil Júpiter – 15:32 às 18:49 (exato 17:12)
E o fim de semana vai terminando em um tom leve, alegre e divertido. Com um pouco de boa vontade, é possível aproveitar bastante essa tarde de domingo.

DIA 28 DE NOVEMBRO – SEGUNDA-FEIRA
● *Nova* ● *em Aquário*

Lua sextil Sol – 03:19 às 06:52 (exato 05:07)
Uma madrugada e começo de dia tranquilos e harmoniosos. Excelente maneira de começar a semana, não?

Lua sextil Vênus – 19:49 às 23:29 (exato 21:41)
A noite dessa segunda favorece os encontros e o autocuidado. Aproveite essas horas para fazer aquilo que você adora.

Lua quadratura Urano – 20:08 às 23:28 (exato 21:50)
É possível que surjam imprevistos que atrapalhem os nossos planos. O segredo aqui é não forçar nada. Deixe que tudo siga o seu próprio fluxo.

Lua sextil Mercúrio – 23:33 às 03:18 de 29/11 (exato 01:27 de 29/11)

Tudo está bem se termina bem, não é mesmo? Podemos conversar sobre o que aconteceu ou organizar as nossas ideias e sentimentos de maneira a tirar o melhor proveito dos acontecimentos.

DIA 29 DE NOVEMBRO – TERÇA-FEIRA
● *Nova* ● *em Peixes às 21:14 LFC Início às 03:54 LFC Fim 21:14*

Enquanto a Lua estiver em Peixes, tudo é mistério e limites são quase uma ficção. Uma compreensão elevada, quase intuitiva do nosso entorno, está à nossa disposição. Afine seus instrumentos espirituais e sintonize-se na poesia da lunação.

Lua trígono Marte – 01:52 às 05:08 (exato 03:32)
Uma noite bem dormida nos ajuda a despertar com energia e disposição para cumprir com a nossa agenda.

Lua conjunção Saturno – 02:12 às 05:34 (exato 03:55)
A disciplina traz recompensas para aqueles que nela persistem. Um bom descanso é essencial para podermos dar conta do que decidimos realizar.

DIA 30 DE NOVEMBRO – QUARTA-FEIRA
☾ *Crescente às 11:36 em 08°21' de Peixes* ☾ *em Peixes*

Lua quadratura Sol – 09:44 às 13:28 (exato 11:36)
Com o começo da fase crescente, os conflitos e desencontros são possíveis. Procure não agendar nenhuma reunião crítica para essa manhã.

Lua sextil Urano – 23:12 às 02:42 de 01/12 (exato 00:59 de 01/12)
À noite, podemos contar com inspiração e com insights inesperados. Fique atento, pois as ideias surgidas nessas horas podem trazer soluções inusitadas para nossos problemas.

Dezembro 2022

Domingo	Segunda-feira	Terça-feira	Quarta-feira	Quinta-feira	Sexta-feira	Sábado
				1	2	♈ 3
				Lua Crescente em Peixes LFC Início às 23:45	Lua Crescente em Áries à 01:40 LFC Fim à 01:40	Lua Crescente em Áries
4 ♉	5	6 ♊	7	8 ○16°01' ♊	9 ♋	10
Lua Crescente em Touro às 08:37 LFC 02:47 às 08:37	Lua Crescente em Touro	Lua Crescente em Gêmeos às 17:48 LFC 16:03 às 17:48	Lua Crescente em Gêmeos	Lua Cheia à 01:07 em Gêmeos	Lua Cheia em Câncer às 04:48 LFC 03:15 às 04:48	Lua Cheia em Câncer
11 ♌	12	13	14 ♍	15	16 ☽24°21' ♍♎	17
Lua Cheia em Leão às 17:08 LFC 15:50 às 17:08	Lua Cheia em Leão	Lua Cheia em Leão LFC Início às 12:53	Lua Cheia em Virgem às 05:45 LFC Fim às 05:45	Lua Cheia em Virgem	Lua Minguante às 05:56 em Virgem Lua em Libra às 16:48 LFC 16:14 às 16:48	Lua Minguante em Libra
18	19 ♏	20	21 ♐	22	23 ●01°32' ♑	24
Lua Minguante em Libra LFC Início às 19:36	Lua Minguante em Escorpião à 00:30 LFC Fim à 00:30	Lua Minguante em Escorpião LFC Início às 23:45	Lua Minguante em Sagitário às 04:12 LFC Fim às 04:12 Entrada do Sol no Signo de Capricórnio às 18h48	Lua Minguante em Sagitário LFC Início às 17:16	Lua Nova às 07:16 em Capricórnio Lua em Capricórnio às 04:49 LFC Fim às 04:49	Lua Nova em Capricórnio
25 ♒	26	27 ♓	28	29 ☾08°18' ♈	30	31 ♉
Lua Nova em Aquário às 04:13 LFC 00:12 às 04:13	Lua Nova em Aquário LFC Início às 15:20	Lua Nova em Peixes às 04:33 LFC Fim às 04:33	Lua Nova em Peixes	Lua Crescente às 22:20 em Áries Lua em Áries às 07:35 LFC 03:21 às 07:35 Início Mercúrio Retrógrado às 06:33	Lua Crescente em Áries Mercúrio Retrógrado	Lua Crescente em Touro às 14:08 LFC 09:45 às 14:08 Mercúrio Retrógrado

Mandala Lua Cheia Dezembro

Lua Cheia
08.12.2022
Às 01:07 em
16°01' de
Gêmeos

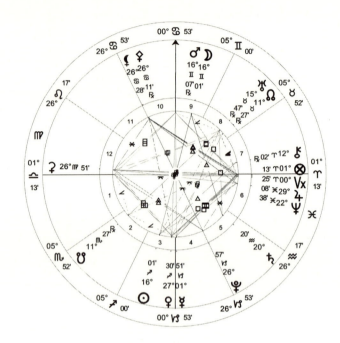

Mandala Lua Nova Dezembro

Lua Nova
23.12.2022
Às 07:16 em
01°32' de
Capricórnio

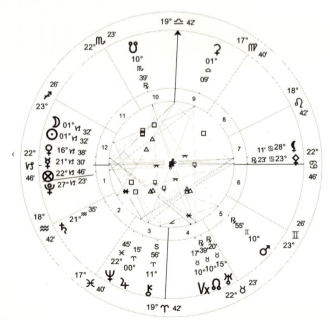

Céu do mês de dezembro

Verão se aproximando e um clima inquieto e agitado paira no ar. Sol, Mercúrio e Vênus evoluem em Sagitário animados, motivados, com muita expectativa e busca de prazer; é tempo de praia, festas, esportes e viagens. Mas o clima esquenta muito, no sentido simbólico do termo, e é melhor se precaver.

Já nos primeiros dias, aspectos desarmônicos de Vênus com Marte (dia 1º), Mercúrio e Vênus com Netuno (entre 02 e 04) e com Júpiter (entre 06 e 09) tendem a trazer um clima mais hostil, com certo desânimo e frustração das expectativas. Saturno vem em auxílio de Vênus (dia 02), mas prepondera a confusão.

Tudo isto é aumentado, amplificado pela Lua Cheia de Gêmeos no dia 08. Bem no momento do plenilúnio, a Lua em Gêmeos "cola" em Marte no grau exato e ambos opostos ao Sol, é pôr mais lenha na fogueira. No eixo Gêmeos/Sagitário fica tudo muito escancarado, exteriorizado, com muito falatório. Júpiter/Netuno desarmônicos com Vênus/Mercúrio possibilitam algum tipo de caos, além das decepções. Muito cuidado com erros de avaliação, seja em questões financeiras ou de relacionamentos. Vale lembrar que uma ativação tão forte de Marte numa lunação também adverte para o perigo de acidentes, não é bom período para se arriscar.

Mercúrio (no dia 06) e Vênus (no dia 10) ingressam em Capricórnio e ajudam a baixar a poeira. Temos agora a preponderância de um comportamento mais sóbrio, dado a compromissos mais confiáveis e análises mais realistas.

Conforme a Lua vai minguando, o Sol evolui apoiado por Saturno (exato no dia 12) logo em seguida, no dia 16, justamente quando a Lua entra na fase Minguante, Sol e Lua, por ângulos diferentes, são atingidos por Netuno concomitantemente, deixando a marca netuniana válida até a próxima Lua Nova. Mais uma vez, indicando um período dado a confusões, decepções e desenganos.

Mercúrio em boa sintonia com Urano, no dia17, permite um mental aberto e articulado para trazer soluções inovadoras.

No dia 20, Júpiter ingressa, definitivamente, em Áries, deixando para trás o maravilhoso legado de seu novo ciclo com Netuno (12/04/22), como a semente de uma árvore frondosa e frutífera que trará bênçãos para a humanidade por anos a fio, até a formação de um novo ciclo 13 anos depois. O princípio da expansão a partir de agora será cada vez mais ousado, rumo a desbravamentos em todos os campos do saber.

O verão chega ao nosso hemisfério no solstício do dia 21, quando do ingresso do Sol em Capricórnio. Júpiter posicionado a 0º de Áries já provoca o Sol recém-chegado e este ingresso — assim como foi o de Câncer e o de Libra — vem com o carimbo de Júpiter, impondo, exigindo avanços e aberturas.

A Lua Nova de Capricórnio ocorre no dia 23, véspera da véspera de Natal, trazendo Plutão no Ascendente (indicando transformações radicais) e uma forte ênfase de casa 12, bem adequado para as festividades natalinas, que, vividas em seu sentido mais profundo, pedem recolhimento, resguardo e interiorização.

Vênus em bom entendimento com Urano, tanto no mapa do Solstício como no da Lua Nova, promete inovações, quer seja em relacionamentos com respeito ao espaço e às diferenças, quer seja em valoração de novos temas.

Entre os dias 24 e 28, Mercúrio e Vênus entram numa boa sintonia com Netuno, propiciando inspiração e sensibilidade artística, romântica ou humanitária.

No apagar das luzes de 2022, no dia 29, nosso Mensageiro, Mercúrio, engata uma marcha à ré, pedindo mais uma vez pausa para reflexão, desacelerando os temas sob sua regência, tudo que se refira a movimento, circulação e comunicação.

Posição diária da Lua em dezembro

DIA 01 DE DEZEMBRO – QUINTA-FEIRA
☾ Crescente ☾ em Peixes LFC Início às 23:45

Lua quadratura Marte – 03:59 às 07:24 (exato 05:43)

Estamos beligerantes, centrados em nós, egoístas, impondo nossas posições para o outro, que se inclinará a ficar ressentido. Desta forma, cuide para que não haja brigas nos seus relacionamentos. Os relacionamentos desgastados podem sofrer rupturas.

Lua quadratura Vênus – 04:11 às 08:03 (exato 06:09)

A produtividade no trabalho pode ser prejudicada devido a decepções pessoais. Não deixe que aspectos particulares interfiram no lado profissional. Nos relacionamentos, nos visita o sentimento de exclusão, portanto, há insegurança para a sedução. Não cobre definições.

Lua quadratura Mercúrio – 09:23 às 13:22 (exato 11:25)

Manhã de inquietação no trabalho. Somos interrompidos a todo instante por conversas paralelas, telefonemas, assuntos inadequados, dispersando o foco de todos. Concentre-se no que precisa para garantir bons resultados.

Lua conjunção Netuno – 10:49 às 14:21 (exato 12:37)

Solidariedade no ar! Netuno nos traz um clima de cooperação, o que facilita a concordância em prol do bem de todos. A delicadeza que ele promove faz com que todos se tratem com suavidade. A sintonia produz acontecimentos ao acaso, coincidências.

Lua sextil Plutão – 18:11 às 21:45 (exato 20:00)

Estamos voltados para transformações. Atitudes de regeneração e de reparação estão em alta! Para quem está em posição de poder, é um momento de maior popularidade, simpatia. Fique atento e aproveite as oportunidades para conseguir adesões.

Lua conjunção Júpiter – 21:56 à 01:31 de 02/12 (exato 23:45)

Os eventos de grande porte, tais como festivais, exposições, congressos, feiras, inclusive internacionais, encontram aqui um bom momento. O clima é de otimismo, alegria, abundância, bom humor. Podemos receber ajuda de pessoas conhecidas estrategicamente posicionadas.

DIA 02 DE DEZEMBRO – SEXTA-FEIRA
☽ *Crescente* ☽ *em Áries à 01:40 LFC Fim à 01:40*

Enquanto a Lua estiver em Áries, vamos direto ao ponto! Estamos com mais entusiasmo, dinamismo, espontaneidade e franqueza. Período cheio de atividades. Disso decorre certa intolerância com serviços e situações demoradas. Aproveite a coragem, positivamente, para enfrentar as questões ou pessoas que normalmente receie. Evite cirurgias na região da cabeça e nos rins.

Lua trígono Sol – 19:11 às 23:08 (exato 21:11)
Se busca um momento para se casar, é agora! Para os casais em que os parceiros têm muitas diferenças, aqui conseguem se entender melhor, convergirem. A razão e a emoção estão em equilíbrio. Ventos nos trazem vitalidade, energia boa.

DIA 03 DE DEZEMBRO – SÁBADO
☽ *Crescente* ☽ *em Áries*

Lua sextil Marte – 08:23 às 11:58 (exato 10:12)
O dia começa dinâmico, estamos ágeis nas ações, execução das atividades. O trabalho autônomo encontra ajuda do céu! As coisas fluem, o tempo é otimizado. Se vai realizar uma atividade que demande movimento e coragem, este é um bom momento. Avante!

Lua sextil Saturno – 12:14 às 15:57 (exato 14:07)
A tarde é ideal para usarmos bem o tempo, com disciplina e dedicação. Há disposição para estarmos comprometidos com os resultados, ainda que demandem esforços maiores. Nas negociações, nos visitam a objetividade e o bom senso. Aproveite e faça bons acordos!

Lua trígono Vênus – 15:53 às 19:59 (exato 17:58)

Bons ventos sopram para negociar salários ou preços de produtos ou serviços. Aproveite, pois o clima é harmônico para fazer acordos. O tempo é de sedução, charme, receptividade para o amor. Para quem está num relacionamento, capriche no romantismo e na afetuosidade.

Lua trígono Mercúrio – 22:46 às 02:59 de 04/12 (exato 00:55 de 04/12)
O clima está bastante amigável. Nossa mente está fecunda, ágil e assertiva, eis um bom momento para estudar, adiantar um trabalho e procurar ofertas relâmpago na internet. Para quem gosta de conversar ou precisa desfazer algum mal-entendido, perfeito, pois conseguimos expressar bem as emoções e tocar o outro, encontrando, nele, acolhimento e receptividade.

DIA 04 DE DEZEMBRO – DOMINGO
☾ *Crescente* ☾ *em Touro às 08:37 LFC Início às 02:47 LFC Fim às 08:37*

Enquanto a Lua estiver em Touro, paciência e perseverança estarão em alta! Mais bom senso, menos impulsividade. Melhor permanecer em atividades já iniciadas. Mais afetuosos, ternos e buscando estabilidade emocional, preferimos relações mais estruturadas. Período auspicioso para marcar casamento. Evite cirurgias na garganta, tireoide, cordas vocais, órgãos genitais, próstata, uretra, bexiga, reto e intestino.

Lua quadratura Plutão – 00:54 às 04:38 (exato 02:47)
Evite concepção ou fertilização. O conselho é não ultrapassar limites, pois podemos ser obrigados a lidar com forças que estão fora de nossa alçada. Procure ficar dentro dos limites, do território conhecido, para que nada saia do controle. A palavra aqui é: humildade.

DIA 05 DE DEZEMBRO – SEGUNDA-FEIRA
☾ *Crescente* ☾ *em Touro*

Lua conjunção Urano – 12:43 às 16:31 (exato 14:39)
A criatividade nos visita e oferece vários lampejos de inspiração que deverão ser utilizados no trabalho e na vida. Se tem um projeto novo e arrojado, apresente-o. Neste período, a dinâmica deve ser realizar coisas di-

ferentes alternadamente; não se deixe exaurir executando todas ao mesmo tempo.

Lua quadratura Saturno – 20:57 à 01:20 (exato 00:43 de 06/12)

Por insegurança, nos protegendo da frustração, estamos mais fechados. Entenda que aqui é mais difícil expressar as emoções, portanto, não se trata de frieza. Se pretende se aproximar de alguém de quem andava afastado, este não é o momento.

DIA 06 DE DEZEMBRO – TERÇA-FEIRA
☾ *Crescente* ☾ *em Gêmeos às 17:48 LFC Início às 16:03 LFC Fim 17:48*

Enquanto a Lua estiver em Gêmeos, é a vez da comunicação. Tempo de projetos, discursos, de escrever, detalhar procedimentos, de trabalhos que demandem a atividade mental e a diversidade de ideias. A sociabilidade está presente de diversas formas. Evite cirurgias nas vias respiratórias, pernas, braços, mãos, dedos e fígado, coxa, bacia e ciático, sistema de locomoção e neurológico, fala e audição.

Lua sextil Netuno – 01:41 às 05:31 (exato 03:38)

Aqui, há momentos em que a inspiração é muito grande. Estamos muito sintonizados para perceber a direção das coisas. Permita que ela seja um guia para suas decisões. Durante o sono, também captamos o melhor caminho a seguir.

Lua trígono Plutão – 09:57 às 13:47 (exato 11:52)

Aproveitando a inspiração da noite anterior, realize ações reparadoras ou busque sanar os prejuízos. A palavra, aqui, é transformação! Retome projetos arquivados, reapresente propostas. Pode ser surpreendido com outra chance para assumir desafios considerados perdidos até então.

Lua sextil Júpiter – 14:05 às 17:58 (exato 16:03)

Observe e aproveite as oportunidades para ir além, conquistar novos clientes, mercados, territórios, até porque, aliado a isto, encontrará colaboração de sua equipe, das pessoas à sua volta. Reuniões com participantes de outras regiões trarão bons frutos.

Lua sextil Marte – 23:59 às 03:24 (exato 01:43 de 08/12)

Usar de franqueza e objetividade no trabalho de forma a estimular os colegas será visto como uma boa contribuição. A coragem está a seu favor, portanto, se quer buscar um novo trabalho, um novo cliente, aproveite ou crie as oportunidades e aja!

DIA 07 DE DEZEMBRO – QUARTA-FEIRA
☾ Crescente ☾ em Gêmeos

Lua oposição Sol – 22:59 às 03:16 de 08/12 (exato 01:09 de 08/12)

Tempo de reciprocidade! Aqui, as coisas fluem melhor se pedirmos e oferecermos ajuda dividindo trabalhos ou apoios. O clima deve ser de humildade, reconhecimento, agradecimento e complementaridade. Cuide muito bem de todos os relacionamentos.

Lua conjunção Marte – 23:23 às 03:12 de 08/12 (exato 01:07 de 08/12)

Tempo também de tomar uma iniciativa para ajudar alguém antes que o outro peça. Aproveite para elogiar, incentivar um colega de forma clara; esta atitude será recompensadora. Ser espontâneo, honesto e zeloso ao expressar as emoções pode aliviar alguma possível tensão.

DIA 08 DE DEZEMBRO – QUINTA-FEIRA
○ Cheia à 01:07 em 16°01' de Gêmeos ○ em Gêmeos

Lua trígono Saturno – 07:42 às 11:40 (exato 09:43)

Começamos o dia com muita disposição para produzir. Estamos determinados, focados e disciplinados. Especialmente favorável para as atividades ligadas à área administrativa, de previdência e segurança. Se precisa realizar um checkup na saúde, é um bom momento.

Lua quadratura Netuno – 12:13 às 16:11 (exato 14:14)

Neste período, ficamos muito sensíveis, por isso, pode ocorrer variação de humor. A melancolia chega, acompanhada do sentimento de insegurança e até uma certa tristeza, mesmo que sem qualquer motivo aparente. Cuidado ao dirigir e para não perder objetos; há certa distração e desconcentração.

DIA 09 DE DEZEMBRO – SEXTA-FEIRA
○ Cheia ○ em Câncer às 04:48 LFC Início às 03:15 LFC Fim às 04:48

Enquanto a Lua estiver em Câncer, as emoções vêm à superfície. Estamos muito mais emotivos, mais sentimentais do que racionais. A vulnerabilidade nos invade. Devemos ter cautela para não magoar o outro e atentar para não interpretarmos como ofensa e ficarmos magoados. Exerça o romantismo. Evite cirurgias no abdômen, estômago, mamas, útero, ossos, articulações, vesícula, pele e vista.

Lua posição Vênus – 00:15 às 04:41 (exato 02:30)

O desejo de autogratificação influi aumentando nosso desejo de consumir doces. Diabéticos podem ficar prejudicados se exagerarem no consumo. Menor disposição física decorrente da preguiça que nos ronda. Adie a concepção e a fertilização.

Lua quadratura Júpiter – 01:13 às 05:13 (exato 03:15)

Este aspecto reforça a cautela que devemos ter com excessos no consumo de comidas e bebidas, além do cigarro. Estamos insatisfeitos emocionalmente e devemos atentar para não buscar compensações, excedendo-nos. Cautela também nas compras em excesso, sobretudo se contamos com uma receita que ainda não se efetivou.

Lua oposição Mercúrio – 10:38 às 15:11 (exato 12:54)

Inquietação no ambiente de trabalho. Observar cuidado especial com a comunicação, com as palavras inadequadas. Cautela para não cometer indiscrições e quanto ao que falar sobre a própria vida ou a vida alheia. Muita atenção ao divulgar comunicados, notícias e informações.

DIA 10 DE DEZEMBRO – SÁBADO
○ Cheia ○ em Câncer

Lua sextil Urano – 10:16 às 14:17 (exato 12:18)

Aproveite as oportunidades para se atualizar e até mesmo se antecipar no que puder e vislumbrar uma chance. O céu favorece estas ações, pois novidades podem surgir, e temos que desfrutar delas. Surpreenda seus afetos nas atitudes, por menor que seja!

DIA 11 DE DEZEMBRO – DOMINGO

○ *Cheia (disseminadora)* ○ *em Leão às 17:08 LFC Início às 15:50 LFC Fim às 17:08*

Enquanto a Lua estiver em Leão, o lazer está em alta para quem desfruta e para quem produz. O foco aqui é fazer o que queremos, o que nos traz paz. Cautela para o consumo de coisas caras ou desnecessárias, pois a extravagância nos provoca. Há brilho e sentimento de liderança, nos fazendo intolerantes, rebeldes com limitações. Evite cirurgias no coração, na região lombar, nas veias, varizes, capilares e tornozelos.

Lua trígono Netuno – 00:16 às 04:19 (exato 02:19)

A excelente sintonia para compreender e conceder, e o clima de romance e encantamento enaltece as uniões, gratificando, sobretudo, a alma. Muitos encontros podem ocorrer ao acaso. Crie um clima idílico, mágico, para atrair, aproximar alguém que interessa.

Lua oposição Plutão – 09:09 às 13:12 (exato 11:12)

Tendência a sentimentos de traição ou rejeição fantasiosos que decorrem de relações passadas mal resolvidas internamente. Não permita que eles interfiram nas relações atuais. Evite as crises de ciúme, controlar o outro, agir ou pensar com possessividade.

Lua trígono Júpiter – 13:46 às 17:50 (exato 15:50)

Aqui, experimentamos maior proximidade emocional. Tudo tem a capacidade de ficar mais leve se usarmos o bom humor. Bom momento para uma viagem mais distante ou atividades ligadas ao ensino. Ganhos e vantagens para os imóveis. Espírito de colaboração e equipe entre as pessoas.

DIA 12 DE DEZEMBRO – SEGUNDA-FEIRA

○ *Cheia (disseminadora)* ○ *em Leão*

Lua sextil Marte – 20:06 à 00:12 de 13/12 (exato 22:06)

Aqui o clima é de aventura. Se tem interesse em abordar alguém, aproveite este momento e aja com iniciativa e proponha um encontro. Seja espontâneo e verdadeiro na expressão dos sentimentos. Os ventos são auspiciosos e a noite pode surpreender.

Lua quadratura Urano – 22:45 às 02:47 de 13/12 (exato 00:48 de 13/12)

Use o tato nas relações, sem cobranças, sobretudo as que falam de compromissos. Melhor agir de maneira leve, desapegada. Este período sugere que as relações que começam aqui tendem a ser passageiras. Observe e não force nada, não cobre.

DIA 13 DE DEZEMBRO – TERÇA-FEIRA
○ *Cheia (disseminadora)* ○ *em Leão LFC Início às 12:53*

Lua oposição Saturno – 09:06 às 13:10 (exato 11:10)

Não há ânimo, as atividades nos parecem árduas, podendo ocasionar atraso na conclusão do trabalho ou até mesmo haver retrabalho. Atitudes duras com a sua equipe podem piorar a produtividade. Evite realizar avaliações de desempenho ou entrevistas para uma nova posição.

Lua trígono Sol – 10:39 às 15:04 (exato 12:53)

Sensação de que o mundo está equilibrado, funcional, com tudo no lugar adequado. Este modo de ver as coisas facilita quem tem que definir ou alinhar a habilidade com as funções dos colaboradores de uma equipe. As mudanças gerarão bons frutos. A vida flui mais facilmente.

DIA 14 DE DEZEMBRO – QUARTA-FEIRA
○ *Cheia (disseminadora)* ○ *em Virgem às 05:45 LFC Fim às 05:45*

Enquanto a Lua estiver em Virgem, somos mais realistas, lógicos. Focamos na organização do dia a dia, simplificamos os planos maiores para um estágio mais simples e viável. Estamos mais exigentes com a qualidade dos produtos e serviços. Iniciar um novo trabalho ou estudo é auspicioso, bem como organizar as finanças e diminuir supérfluos. Evite cirurgias no aparelho gastrointestinal, intestino delgado e nos pés.

Lua trígono Vênus – 15:18 às 19:45 (exato 17:33)

Clima de bom humor! Aquecimento nos setores de moda, estético e o artístico. Buscamos cosméticos, produtos de beleza. Que tal ir ao salão realizar um procedimento estético ou fazer uma limpeza de pele? Campanhas promocionais encontram uma excelente receptividade.

DIA 15 DE DEZEMBRO – QUINTA-FEIRA

○ *Cheia (disseminadora)* ○ *em Virgem*

Lua trígono Mercúrio – 03:47 às 08:15 (exato 06:03)

O estado de espírito, humor, está bastante flexível. Se quiser lançar uma publicação, divulgar um serviço ou produto, este momento é bastante favorável. Se tem que se deslocar a trabalho ou estabelecer contatos, este momento também é auspicioso.

Lua quadratura Marte – 06:33 às 10:24 (exato 08:30)

Clima de ansiedade e agressividade. Tendência a conflitos na prática desportista ou em outra situação em que a competição esteja sendo exercida. Colaboradores menos proativos devem estar receptivos à ajuda dos mais preparados. O trabalho deve ser em equipe: todos por todos!

Lua trígono Urano – 10:43 às 14:39 (exato 12:43)

O desapego nos visita. Nos sentimos livres para expressar emoções que estavam guardadas. Aproveite para realizar mudanças em sua rotina, seja no trabalho, seja na vida pessoal. Que tal almoçar num restaurante diferente? Busque atualizar-se.

DIA 16 DE DEZEMBRO – SEXTA-FEIRA

☽ *Minguante às 05:56 em 24°21' de Virgem* ☽ *em Libra às 16:48 LFC Início às 16:14 LFC Fim às 16:48*

Enquanto a Lua estiver em Libra, as realizações fluem melhor em parceria. Devemos compartilhar planos, projetos, incluir o outro nas atividades e em nossos objetivos, lembrando sempre que a reciprocidade é fundamental para o sucesso. Atente para até onde pode ir e sinalize até onde permite que o outro atue, usando sempre a diplomacia. Evite cirurgias nos rins e na região da cabeça.

Lua oposição Netuno – 00:43 às 04:37 (exato 02:42)

Período em que a imunidade está mais fragilizada. Melhor consumir alimentos leves e nutrientes e dormir cedo. Melhor não realizar atividades desgastantes nos momentos anteriores ao sono. Evite cirurgias e tratamentos que envolvam remédios mais fortes.

Lua quadratura Sol – 03:48 às 08:02 (exato 05:56)

Momentos em que o clima é de insatisfação e divisão. Estamos mais confusos, portanto, tensos. No trabalho e nas relações há dificuldades em se estabelecer acordos, em haver concordâncias, consensos, podendo ocorrer conflitos.

Lua trígono Plutão – 09:28 às 13:20 (exato 12:26)

Em alta, as negociações imobiliárias e ações que promovam a melhoria dos imóveis. Quem exerce o poder público de maneira ética encontra receptividade. Período em que os reencontros são exitosos, seja com amigos, colegas de trabalho, conhecidos.

Lua oposição Júpiter – 14:16 às 18:08 (exato 16:14)

Desequilíbrio nas expectativas. Queremos abastecimento emocional, contando com a disponibilidade alheia, o que nem sempre é possível. No trabalho, esperamos a proteção de pessoas em posições de decisão, o que nem sempre se dá. Como estamos menos produtivos, melhor realizarmos atividades mais leves.

DIA 17 DE DEZEMBRO – SÁBADO
☽ Minguante ☽ em Libra

Lua quadratura Vênus – 08:22 às 12:33 (exato 10:29)

Nos sentimos um peixe fora d'água, deslocados, o que inibe a expressão de nosso charme pessoal. Atente para que esta insegurança não gere ciúme e possessividade em seu relacionamento. A rivalidade pode estar só na sua cabeça.

Lua trígono Marte – 14:54 às 18:32 (exato 16:45)

Disposição maior para desafios! Aproveite para combater e corrigir alguns hábitos que possam ser prejudiciais à sua saúde. O aumento da energia física propõe a prática de esportes e exercícios. Auspicioso para a concepção, a fertilização e para os partos.

Lua quadratura Mercúrio – 20:22 à 00:22 de 18/12 (exato 22:27)

No trabalho é necessário foco; há muita agitação levando à frequente interrupção. Inquietação mental. Manter cuidado redobrado com a comunicação. Não esconda sentimentos, expresse-os dialogando com calma. Comunique-se usando palavras assertivas para o bem das relações.

DIA 18 DE DEZEMBRO – DOMINGO
☽ Minguante ☽ em Libra LFC Início às 19:36

Lua trígono Saturno – 06:40 às 10:21 (exato 08:32)

A saúde está estabilizada. A perseverança e o autocontrole nos visitam, então, é bom para iniciarmos um plano de alimentação saudável, corrigindo os hábitos nocivos. No trabalho, há compromisso e disciplina. Bom momento para quem quer oficializar uma união.

Lua sextil Sol – 17:05 às 20:59 (exato 19:04)

A facilidade de entendimento e consequente aceitação das diferenças entre as pessoas propicia as reconciliações. Os relacionamentos que iniciam neste período também têm uma chance maior de interação. Não desperdice oportunidades de entrosar-se mais com a pessoa com a qual você se relaciona.

Lua quadratura Plutão – 17:46 às 21:23 (exato 19:36)

Nos rondam os sentimentos de ciúme, posse e controle. Ficamos desconfiados, vem à tona o medo da perda, do abandono pelo outro. Não permita que nada disto interfira na relação, esteja ela saudável ou enfrentando algumas dificuldades.

DIA 19 DE DEZEMBRO – SEGUNDA-FEIRA
☽ Minguante (balsâmica) ☽ em Escorpião à 00:30 LFC Fim 00:30

Enquanto a Lua estiver em Escorpião, é hora de investigar algo que se quer, recuperar coisas perdidas! Diagnósticos para doenças são precisos. Intensidade que desperta em nós paixões e desejos. Sentimentos exacerbados de agressividade, impaciência, julgador, ofensa, ameaça, desconfiança, por vezes, infundados. Evite cirurgias nos órgãos genitais, bexiga, uretra, próstata, intestino, reto, garganta, tireoide e cordas vocais.

Lua sextil Vênus – 20:26 à 00:15 de 20/12 (exato 22:23)

Se está elaborando um trabalho, empenhe-se na forma estética dele. Período que beneficia a apresentação de orçamentos, custos, cobranças. Romantismo, sedução e charme estão no ar! Aproveite para criar um clima romântico com alguém.

DIA 20 DE DEZEMBRO – TERÇA-FEIRA
☽ Minguante (balsâmica) ☽ em Escorpião LFC Início às 23:45

Lua oposição Urano – 01:49 às 05:15 (exato 03:34)

Negócios ou serviços imobiliários em baixa. Todos mais estressados, não é hora de pressões. Pode haver certa dificuldade para dormir ou até mesmo reações inesperadas no corpo. O conselho é relaxar antes de dormir e atentar para as reações aos medicamentos ingeridos.

Lua sextil Mercúrio – 07:06 às 10:48 (exato 08:59)

No trabalho, há um clima de colaboração. As atividades que lidem com pessoas, tais como relações públicas, área comercial, todo tipo de contato, estão em alta. Auspicioso para quem deseja vender e trocar de veículo. Agarre oportunidades; atente para não perder as que aparecerem.

Lua quadratura Saturno – 11:58 às 15:23 (exato 13:43)

Aterrissa a vontade de criticar, o pessimismo, a intolerância geral. Portanto, o contato com as pessoas fica difícil. Seja impessoal. Não se surpreenda com cancelamentos, atrasos nos compromissos. Desfavorável para operações no setor imobiliário – investimentos, locação, venda e compra.

Lua trígono Netuno – 14:19 às 17:42 (exato 16:02)

Se você trabalha com imagem, o momento é favorável! Mais produtivo será se dedicar aos projetos e tarefas mais gerais do que as detalhadas. A convergência nos visita, facilitando os contatos e a adesão das pessoas.

Lua sextil Plutão – 22:03 à 01:25 de 21/12 (exato 23:45)

Aproveite para realizar um detox alimentar, o corpo está propenso à purificação de toxinas. Deitar cedo faz parte deste processo, pois o sono, neste período, tem, também, uma especial função reparadora, promovendo benefícios para o organismo.

DIA 21 DE DEZEMBRO – QUARTA-FEIRA

☽ *Minguante (balsâmica)* ☽ *em Sagitário às 04:12 LFC Fim às 04:12*

Entrada do Sol no Signo de Capricórnio às 18h48min02seg
* Solstício de Inverno H. Norte – Solstício de Verão H. Sul

Enquanto a Lua estiver em Sagitário, em destaque o otimismo, a generosidade, o entusiasmo, a expansão e a adaptabilidade. Queremos espaços abertos, sem limites, viagens exóticas, independência e poucas restrições. Mudanças são feitas com facilidade. Auspicioso para qualquer tipo de avaliação de conhecimento, provas. Evite cirurgias no fígado, coxas, quadris, ciático, vias respiratórias, pernas, braços, mãos.

Lua trígono Júpiter – 02:38 às 05:58 (exato 04:20)

Confiamos em nossos afetos, sentimo-nos mais próximos deles. Estamos bem-humorados e bem dispostos fisicamente. Momento para investir na formação participando de treinamentos, workshops e cursos.

Lua oposição Marte – 21:12 à 00:23 de 21/12 (exato 22:49)

No ar, muita ansiedade! Evite franqueza exacerbada, atitudes precipitadas ou imposição do seu ponto de vista; pode se desentender e entrar em conflitos. Os mais sensíveis devem evitar demonstrar carências e fazer chantagens emocionais.

DIA 22 DE DEZEMBRO – QUINTA-FEIRA

☽ *Minguante (balsâmica)* ☽ *em Sagitário LFC Início às 17:16*

Lua sextil saturno – 13:42 às 16:56 (exato 15:21)

Aproveite este momento para realizar um check-up ou iniciar processos preventivos ou corretivos, tais como fisioterapia, tratamentos homeopáticos, dentários, ósseos e articulares. Comece uma dieta, de emagrecimento ou corretiva. Se tem algum vício, este momento ajuda a abandoná-lo.

Lua quadratura Netuno – 15:39 às 18:51 (exato 17:16)

Baixa concentração, baixa produtividade. As reuniões podem ser improdutivas se não atentarmos para a objetividade. Envolvidos pela distração, podemos ser negligentes, portanto, atenção triplicada na execução de atividades. Cheque as informações emitidas e recebidas.

DIA 23 DE DEZEMBRO – SEXTA-FEIRA
🌑 *Nova às 07:16 em 01º32' de Capricórnio* 🌑 *em Capricórnio às 04:49*
LFC Fim às 04:49

Enquanto a Lua estiver em Capricórnio, é tempo de responsabilidade, dever, compromisso, disciplina, foco, gerando maior produtividade. A tendência é voltar-se para a vida profissional, onde se sente segurança. Período em que estão todos mais retraídos, evitemos buscar apoios, expressar sentimentos. Evite cirurgias na coluna, articulações, joelho, pele, dentes, vistas, vesícula, útero, mamas e abdômen.

Lua quadratura Júpiter – 03:37 às 06:49 (exato 05:15)
Certa insatisfação emocional cria a necessidade de nos sentirmos mais protegidos, poupados pelas pessoas que nos cercam. No trabalho, a produtividade diminui, portanto, evite atividades que demandem muita dedicação e empenho, se possível.

Lua conjunção Sol – 05:34 às 08:58 (exato 07:16)
Clima de vitalidade. Volta à esperança! As diferenças nas relações acentuam-se quando um se destaca, pois esta dominância fica mais evidente. Nas equilibradas, onde ambos têm personalidade forte, a troca é enriquecida, pois mostra as afinidades que os mantêm unidos.

DIA 24 DE DEZEMBRO – SÁBADO
🌑 *Nova* 🌑 *em Capricórnio*

Lua trígono Urano – 03:27 às 06:36 (exato 05:03)
O desapego está no ar; de coisas e de sentimentos. No dia de Natal, o céu nos presenteia, pois favorece o ato de jogar fora os sentimentos negativos. Vamos surpreender as pessoas que amamos com atitudes inesperadas. Expresse seu afeto contido, espalhe o amor!

Lua conjunção Vênus – 07:32 às 10:59 (exato 09:17)
Os astros ajudam a aproximar as pessoas, trazendo ternura e afastando brigas existentes. A predisposição para harmonia beneficia os entendimentos e provoca mais proximidade. Para os casais, romance e sedução dão um charme a mais. Agrade e agrade-se.

Lua conjunção Mercúrio – 14:52 às 18:11 (exato 16:33)

A mente ajuda a expressão de nossa emoção. Há assertividade nas palavras de forma a tocar o coração do outro. Encontramos receptividade e acolhimento para o que verbalizamos. Entendimentos em alta! Período favorável também para as transações comerciais.

Lua sextil Netuno – 15:12 às 18:22 (exato 16:49)

Clima de sensibilidade, amabilidade, delicadeza, gentileza. No trabalho e nas relações, encontramos ajuda mútua e convergências. A alta inspiração propicia uma significativa sintonia para captar a direção das coisas.

Lua conjunção Plutão – 22:35 à 01:45 de 25/12 (exato 00:12 de 25/12)

Abertura para a transformação, lidando bem com assuntos de natureza mais profunda ou que afetem radicalmente nossa vida. Pode haver recuperação de relacionamentos e aprofundamento dos vínculos existentes. Perdoe, limpe as mágoas, peça perdão, conserte, vire a página. Dê e dê-se outra chance; o que for verdadeiro vai florescer.

DIA 25 DE DEZEMBRO – DOMINGO
🌑 *Nova* 🌑 *em Aquário às 04:13 LFC Início à 00:12 LFC Fim 04:13*

Enquanto a Lua estiver em Aquário, estamos mais gregários, preferindo a companhia de grupos. Muito curiosos, queremos experimentar o novo. Para atender a esta demanda, pode-se cometer uma pequena extravagância. Uma ideia pode surgir e nos trazer um novo olhar para antigas questões. Evite cirurgias no sistema circulatório e vascular cerebral, veias, vasos, artérias, capilares, tornozelo, coração e região lombar.

Lua sextil Júpiter – 03:20 às 06:31 (exato 04:58)

O bom humor é o grande aliado. Utilize-o para tornar tudo mais leve em todas as áreas da vida. A colaboração e a boa vontade existentes facilitarão os trabalhos em equipe. Muito auspicioso para a concepção, a fertilização e os partos.

Lua trígono Marte – 18:59 às 22:08 (exato 20:35)

Seja espontâneo e verdadeiro na expressão das suas emoções. Nas relações, incentivar o outro com palavras ou atitudes que encorajam fortalecerá o vínculo. Aqui há disposição e coragem para empreendimentos desafiadores.

DIA 26 DE DEZEMBRO – SEGUNDA-FEIRA
Nova em Aquário LFC Início às 15:20

Lua quadratura Urano – 02:58 às 06:11 (exato 04:38)

Muita inquietação, que pode prejudicar o sono. Não cometa abusos se tem o sistema circulatório fragilizado. Nas relações, não pressione, pois todos estão intolerantes. É melhor contornar as situações. Evite conduzir em alta velocidade. Pode haver antecipação dos partos.

Lua conjunção Saturno – 13:41 às 16:57 (exato 15:20)

Estamos munidos de objetividade e de bom senso para analisar e avaliar negócios. Se a casa precisa de consertos ou obras, esse é um bom período para realizá-los. O clima favorece as atividades ligadas ao setor imobiliário.

DIA 27 DE DEZEMBRO – TERÇA-FEIRA
Nova em Peixes às 04:33 LFC Fim 04:33

Enquanto a Lua estiver em Peixes, desaceleramos. Ficamos mais contemplativos e imaginamos soluções, em vez de executá-las. Buscamos, através da força da imaginação, que este céu nos oferece, tornar a rotina encantadora, acreditando em sonhos. Clima de boa vontade e romantismo. Se não está apaixonado, apaixone-se por algo. Evite cirurgias nos pés. Checar e cuidar do sistema imunológico, taxa de glóbulos brancos, sistema linfático e medula.

Lua sextil Sol – 12:35 às 16:11 (exato 14:25)

Momento auspicioso para que possamos retomar projetos, situações e relacionamentos que estavam guardados. Eles podem revelar potenciais de crescimento. Os tímidos podem demonstrar mais independência e expressar um talento até então desconhecido. Aproveite as oportunidades.

Lua quadratura Marte – 19:14 às 22:33 (exato 20:55)

Evitemos precipitação nas atitudes; a intolerância pode gerar ações que podem ser desastrosas. Os conflitos estão nos rondando, fazendo com que se queira impor opiniões e vontades, o que será um desacerto. Se os relacionamentos já vêm mal e houver confrontos, pode ser o fim.

DIA 28 DE DEZEMBRO – QUARTA-FEIRA
Nova em Peixes

Lua sextil Urano – 04:20 às 07:44 (exato 06:03)

Excelente oportunidade para a alteração de hábitos nocivos à saúde; o céu está indicando êxito! Comece a caminhar ao ar livre — a circulação do sangue e a mente agradecem! Se faz algum tratamento, tente algo mais natural, alternativo.

Lua conjunção Netuno – 17:21 às 20:48 (exato 19:08)

Quer promover um filme, show, espetáculo? É um bom momento. Período promissor para a explosão, difusão rápida de uma ideia, imagem, produto, informação. Estamos todos ligados, numa sintonia, aumentando, inclusive, o número de coincidências.

Lua sextil Vênus – 18:30 às 22:19 (exato 20:26)

Romance e sedução no ar, aproximando pessoas. No trabalho, usemos de cortesia e diplomacia. Bom período para negociar preços. Cuidar da estética será exitoso. Assertividade nos diagnósticos e tratamentos de reprodução e tratamentos hormonais.

Lua sextil Mercúrio – 19:58 às 23:27 (exato 21:44)

Ao cair da noite, diminua o ritmo e tente se conectar com seu lado sutil. A comunicação estará fluindo assim como a conexão com o todo. Os pensamentos ficarão mais claros, podendo se chegar a novas conclusões. Se está precisando fazer as pazes com alguém, o momento é esse.

DIA 29 DE DEZEMBRO – QUINTA-FEIRA
Crescente às 22:20 em 08°18' de Áries em Áries às 07:35
LFC Início às 03:21 LFC Fim às 07:35

Início Mercúrio Retrógrado

Enquanto a Lua estiver em Áries, a espontaneidade e a franqueza dominam. Queremos respostas diretas ao ponto para resolver as situações. Há coragem para enfrentar questões que sempre nos fizeram recuar. Urge inteirar-se das coisas, resolver pendências, assumir riscos e pagar o preço. Período benéfico para realizar concorrências e licitações. Evite cirurgias na região da cabeça e nos rins.

Lua sextil Plutão – 01:35 às 05:05 (exato 03:21)

A capacidade de concentração aqui está aumentada. Aproveite para realizar trabalhos, atividades que requeiram dedicação total. Ares de erotismo aprofundam os laços construídos. O sono, neste momento, é profundo e regenerador!

Lua conjunção Júpiter – 07:24 às 10:57 (exato 09:12)

Atividades ligadas ao ensino em destaque: universidades, cursos, escolas. No trabalho, promova um treinamento ou workshop. A ordem é expandir-se! Busque novos pontos de venda, mercados distantes, franquias. Sorte, se recorre à Justiça ou aos procedimentos legais.

Lua quadratura Sol – 20:24 à 00:16 de 30/12 (exato 22:20)

A disputa está presente nas situações. No ambiente profissional não é diferente, tornando difíceis os acordos, o consenso. As emoções não permitem a boa análise, demandando um esforço muito maior para conseguirmos o equilíbrio. Os casais estão mais sujeitos às brigas.

Lua sextil Marte – 22:30 às 02:03 de 30/12 (exato 00:18 de 30/12)

No ar, o sentimento de que somos mais capazes. Ao aumento da autoconfiança impulsiona decisões, ações e resoluções. Se pretende se aproximar de alguém, tomar a iniciativa vai gerar bons frutos. A determinação maior contribui para cortarmos hábitos nocivos.

DIA 30 DE DEZEMBRO – SEXTA-FEIRA
☾ *Crescente* ☾ *em Áries*

Mercúrio Retrógrado
Lua sextil saturno – 22:00 à 01:43 de 31/12 (exato 23:53)

A disposição para disciplina, a objetividade e o bom senso fazem este período muito produtivo.

Sucesso para a estabilização de vínculos e compromissos. Preferimos a solidez das relações aos relacionamentos efêmeros. Auspicioso para quem cuida do relacionamento que tem.

DIA 31 DE DEZEMBRO – SÁBADO
☾ *Crescente* ☾ *em Touro às 14:08 LFC Início às 09:45 LFC Fim 14:08*

Mercúrio Retrógrado

Enquanto a Lua estiver em Touro, queremos segurança e conforto. É tempo de afeto e ternura. Os casais se aproximam, as relações se tornam mais fortes, encontros acontecem. Assertivo é permanecer em atividades ou empreendimentos preexistentes. Não marcar cirurgia de garganta, tireoide, cordas vocais, órgãos genitais, próstata, uretra, bexiga, reto e intestino.

Lua quadratura Mercúrio – 01:12 às 04:48 (exato 03:02)

Relembrar ou reviver antigas mágoas pode prejudicar o relacionamento entre as pessoas. Cuidado, filtre as palavras vindas do sentimento para que elas não sejam inadequadas. As viagens e os deslocamentos estão prejudicados pelas alterações de horários.

Lua quadratura Vênus – 05:54 às 10:00 (exato 08:00)

A apatia nos visita, dificultando a produtividade. Maior necessidade de autogratificação, podendo interferir na alimentação, especialmente aumentando o consumo de doces. Pode ocorrer de buscarmos e de não encontrarmos o apoio habitual. Sensíveis que estamos, ficamos carentes.

Lua quadratura Plutão – 07:51 às 11:36 (exato 09:45)

Clima de passionalidade e radicalismo. Sejamos diplomáticos com o outro, evitando embates. A hostilidade exacerbada está no ar. Seja humilde nos planos e não ultrapasse os limites, pois podemos ter que lidar com algo perigoso. É fundamental, portanto, manter o controle das situações.

Produza o bem! E feliz Ano-Novo!

ÍNDICE LUNAR DE ATIVIDADES

Consulte os melhores Signos e fases lunares para cada um das diversas atividades. Se não coincidir o melhor Signo com a melhor fase para determinada atividade, dê preferência à fase.

Os nomes dos aspectos (linha superior) estão abreviados (linha inferior)				
CONJ	SEXL	TRÍG	OPOS	QUADR
CONJUNÇÃO	SEXTIL	TRÍGONO	OPOSIÇÃO	QUADRATURA

SAÚDE	FASE LUNAR	SIGNO LUNAR	ASPECTO DA LUA COM OS PLANETAS
Desintoxicação - Diurese - Eliminação	Ming	Vir. Cap. Esc. Aqu.	Conj, sexl, tríg Mercúrio, Plutão e Saturno
Diagnóstico e exames	Cresc	Vir. Esc.	Conj, sexl, tríg Mercúrio, Plutão
Cirurgia	Ming	* Ver Lua e Cirurgia	Sexl, tríg Marte, Vênus, Plutão
Cicatrização mais rápida	Ming	Esc.	Sexl, tríg Plutão
Cura - restabelecimento	Ming	Esc.	Sexl, tríg Plutão
Abandonar vícios, dependências e hábitos prejudiciais	Ming	Aqu. Esc. Cap.	Conj, sexl, tríg Urano, Plutão, Saturno
Mudar ou corrigir alimentação	Ming. Nova	Vir. Esc.	Conj, sexl, tríg Mercúrio, Plutão
Dieta de emagrecimento	Ming	Ari. Vir. Esc. Cap. Aqu.	Conj, sexl,tríg Marte, Saturno, Urano, Plutão
Dieta para ganhar peso	Cresc Cheia	Tou. Can. Leo. Sag. Pei.	Conj, sexl, tríg Vênus, Júpiter, Sol, Netuno
Tratamentos intensivos	Cresc	Esc.	Sexl, tríg Plutão
Tratamentos alternativos		Aqu. Pei.	Sexl, tríg Urano, Netuno
Tratamento dentário	Ming	Esc. Cap.	Sexl, tríg Plutão, Saturno
Exame de vista	Nova Cresc	Vir. Cap.	Sexl, tríg Plutão, Saturno
Elevar taxas baixas	Cresc	Tou. Can. Sag.	Conj, sexl, tríg Júpiter
Reduzir taxas elevadas	Ming	Vir. Esc. Cap.	Conj, sexl, tríg Plutão, Saturno
Fisioterapia		Cap. Esc. Vir.	Sexl, tríg Plutão, Saturno

ATIVIDADE FÍSICA	FASE LUNAR	SIGNO LUNAR	ASPECTO DA LUA COM OS PLANETAS
Exercícios físicos	Nova Cresc Cheia	Ari. Gem. Sag. Aqu.	Conj, sexl, tríg, quadr Sol, Marte, Júpiter
Competições - Esportes - Maratonas	Nova Cresc	Ari. Sag.	Sexl, tríg Marte, Júpiter
Ganhar massa muscular	Cresc	Ari. Sag.	Sexl, tríg Marte, Júpiter
Condicionamento físico	Cresc	Ari. Sag.	Sexl, tríg Marte, Júpiter
Queimar	Cresc	Ari. Sag.	Quadr, opos Marte
COMPRAS E CONSUMO	**FASE LUNAR**	**SIGNO LUNAR**	**ASPECTO DA LUA COM OS PLANETAS**
Presentes	Cresc Cheia	Tou. Lea. Lib.	Conj, sexl, tríg Vênus
Artigos de luxo	Cresc Cheia	Lea.	Conj, sexl, tríg Vênus, Júpiter
Artigos de beleza, moda e decoração	Nova Cresc	Tou. Lib.	Conj, sexl, tríg Vênus
Cosméticos		Tou. Lib.	Conj, sexl, tríg Vênus, Júpiter
Lingeries		Esc.	Conj, sexl, tríg Plutão, Vênus
Joias - Anéis		Lea.	Conj, sexl, tríg Vênus e Júpiter
Relógios		Cap.	Conj, sexl, tríg Saturno
Pulseiras - Esmaltes		Gem.	Conj, sexl, tríg Mercúrio, Vênus
Cintos - Bolsas - Artigos de couro		Lib. Tou. Cap.	Conj, sexl, tríg Vênus — conj, sexl Saturno
Óculos - Acessórios - Colares - Echarpes		Ari. Lib. Tou.	Conj, sexl, tríg Vênus
Artigos originais		Aqu.	Conj, sexl, tríg Urano
Livros - Papelaria		Gem. Sag.	Conj, sexl, tríg Mercúrio, Júpiter
Equipamentos / telefonia	Nova Cresc	Gem. Vir. Sag. Aqu.	Sexl, tríg Mercúrio, Urano

Delicatessen	Cresc Cheia	Tou. Can. Lea.	Conj, sexl, tríg Vênus
Antiguidades		Can. Esc. Cap.	Conj, sexl, tríg Saturno -sexl, tríg Plutão
Roupas de dormir		Tou. Can. Pei.	Sexl, tríg Vênus, Netuno
Roupas de trabalho		Vir. Cap.	Sexl, tríg Mercúrio, Saturno
Roupas recicladas ou de segunda mão		Esc.	Sexl, tríg Plutão, Saturno
Roupas esportivas - Tênis		Sag. Ari.	Conj, sexl, tríg Júpiter, Marte
Roupas de praia		Pei.	Sexl, tríg Netuno
Roupas combinadas - Conjuntos		Lib.	Conj, sexl, tríg Vênus
Objetos de valor - Bens duráveis	Cresc Cheia	Tou. Lea.	Conj, sexl, tríg Vênus, Júpiter - sexl, tríg Saturno
Carro	Nova Cresc	Ari. Gem. Vir. Sag. Aqu.	Sexl, tríg Mercúrio, Júpiter, Marte, Urano
Adquirir imóvel	Nova Cresc	Tou. Can. Cap.	Sexl, tríg Vênus, Saturno
Pechinchas	Ming	Vir. Cap.	Conj, sexl, tríg Mercúrio, Saturno
Pontas de estoque		Cap.	Conj, sexl, tríg Saturno
COMPRAS PARA O LAR	**FASE LUNAR**	**SIGNO LUNAR**	**ASPECTO DA LUA COM OS PLANETAS**
Artigos domésticos - Cama, mesa e banho	Nova	Tou. Can. Vir. Lib.	Conj, sexl, tríg Vênus, Netuno
Artigos de farmácia: remédios, higiene pessoal		Vir. Esc.	Sexl, tríg Vênus, Plutão, Saturno
Comprar legumes e frutas maduras para consumo imediato	Nova Cresc		
Comprar legumes e frutas maduras para consumo posterior	Ming		
Comprar flores desabrochadas para uso imediato	Nova Cresc		

Comprar flores desabrochadas que duram	Ming		
Comprar legumes, frutas e flores para amadurecimento	Nova Cresc		
SERVIÇOS	**FASE LUNAR**	**SIGNO LUNAR**	**ASPECTO DA LUA COM OS PLANETAS**
Consertos	Cresc	Vir. Cap. Esc.	Sexl, tríg Mercúrio, Saturno, Plutão
Lavanderia	Cresc	Vir. Esc.	Sexl, tríg Mercúrio, Saturno, Plutão
Tingir roupas	Ming	Vir. Esc.	Conj, sexl, tríg Mercúrio, Plutão
Dedetização	Ming	Vir. Esc.	Conj, sexl, tríg Plutão
Delivery	Ming	Tou. Can. Lea.	Sexl, tríg Mercúrio, Vênus, Júpiter
Atendimento rápido, self-service	Nova Cresc	Ari. Aqu.	Sexl, tríg Mercúrio, Marte, Urano
CASA	**FASE LUNAR**	**SIGNO LUNAR**	**ASPECTO DA LUA COM OS PLANETAS**
Mudança de casa	Cresc	Tou. Can.	Conj, sexl, tríg Vênus — sexl,tríg Sol, Mercúrio, Urano
Arrumação - Faxina	Ming	Vir. Esc. Cap.	Conj, sexl, tríg Mercúrio, Saturno, Plutão
Decorar a casa	Cresc	Tou. Lib.	Conj, sexl, tríg Vênus
Obras e reformas	Nova Cresc	Esc. Cap.	Conj, sexl, tríg Saturno, Plutão
Pintura	Ming	Ari. Tou. Lea. Aqu.	Conj, sexl, tríg
Contratar serviços para casa	Ming	Can. Vir. Cap.	Conj, sexl, tríg Mercúrio, Saturno
Limpeza "astral"	Ming	Pei.	Conj, sexl, tríg Plutão, Netuno
Reaver artigos perdidos	Nova Cresc	Esc.	Conj, sexl, tríg Plutão

BELEZA	FASE LUNAR	SIGNO LUNAR	ASPECTO DA LUA COM OS PLANETAS
Corte de cabelo para aumentar volume	Nova para Cresc	Tou. Can. Lea.	
Corte de cabelo para crescimento rápido (fio mais fino)	Cheia	Can. Pei.	
Corte de cabelo para crescimento lento (fio mais grosso)	Ming	Tou. Vir. Esc.	
Corte de cabelo curto	Ming	Vir.	Sexl, tríg Vênus, Mercúrio, Saturno
Manutenção do corte	Ming	Tou. Vir. Esc.	
Tintura de cabelo	Ming	Tou. Lea. Vir. Aqu.	Sexl, tríg Vênus, Mercúrio, Saturno
Depilação	Ming	Esc. Vir.	Sexl, tríg Saturno, Plutão
Hidratação e nutrição da pele	Cheia	Can. Pei.	Conj, sexl, tríg Vênus — sexl, tríg Netuno — opos Sol
Limpeza de pele	Ming	Esc. Vir.	Conj, sexl, tríg Vênus, Plutão — sexl, tríg Saturno, Urano
Tratamento para rejuvenescimento	Ming.	Esc.	Sexl, tríg Marte, Plutão, Vênus
SPA para beleza e relaxamento	Ming	Tou. Lea. Lib.	Conj, sexl, tríg Vênus — sexl, tríg Netuno, Plutão
Drenagem linfática	Ming		
FINANÇAS E NEGÓCIOS	**FASE LUNAR**	**SIGNO LUNAR**	**ASPECTO DA LUA COM OS PLANETAS**
Desfazer contratos	Ming	Vir. Lib. Esc. Cap. Aqu.	Sexl, tríg Mercúrio,Plutão, Saturno, Plutão
Pedir empréstimo	Ming		
Cobrar débitos	Nova Cresc	Ari.	Sexl, tríg Marte, Vênus

408 MARCIA MATTOS

Investimentos mais conservadores e de longo prazo	Nova Cresc	Tou. Cap.	Sexl, tríg Vênus, Saturno
Investimentos de risco e de curto prazo	Cresc para Cheia	Ari. Sag. Aqu.	Conj, sexl, tríg Marte, Júpiter, Urano
Seguros	Nova Cresc	Tou. Cap.	Sexl, tríg Vênus, Júpiter, Saturno
Procedimentos jurídicos	Cresc	Lib. Sag.	Conj, sexl, tríg Mercúrio, Vênus, Júpiter
Quitar dívidas	Ming	Vir. Esc. Cap. Aqu.	Sexl, tríg Saturno, Urano, Plutão
Especulação financeira - Apostas - Loteria	Cresc Cheia	Lea. Sag. Pei.	Sexl, tríg Vênus, Júpiter, Sol, Urano, Netuno
PROFISSÃO	**FASE LUNAR**	**SIGNO LUNAR**	**ASPECTO DA LUA COM OS PLANETAS**
Apresentação de ideias e projetos	Cresc	Ari. Gem. Sag. Aqu.	Sexl, tríg Sol, Mercúrio, Urano, Júpiter
Distribuição de tarefas	Cresc	Gem. Vir. Lib.	Conj, sexl, tríg Sol, Marte, Urano, Mercúrio
Contratar e treinar funcionários	Nova Cresc	Vir. Cap. Gem.	Sexl, tríg Mercúrio, Plutão
Procurar emprego	Nova Cresc	Tou. Gem. Sag.	Conj, sexl, tríg Vênus, Mercúrio, Júpiter
Pedir aumento ou adiantamento de salário	Cresc	Tou. Lea. Sag.	Sexl, tríg Sol, Vênus, Júpiter
Dispensar empregados ou serviços	Ming	Esc. Aqu. Cap.	Sexl, tríg Plutão, Urano, Saturno
Procedimentos de controle de qualidade	Cresc	Vir. Cap.	Conj, sexl, tríg Mercúrio, Saturno
Atividades autônomas	Nova	Ari. Aqu.	Conj, sexl, tríg Sol, Marte, Urano, Mercúrio
Atividades em parcerias	Cresc Cheia	Lib.	Sexl, tríg Sol, Vênus

Reuniões de pauta		Gem. Aqu.	Sexl, tríg Mercúrio, Urano
Novos empreendimentos	Nova Cresc	Ari. Can. Cap. Lib. Aqu.	Sexl, tríg Marte, Saturno, Vênus, Urano
Lançar "moda", produtos ou serviços que precisam "pegar"	Cresc Cheia	Pei.	Sexl, tríg Netuno

PROCEDIMENTOS	FASE LUNAR	SIGNO LUNAR	ASPECTO DA LUA COM OS PLANETAS
Tomar providências - Decidir	Cresc Cheia	Ari.	Sexl, tríg Marte
Organização	Ming	Vir. Cap.	Conj, sexl, tríg Mercúrio, Saturno
Estabelecer prazos e orçamentos	Ming	Cap. Vir.	Sexl, tríg Mercúrio, Saturno
Jogar coisas fora - Limpeza de papéis	Ming	Vir. Esc. Cap. Aqu.	Conj, sexl, tríg Mercúrio, Plutão, Saturno, Urano
Envios - Fretes - Transporte - Franquias	Cresc últimos dias Cheia	Gem. Vir. Sag. Pei.	Conj, sexl, tríg Mercúrio, Júpiter- sexl,tríg Netuno
Lidar com burocracia	Ming	Vir. Cap.	Conj, sexl, tríg Mercúrio, Saturno

EVENTOS	FASE LUNAR	SIGNO LUNAR	ASPECTO DA LUA COM OS PLANETAS
Salões - Feiras - Eventos culturais - Festivais	Cresc Cheia	Sag.	Conj, sexl, tríg Júpiter, Vênus
Congressos - Simpósios - Palestras	Cresc Cheia	Gem. Sag.	Conj, sexl, tríg Mercúrio, Júpiter
Noites de autógrafos - Lançamentos - Exposições	Nova Cresc	Gem. Can. Sag. Lib. Lea.	Sexl, tríg Mercúrio, Júpiter, Sol, Vênus
Eventos esportivos	Nova Cresc	Ari. Sag	Conj, sexl, tríg, quadr Sol, Marte, Júpiter
Reunir grande público	Cresc Cheia	Sag. Gem. Can.	Conj, sexl, tríg Júpiter
Reunir público selecionado	Cresc	Lib. Cap.	Sexl, tríg Sol, Saturno

LAZER	FASE LUNAR	SIGNO LUNAR	ASPECTO DA LUA COM OS PLANETAS
Viagem	Cresc	Gem. Sag.	Conj, sexl, tríg Mercúrio, Júpiter - sexl, tríg Netuno
Sair	Cheia	Gem. Lea. Lib. Sag. Aqu.	Conj, sexl, tríg Sol, Mercúrio, Vênus, Júpiter
Bares - Boates - Restaurantes	Cresc Cheia	Gem. Lea. Lib. Sag. Aqu.	Conj, sexl, tríg Vênus, Júpiter, Mercúrio, Urano
Festas	Cresc Cheia	Gem. Leo. Lib. Sag.	Conj, sexl, tríg Vênus, Júpiter — sexl, tríg Netuno
Dança	Cresc Cheia	Lea. Pei.	Sexl, tríg Vênus, Netuno
Cinema - Teatro - Cultura	Cresc Cheia	Gem. Lib. Sag. Aqu. Pei.	Conj, sexl, tríg Mercúrio, Vênus, Júpiter — sexl, tríg. Urano, Netuno
Arte	Cresc Cheia	Tou. Lib. Pei.	Conj, sexl, tríg Vênus, Netuno
Gastronomia	Cresc Cheia	Tou. Can.	Conj, sexl, tríg Vênus, Júpiter
Reunir amigos	Cresc Cheia	Gem. Lib. Sag. Aqu.	Sexl, tríg Mercúrio, Vênus, Júpiter
Curtir a casa ou estar com a família	Ming	Tou. Can.	Conj Vênus — sexl, tríg Saturno
Praia e atividades no mar		Can. Lea. Pei.	Sexl, tríg Sol, Netuno
Atividades ao ar livre - Espaços abertos	Cresc Cheia	Ari. Lea. Sag. Aqu.	Conj, sexl, tríg Marte, Júpiter — sexl, tríg Urano
Contato com a natureza		Tou. Vir. Cap.	Sexl, tríg Vênus, Júpiter, Saturno
Trilhas - Caminhadas - Passeios exóticos	Nova Cresc Cheia	Ari. Sag.	Sexl, tríg Marte, Júpiter, Urano

RELACIONAMENTO	FASE LUNAR	SIGNO LUNAR	ASPECTO DA LUA COM OS PLANETAS
Encontros afetivos	Cresc	Lib. Lea.	Sexl, tríg Sol, Vênus, Marte, Netuno
Promover encontros	Cresc Cheia	Lib. Pei.	Sexl, tríg Sol, Vênus, Mercúrio, Plutão
Estreitar vínculos e laços afetivos	Cresc. Cheia	Can. Pei.	Conj, sexl, tríg Vênus
Erotismo	Cheia	Tou. Esc.	Conj, sexl, tríg Vênus — sexl,tríg Marte, Plutão
Romantismo	Cresc Cheia	Can. Pei.	Conj, sexl, tríg Vênus, Netuno
Início de relacionamentos duradouros	Cresc	Tou. Can. Lea. Cap.	Sexl, tríg Vênus, Saturno
Início de relacionamentos que modificam a pessoa	Ming	Aqu.	Sexl, tríg Urano
Início de relacionamentos em que uma das partes domina	Nova	Ari. Lea.	Conj Sol — conj sexl, tríg Marte
Reconciliação - Conciliação de diferenças	Cresc	Lib. Pei.	Sexl, tríg Vênus Sol, Vênus, Mercúrio, Plutão
Esclarecimento de mal-entendidos	Nova Cresc Cheia	Ari. Gem.	Sexl, tríg Sol, Marte, Mercúrio
Terminar relacionamentos	Ming	Ari. Esc. Aqu.	Sexl, tríg Marte, Saturno, Urano, Plutão
Possibilidade de surgirem crises nos relacionamentos	Cheia	Ari. Esc. Aqu.	Conj, quad Urano, Plutão
Casamento	Cresc	Pei. Tou. Can. Lea. Lib.	Conj, sexl, tríg Vênus -sexl, tríg Sol
GESTAÇÃO	FASE LUNAR	SIGNO LUNAR	ASPECTO DA LUA COM OS PLANETAS
Gestação - Fertilização	Nova Cresc		
Partos mais fáceis	Cresc		Conj, sexl, tríg Júpiter, Vênus – sexl,tríg Sol, Marte e Urano

Precipitação de nascimento	Cheia	Ari. Sag. Aqu.	Conj, sexl, tríg Marte, Urano
Concepção de meninas	Cheia a Nova	Tou. Vir. Cap. Can. Esc. Pei.	
Concepção de meninos	Nova a Cheia	Ari. Lea. Sag. Gem. Lib. Aqu.	
Período fértil: 1ª metade — concepção de meninas		Tou. Vir. Cap. Can. Esc. Pei.	
Período fértil: 2ª metade — concepção de meninos		Ari. Lea. Sag. Gem. Lib. Aqu.	

CULTIVO, PLANTIO E NATUREZA	FASE LUNAR	SIGNO LUNAR	ASPECTO DA LUA COM OS PLANETAS
Capinar e aparar a grama	Ming		
Adubagem	Ming		
Transplantes - Enxertos	Cresc		
Combater pragas	Ming		
Poda	Ming		
Crescimento da parte aérea das plantas	Cresc		
Para o que cresce debaixo da terra	Ming		
Cultivo de ervas medicinais	Ming	Pei.	
Plantio de hortaliças	Ming		
Plantio de Cereais - Frutos - Flores	Cresc		
Acelerar amadurecimento de frutas, legumes e plantas	Cheia		
Acelerar desabrochar dos brotos de flores e plantas	Cheia		
Colher frutos	Ming		
Colheita de frutos suculentos	Cheia		
Colheita de plantas curativas	Cheia		
Aceleração da secagem de produtos e desidratação	Ming	Ari.	
Compota de frutas e legumes	Ming		
Corte de madeira	Ming		
Pesca	Cheia		

SERVIÇOS PROFISSIONAIS DA AUTORA

Mapa Natal
Interpretação da carta natal, fornecendo o diagnóstico da sua personalidade.

Trânsito e Progressão
Técnica astrológica de previsão com duração para um ano. Deverá ser renovado anualmente.

Revolução Solar
Técnica astrológica de previsão a partir do dia de aniversário em cada ano. Recomenda-se fazer um mês antes do aniversário.

Sinastria
Estudo de compatibilidade entre as pessoas, para se avaliar o grau de afinidade. Indicado para relacionamentos afetivos ou parcerias comerciais.

Terapêutica Astrológica
Uma série de sessões em que, por intermédio do próprio mapa astral, se levantam questões importantes da personalidade do indivíduo e a forma de melhor superá-las.

Astrologia Eletiva
Indicado para a escolha de datas para abertura de negócios, novos empreendimentos, cirurgias etc.

Astrologia Vocacional
Indicado para adolescentes em fase de escolha de profissão e para adultos em busca de alternativas. Excelente estudo para adequação entre personalidade, trabalho e profissão.

Astrologia Infantil
Indicado para pais, educadores ou profissionais da área de saúde que queiram conhecer melhor aqueles que estão sob sua responsabilidade.

Astrologia Empresarial

Para empresas ou profissionais liberais que queiram delinear os períodos de avanços, estratégias, planejamentos e precauções para seus negócios, formação de equipe e contratação de pessoal.

Astrologia Financeira

Para investidores que queiram consultar as tendências do mercado financeiro.

Astrocartografia e Relocação

Nesta técnica, avaliamos os lugares (cidades e países) mais indicados para uma pessoa viver, fazer negócios ou promover uma melhoria na vida pessoal.

Calendário Astrológico

Previsões diárias com interpretações dos principais movimentos planetários para que você programe seu ano inteiro.

Cursos

Básico, intermediário, avançado e especialização. Para aqueles que têm interesse no tema e para os que queiram desenvolver uma profissão na área astrológica. Informações no site www.marciamattos.com e WhatsApp (21) 96973-0706

Consultas

Presenciais, on-line (Skype ou Zoom).

Primeira edição (outubro/2021)
Papel de Capa Cartão Triplex 250g
Papel de Miolo Ivory Slim 65g
Tipografia Aleo, Restora, Gibson e Fairfield LT Std
Gráfica Eskenazi